陳慶浩·鄭阿財·陳義主編
越南漢文小說叢刊第二輯 第三冊

皇越龍興志

驩州記

後陳逸史

臺灣學生書局印行

《越南漢文小說叢刊》第二輯 前言

在《越南漢文小說叢刊》第一輯總序中，我們將越南漢文小說分成神話傳說、傳奇小說、歷史演義、筆記小說和現代小說五大類。並指出現代小說「是本世紀以來，受西方文化和中國白話文學影響而創作的現代白話小說，數量不多，勉強算作一類，可以算是上四類的附錄」。因此，在談到傳統越南漢文小說時，指的是前四類作品。但在《越南漢文小說叢刊》第一輯中，我們並沒收入神話傳說。主要原因是這類作品版本繁多而且複雜，當時我們並沒有掌握到充分的資料。《越甸幽靈集》雖已排好版，但發現有若干版本還沒收集到，校對稿不能呈現全書不同系統的面貌時，就決定撤版。提起這段舊事，還要感謝學生書局同仁對學術的熱誠，同意出版這樣一套冷門書本已不易，蒙受撤版損失亦毫無怨言。我們將神話傳說作爲本輯的重點，藉以彌補第一輯未能編入這類資料的遺憾。

神話傳說是民族精神之所寄，是民族早期歷史曲折的呈現；各民族早期歷史幾乎都是由神話傳說構成的，越南亦不例外。《大越史記全書・外紀・卷之一》的史事，就和本輯收入的《嶺南摭怪》大致相同。《嶺南摭怪》部份故事採擷自古代史書，而它又是後世史家汲取的對象。但不論史書還是故事書，源泉都是口頭流傳的神話傳說。《越甸幽靈》和《嶺南摭怪》是越南現存最古老、最重要的神話傳說集，就目前掌握到的資料，編纂成書當在十四、五世紀間。書編成後又屢經後人增添補續，互相引錄，形成了你中有我、我中有你的局面。其他故事集更是輾轉抄襲，增刪重編。故研究者需將全部資料集中整理，方能觀其脈絡，見其演變之跡象。為此，我們不單輯錄《越甸幽靈》和《嶺南摭怪》最早版本，亦兼容並蓄，將補續部分同時收入。對於不同系統的本子，雖故事相同而文字有較大差異、無從以校記錄入者，亦另行刊出，不避重複。蓋研究資料，不嫌其多，唯恐其不全耳。本輯收錄未全之資料，當收入後出叢刊中。

越南神話傳說讀起來特別親切：李翁仲固是耳熟能詳的人物，神龜築城之傳說既見於《華陽國志》，至今仍有故事流傳。〈鴻厖傳〉謂涇陽王娶洞庭君龍王女，使人想起唐人李朝威之〈洞庭靈姻〉（或稱〈柳毅〉、〈柳毅靈姻〉），以及由此發展出來的戲劇《柳毅傳書》。過往之論者以出現時代定先後，作為《嶺南摭怪》所受中國文學影響之明證。我們認為：與其說是互相因襲，不如指為相同的來源。蓋神話傳說為口頭文學，具傳承性、變異性諸特徵，不同時代不同地域者所記錄的同一故事，既有相同的母題，又有相異的情節。《嶺南摭怪》中，除了上舉三篇的某些情節，和中國古籍記載相合外，還有〈越井傳〉，與唐裴鉶的《傳奇》中〈崔煒〉一篇，有更多相同的情節。主角崔煒、配角鮑姑和玉京子等都相同，故事地點越井崗也是一樣的，可以看做同一故事的不同記載。《嶺南摭怪》記錄的是古代嶺南百粵民族的傳說，越南民族是百粵的一部份，越南和中國嶺南有相類甚至完全相同的傳說，一點也不奇怪。《越甸幽靈》既有地方的神祇，又有漢文化區共同的神祇，亦是很自然的。越南位於印支半島東部，印支半島是漢字文化圈和梵文文化圈的交接處，目前越南的中部、南部，過去是梵文文化區，一部越南國家發展的歷史，從文化的角度觀察，可以看作漢文化向南向西發展的歷史。正是在這一形勢下，越南所受印度文化的影響也是巨大的。《嶺南摭怪》的〈夜叉王傳〉是古代占城版的印度神話《羅摩衍那》，也是研究者公認的事實。

本輯刊出三種歷史演義小說：《皇越龍興志》是王朝歷史，《驩州記》是家族史，而《後陳逸史》則是地區性的個人的歷史。後兩者是王朝歷史的部份放大，而又可作爲皇朝史的補充。《越南漢文小說叢刊》第一輯中，我們刊出的三部歷史演義都是王朝史。《皇越春秋》記天聖元年（一四〇〇）至順天元年（一四二八）史事，《越南開國志傳》敍述黎英宗正治十一年（一五六八）至黎熙宗正和十年（一六八九）間阮氏崛起經過，《皇黎一統志》（又稱《安南一統志》）述黎朝景興三十八年（一七七七）至阮朝嘉隆三年（一八〇四）間史事，重點在敍寫黎朝覆滅的經過。本輯的《皇越龍興志》記景興三十四年（一七七三）至明命元年（一八二〇）史事，重點在阮朝興起的歷程。這四部王朝歷史演義，幾乎將越南自十五世紀至十八世紀的歷史，用小說的形式展示出來了。

《驩州記》（又稱《天南列傳阮景氏驩州記》）寫義靜（即古驩州）阮景家族前八世史事，特別是第五代阮景驩、第六代阮景堅、第七代阮景何、第八代阮景桂在「扶黎滅莫」，中興黎朝的功績，是一部以章回小說形式由本族後代修成的族譜，開創了「族譜小說」這一特殊的體裁，就我所知，在漢文小說世界中，這是前無古人、後無來者、別開生面的創作。

早期的中國歷史演義是藝人講史的底本，經下層文人整理成書的，有較多的民間通俗性。後來的歷史演義，有的已沒有經過講說的階段而直接創作，但一般來說，創作者都是下層文人，他們的歷史觀並不等同於官史。因而，在中國既有一套官方的歷史，又有一套民間的歷史；歷史演義是俗文學。越南的歷史演義，似乎都沒經過講史的階段而是直接創作。作者又都是較高層的官吏和文士。如果說早期的作品《皇越春秋》和《越南開國志傳》是後人據早期史料重新創作，還有較明顯的接受中國漢文歷史演義如《三國演義》影響的跡象，有較多的故事性；後期吳家文派所寫的《皇黎一統志》和《皇越龍興志》，則是以史家修史的態度，用章回小說的形式寫歷史。《皇黎一統志》的作者，寫的是他們身經的歷史；《皇越龍興志》作者寫的，是家族上一兩輩人身經的歷史。這兩本書，歷史性勝過文學性。越南漢文歷史演義的作者，不論寫的是王朝史還是家族史，都自覺到在補官修史書之缺失，並在序跋中明確地說出來。越南漢文歷史演義不是通俗文學。

本輯收書十七種，分五册。其中《驩州記》、《後陳逸史》、《雨中隨筆》、《喝東書異》、《敏軒說類》五種是越南社會科學院漢喃研究所同仁校定的。《嶺南摭怪》最早的版本二卷本是漢喃研究所陳義教授整理的，後續的本子則是臺北中國文化大學朱鳳玉教授和蔡忠霖先生校點的。其它十一種書都是中國文化大學中文研究所越南漢文小說校勘小組師生校點的。各書校點者芳名，標於該書扉頁。越南漢喃研究所參與本書的工作，是由陳義教授組織安排的。中國文化大學中文研究所越南漢文小說校勘小組由鄭阿財教授領導。越方負責的六種書，除校勘標點外，又撰寫出版說明。撰寫者芳名附於文末。其中《後陳逸史》、《雨中隨筆》和《敏軒說類》出版說明用漢文撰寫，其它三種用越文。越文出版說明是由北京大學東語系顏保教授和他的高足盧蔚秋、田曉華、雷慧翠三位女史翻成漢文的。四位並翻譯本輯各書及其作者的相關越文資料，供撰寫出版說明時參考。本輯所有喃字，都是顏保教授翻譯成中文的。巴黎的劉坤霖先生也從越文翻譯若干參考資料，於此一並致謝。本輯各書正文、校記及出版說明，都由我和鄭阿財兄審訂，並作成定稿。這套書是臺北、河內、北京和巴黎四地研究者協作的成果。

《越南漢文小說叢刊》第二輯得以順利出版，首先要感謝法國遠東學院院長汪德邁（Vandermeersch）教授。和上一任院長一樣，他贊同我所提出的漢文化整體研究的構想，接納我在遠東學院建立漢喃研究小組的建議，使得越南漢文小說研究計畫，成爲學院研究計畫的一部分，因而得以充分利用該院的資料和設備。由於遠東學院的資助，陳義教授和顏保教授得以從東方來巴黎和我一道作短期合作研究。

我還要感謝越南社會科學院漢喃研究所的合作，遠東學院繼續與學生書局合作出版這套叢書。感謝漢喃所同仁陳義、黃文樓、臨江、范文深四位先生和阮氏銀、阮金鶯兩位女士參加本輯的工作，提供本輯部分資料。

越南漢文小說的整理和研究是法國遠東學院和漢喃研究所的合作研究計畫，並已成爲法國和越南文化交流的一個項目。這套書是這項目的一個成果。

《越南漢文小說叢刊》第一輯是王三慶教授所領導的，中國文化大學中文研究所越南漢文小說校勘小組成員協作編出來的。三慶兄後來應邀去日本天理大學任客座教授，得以收集日本漢文小說資料，和我合作編纂《日本漢文小說叢刊》，故改由鄭阿財教授領導校勘小組，負責第二輯的編纂工作。參加本輯工作的，有朱鳳玉教授、張繼光、陳益源、蔡忠霖先生和汪娟、吳翠華小姐。我也於此致謝。

《叢刊》第一輯出版後，得到社會的鼓勵，除了有不少書評外，又獲得當年行政院新聞局頒贈的圖書類圖書主編金鼎獎。但銷路奇差，估計至今還未能還本。而臺灣學生書局諸位執事先生，本著對文化的熱忱，明知要擔負虧損的風險，還毅然繼續出版這一套書，這是我深心感激的。

兩年半前，我以〈十年來的漢文化整體研究〉爲題，爲陳益源兄的《剪燈新話與傳奇漫錄之比較研究》寫序時，對漢文化整體研究的意義說過一段話，我覺得還能代表我目前的看法，抄錄下來供參考：

隨著科技的發展，世界各地已可以朝發夕至了。人類生活在一個小小的地球，歷史產生出來的國家，以及由國家產生出來的種種問題，又在新的歷史形勢下發生變化。歐洲十二國組成的共同市場，將在一九九三年起消除國界，並可展望將由經濟的統合發展到政治統合。政治家們已為二十一世紀提出歐洲聯邦的構想。產生兩次大戰的歐洲在合作情勢下，消弭戰禍於無形。反觀東亞，歷史上有過多少次大大小小的戰爭，即到當代還沒有停止過。歐洲的和平合作，為我們提供一個榜樣。通過經濟上政治上的合作，一個東亞聯邦，是不是也可在下世紀產生出來？從國家向超國家的聯邦整合，是當前歷史發展的方向，不能順應此一形勢的，在一個充滿競爭的世界中，將被抛到後頭。而漢文化區是東亞的支柱，未來東方的整合，會從漢文化區開始的。畢竟有共同的文化背景，有同質的價值觀人生觀，彼此的了解和合作是較自然的。漢文化的整體研究，正是為東亞未來的合作，墊個穩固的基礎。這就不單是學術研究的意義了。

當前西歐在加快整合的速度，歐洲共同市場各國紛紛在批准馬斯垂克條約，西歐將由經濟的整合發展到政治的整合，有單一的市場、共同的貨幣和整體的外交政策，甚至有統一的軍隊，北歐和東歐各國，亦都表示加入此一共同體的意願，有些國家如瑞典、瑞士、挪威等正申請加入此一共同體，而美國、加拿大和墨西哥，亦宣佈組成單一市場。面對這樣的形勢，東亞諸國，特別是漢文化區諸國，又將何去何從？

是爲序。

陳慶浩　一九九二年九月於巴黎

《越南漢文小說叢刊》第二輯　校錄凡例

一、本叢刊所編小說一律選擇善本作爲底本，各本文字則據底本原文迻錄。

二、除底本外若有其他複本可資參校者，則持以相校；其有異文，則擇善而從，並出校記說明之。

三、若文句不順，且乏校本可據者，爲使讀者得以通讀，則據文義校改，並出校記說明之。

四、凡爲補足文義而意加之文字，則以〔 〕號括別之。若爲原文之錯字、別字，則於注通行正字於原字下，並以（ ）號括別之。

五、凡底本或校本俗寫、偏旁誤混之字，隨處都有，此抄本常例，則據文義逕改，不煩另出校記，以省篇幅。

六、又迻錄時，均加標點分段，並加人名、書名、地名等專有私名號。

七、凡正文下雙行註文，一律以小字單行標示。又正文有眉批者，則於適當字句下加註說明。若眉批不屬於某一字句者，則於各段後加註說明。

八、凡正文中，偶有喃字，一律譯成漢字，並將原文錄入註中。

皇越龍興誌

目錄

卷四……九一

卷五……一一九

卷六……………………………………………………一五三

驩州記

目錄

後陳逸史

目錄

皇越龍興誌

張繼光　校點

皇越龍興誌　出版說明

皇越龍興誌，全書六卷，三十四回。作者爲吳甲豆。吳甲豆（一八五三—？），山南青威吳家文派之後裔，號三清觀道人，又號事事齋。爲皇黎一統志作者之一吳時任的曾孫。此書完成於成泰己亥（一八九九）、甲辰（一九〇四）年間。吳甲豆爲越南吳家文派名家，其著述與編訂之著作甚多，見諸著錄者有：鸚言詩集十二卷、午峰文集二十二卷、觀瀾十詠（或稱記事集）、二青峒集、保障宏謨、越史標案十卷、吳家世譜、重補粵甸幽靈集錄全編、中學越史編年輯要、大南國粹……等。

皇越龍興誌是一部歷史演義的章回小說，全書三十四回，回有回目，主要爲七言聯語，間有八言、九言。在越南漢文小說的各類中，歷史演義是最具特色的一類。在今所得見的此類作品中，時間前後相續。皇越春秋內容敍述天聖元年庚辰（一四〇〇）至順天元年戊申（一四二八）間，越南的史事；越南開國志傳敍述黎英宗正治十一年（一五六八）至黎熙宗正和十年（一六八九）間，阮氏崛起經過；皇黎一統志又名安南一統志，敍述黎景興三十八年（一七七七）至阮嘉隆三年（一八〇四）間事。其後皇越龍興誌則接續皇黎一統志之史事，敍述景興三十四年（一七七三）西山阮文岳起事，至明命元年（一八二〇）聖祖登基間，阮朝之開國事跡。

越南漢文歷史演義小說最大特色是作者身份與撰寫心態與中國歷史演義大不相同，中國的歷史演義通常來自下層知識分子或失意文人，而越南漢人歷史演義的作者卻多是上層知識分子，且爲中上官吏，二者差異極爲明顯。

皇越龍興誌作者吳甲豆，成泰三年（一八九一）中舉，出任義安州同，官至督學。清威吳家爲史學世家，其先人爲越南著名的文士集團吳家文派，皇黎一統志即其先人吳至（時志）所著，吳悠（時悠）續，而其曾祖吳任（時任）輯編。吳氏家族自高祖吳仕撰越史標案以還，即以修國史爲其志業。吳甲豆爲續修先族統志之業，乃有皇越龍興誌之作，其自敍有云：

我南傳志之作，代有其人：皇越春秋述歷代廢興之故，越南國志備先朝開拓之由。體制或蹈前人，事實較詳正史。某曾祖叔叅書平章吳公學遜，著有皇黎一統志，敍西山滅鄭扶黎，以成一統之事，草未竟而卒；從弟海陽學政吳公徵甫續而成之，則言西山滅黎，至於黎皇歸葬之事終焉。而我朝之滅西山，但概及之，書固有主而云，非敢略也。……某採諸家所言，以修國志，殆猶龍門豎屋，適供紫陽戲童者。第我先族紳統志之書，容某續修，以卒其業。輒忘固陋，私自編摩。上以志國朝之興，下以補家書之缺云耳。

我們由作者此一自敍，可知吳甲豆是皇黎一統志諸作者學遜公吳時仕和徵甫公吳時悠的第四代子孫。同時也可充分的看出此書編纂的動機、寫作的態度，以及此書之性質與內容。爲了達到此一目的，吳甲豆費盡心血去閱讀有關史籍，如大南實錄（前編、正編）、大南列傳等等，以及其他相關資料，希望能以章回小說的形式來反映出正確詳盡的歷史。

今所知見，皇越龍興誌只存一抄本，編號A23，原本現存河內漢喃研究所。全書凡六卷，各卷封面署有「皇越龍興誌全帙」。全書計二百七十三葉，每半葉九行，行二十字，字體工整。此次整理係據漢喃研究所原本影印迻錄，點校排印。

皇越龍興誌自叙

我南傳志之作代有其人皇越春秋述歷代廢興之故越南國志備先朝開拓之由體製或蹈前人事寔較詳正史某曾祖叔簽書平章吳公學源著有皇黎一統志叙西山滅鄭扶黎以成一統之事草未竟而卒從弟海陽學政吳公徵甫續而成之則言西山滅黎至于黎皇歸葬之事終焉而於我朝之滅西山[illegible]槩及之書固有主而云非敢畧也夫西山之亂草木雖周而兵粟已秦衣冠雖漢而伏臘已新西起[illegible]

書影

書影

怒孫域之陽秋君所志保無影響之談否曰是則猶望于史學泰山者誨我典故而進之則所賜也容默而退遂并所言于卷端辰成泰甲辰秋九月之吉越南小臣左江吳甲豆事事齋書于敞邑文林巷之書軒

皇越龍興志目錄

卷一

卷二

書影

書影

皇越龍興志卷之一

第一回

定本國列聖開基　嘉朝政奸臣召變

却說我　皇朝世祖高皇帝中興于嘉定後富春之

北河停西山而帝南國兵閒積苦厥功最高湖其[illegible]

服肇興神傳聖繼寔子孫憑藉之基初我

肇祖昭勳靖王姓阮諱弘淦籍清華省河中府宋

縣嘉苗外庄黎聖宗朝太尉貞國公諱

德忠之後父諱

皇越龍興誌　自敍

我南傳志之作，代有其人：皇越春秋述歷代廢興之故，越南國志備先朝開拓之由。體製或蹈前人，事實較詳正史。某曾祖叔簽書平章吳公學遜，著有皇黎一統志，敍西山滅鄭扶黎，以成一統之事，草未竟而卒；從弟海陽學政吳公徵甫續而成之，則言西山滅黎，至於黎皇歸葬之事終焉。而於我朝之滅西山，但槩及之。書固有主而云，非敢略也。

夫西山之亂，草木雖周，而兵粟已秦；衣冠雖漢，而伏臘已新。西起之讖，張獻曾策其成功；懷南之曲，黃光亦爲之切齒。假非天授眞人，孰能撥亂而反之正？欽我
世祖高皇帝以上聖之資，濟中興之志。二百餘年之廟社，天命重新；三十餘省之江山，地圖增舊。孝於光舊物，功於濟生民，視黎以前簡册，爲有光矣。溯其用兵顚末，致亂治規模，閣臣史之，塾儒傳之，當無待於鉛槧。鄙夫云云，譬日爲也。顧天府所書，既藏爲寶訓；稗官所載，徒私之名山。繙閱無從，見聞弗習，南人不詳南事，無乃籍談之忘其祖乎！

某志執簡，經幾葛裘而未暇也，近來養拙家山，每覯所知，輒以
先朝故事爲問。既而物聚所好，天誘其衷：於實錄前編知福巒之貪冒致亂，而西山之慫恿以起；於嘉陵實錄知
先帝之威武奮揚，而僞朝之暴虐以滅。嘉定通志則人地互見，可參衆目於大綱；名臣列傳則智勇宣勞，可集衆腋於一裘。兩圻形勢，詳翁墨之閒談；六省沿革，備靖山之類編。合此群書，質之

故老，窮源竟委，炤以犀光陳文恂之志略，不患刪補之無由矣。取而輯之，首敍列聖之定國本，終述嗣皇之建山陵。其間海國蠻邦，備嘗艱苦；南平北伐，懋著勳猷。金枝玉葉之英，後先疏附；鳳翼龍鱗之佐，奔走折衝。與其政事恢張，而城社崇其規，兵食定其制；樞機周密，而士民修其政，鄰藩固其封。雖未得其詳，亦不失其要。先後五十餘載，上下三十四回。閱已亥初冬，至甲辰秋季，周六霜暑，始克就編。謹顏之曰：皇越龍興志。

於是有語某者云：「君乃欲從著作路上行耶？國史捷錄等篇，未全窺豹；越史標案一部，難擬續貂。固非彪子妙才，向孫篤論者，而何西施效顰，令人捧腹爲？」應之曰：「某採諸家所言，以修國志，殆猶龍門豎屋，適供紫陽戲童者。第我先族紳統志之書，容某續修，以卒其業。輒忘固陋，私自編摩。上以志國朝之興，下以補家書之缺云耳。」

若夫學未究班、馬，而筆欲著藩牆，則世之災梨禍棗者多矣。繆蓮仙寧獨我苛。」曰：「一代經營之蹟，千秋記錄之文，縉紳先生，諒所不禁。然天水說降，矮班彪之著論；枋頭失利，怒孫盛之陽秋。君所志，保無影響之談否？」曰：「是則猶望于史學泰山者，誨我典故而進之，則所賜也。」客默而退，遂弁所言于卷端。辰（時）成泰甲辰秋九月之吉，越南小臣左江吳甲豆事事齋書於敝邑文林巷之書軒。

皇越龍興誌 卷之一

第一回

定國本列聖開基 蠹朝政奸臣召釁

却說：我皇朝世祖高皇帝中興於嘉定，復富春，幷北河，俘西山而帝南國。兵間積苦，厥功最高。溯其南服肇興，神傳聖繼，實子孫憑藉之基。

初，我肇祖昭勳靖王，姓阮諱弘淦，籍清華省河中府宋山縣嘉苗外莊，黎聖宗朝太尉貞國公諱德忠之後。父諱文滔，憲宗時❶為沱北經略使，輔襄翼帝，起兵清華，以功封太傅澄國公。王其長子也。仕黎為右衞殿前將軍安靖侯。黎昭宗統元五年，莫登庸簒國，王以世為黎臣，志扶正統。自東都避居哀牢，潛回清義，糾合豪傑，迎黎寧至翠鞞柵，立為帝，紀元元和，是為莊宗。營行殿於漆馬江，屯重兵於萬賴柵。官晉太宰，封興國公。以莫降楊執一陰進瓜毒而薨（壽七十有八）。黎帝贈昭勳靖公，厚禮葬於天尊山。（屬宋山縣）仙王尊為昭勳靖王。

仙王諱潢，肇祖第二子。肇祖薨時，壻鄭檢（永福縣槳小社人）代領其軍，王年尚幼弱，留養阮於已家。於已清華人，黎特進輔國上將軍阮明辨之子。是我靖王元妃胞兄，仕黎，官至太傅。盡心保護仙王，勸之樹立功業。既長，莊宗使從征伐，屢建奇功，官至右將。端郡公檢時已進爵諒國公，以其功高望重，忌之，謀欲加害。仙王深以為憂，聞莫狀元程國公阮秉謙（海陽中庵人）精術數之學，使人詣問善後之策。謙玩庭前假山，見群蟻緣其上，浪吟云：「橫山一帶，萬代容身。」仙王以語於已，於已密使托姊玉寶言於檢，求鎭順化之地。檢利其遠，且有莫將在，將假手焉，奏請黎帝遣之。仙王以黎正治元年戊午（時年三十四。）冬，南行駐營愛子，有宋福治、莫景账、阮於已同心規畫。初以綠衣神夢破莫立暴，繼以神母靈符建寺天姥。尋奉黎帝命，兼鎭廣南，事得便宜，歲供職貢。

順化原占城地，陳英宗興隆年間，占主制旻請婚，納烏哩為聘物。陳嫁以玄珍公主，改烏哩為順化二州。至黎聖宗置為順化，承宣廣南，亦占城地。黎洪德年間，占主盤羅茶全，襲順化，聖宗親董兵師，攻破闍槃城，生擒茶全，以其地置廣南，承宣那二處，北有橫山、纏江之險，南有海雲、碑山之固。山產金鐵，海出魚鹽，實英雄用武之地。

仙王坐鎭順、廣，收賢才以分眾職；施恩惠以結人心。占人侵邊（占城古稱林邑，環王始號占城）命主事文封討之，取其地。置富安府。山寇洋賊，取次剷平，將兵出東都輔黎討賊。八年而南，復移駐葛營，在鎭五十六年。（壽八十九。）佛王尊為嘉裕。

佛王（諱福源，仙王第六子。）移營福安，始稱國姓為阮福氏。得陶惟慈為輔，置哀牢營，以通西北諸蠻。文封以占叛，命阮福榮（莫景账之子，賜國姓，後改為阮有氏。）討平之。立鎭邊營，築長育、日麗諸壘，立選場，補稅例，經國規模，事事就緒。鄭王梉挑釁來犯，不克而還，在位二十二年，（壽七十三）上王尊為瑞陽王。

上王（諱福淍，佛王第二子。）移居金龍，追鄭王兵於欞江，破烏蘭賊於堧海，在位十三年，（壽四十八）賢王尊爲昭王。

賢王（諱福瀕，上王第二子。）攻破占城，以潘郎江之東爲泰康、延寧二府。江之西置泰康營，仍爲占城國地，使國王婆擬歲修職貢，擒眞臘、匿螉禛，復送回國，令爲藩臣。築沙柴堡及鎭寧、每耐等壘。鄭連歲來侵，並爲謀臣阮有鎰，戰將阮有進，元帥王子協所敗。納明故將楊彥迪、陳勝才等，使居眞臘之東浦地方。（彥迪居美湫，卽今祥定。勝才居盤轔，卽今邊和。）在位三十九年。（壽六十八。）義王尊爲哲王。

義王（諱福溱，賢王第二子。）以香茶之富春、屏山、香水旺氣鬱芴，（輿地志言，其地平鋪如掌，五十餘里，俯臨江津，前右畔群山旋衛羅列，全收虎水，物力富盛。）遂建王府定都，在位四年。（壽四十三）明王尊爲弘義王。

明王（諱福洞，義王長子。）始稱國王，伐占城，擒其主婆爭，改其國爲順城鎭。分東浦地，置嘉定府。建藩鎭營，開河僊鎭，破廣義靈王，平甘露惡蠻，在位三十四年。（壽五十一）寧王尊爲明王。

寧王（諱福澍，明王長子。）走牢賊詑卒。降眞臘匿他，以嘉定地廣，分置定遠洲、龍湖營，在位十三年，（壽四十三）武王尊爲孝寧王。

武王（諱福闊，又諱曉寧王長子。）尊列聖徽號，營都城宮殿，官制易服色，設境內爲十二營（上元為布政營，廣南為廣南營，富安為富安營，延慶為平康營，隆福為鎭邊營，新平為藩鎭營，定遠為龍湖營，惟廣義、歸仁，隸於廣南，而河仙，別為一鎭，其在富春則曰正營。）討天光賊王，救崑蠻兵患，南蟠（水舍火舍）萬象（古哀牢黎末始稱萬象。）莫不賓服，降眞臘匿原，取雷巤、尋奔之地。許匿潤監國，取茶榮、巴忒二府，又平匿馨之亂。封匿尊爲眞臘國王。匿尊獻尋袍、楓龍之地，復割香澳、芹渤、眞森、茶末靈瓊五府，隸歸河仙。移龍湖營於尋袍處，（今永隆省）設東口道於沙的處，前江設新洲道，後江設朱篤道。在位二十七年，（壽五十三。）定王尊爲孝武王。

累朝開拓，幅員日長，黎庶悅從，英賢驅策，有駸駸日盛之勢。感德所加，小懷大畏。南匪動輒勦平，北師節被挫抑。惟其傳授分明，代有長君。世無權奸，陰擅廢置之事。

却說：武王世子昊，早年不祿。我興祖孝康皇帝諱晼。是武王第二子，以次當立。武王使內右張文幸傳之，欲以爲嗣。授掌奇常參朝政。大臣外左張福巒忌其穎慧英果，恐難相制。武王駕崩，福巒利王十六子之少，謀與大監褚德，掌營阮久通矯命立之，是爲定王。（諱福淳，又諱昕。）王年十二。福巒既立爲王，乃謀逼置興祖於冷宮。興祖憂鬱不豫，歸邸而崩，（壽三十有三。）我世祖高皇帝（以壬午春正月己酉生，諱種，又諱暎，又諱暖，又諱杲。定王以杲字為日正中之象故名。）是興祖第三子。年始四周，潛龍私邸。那福巒清華貴縣人（布政營鎮守張福會之次曾孫，掌營張福崗之孫。太保攀國公張福攀之次子。）以世臣輔國政，無他才能。定王德其擁立大功，加爲國傅。掌戶部，管中象奇兼漕務，賜之灑源、秋盆、茶山、茶雲、同香諸源爲寓祿。歲入產稅四五萬緡，所管戶部漕務雜稅所入，歲亦不減三四萬緡。金珠錦綵山積，田園、室屋、奴僕、牛馬，不知其數。長子嵊，次子嶽，均尚主。官至掌營該奇，無子儀、李晟之功，而一門顯貴；有片冑、彌遠之勢，而百官奉承。引其黨蔡生爲戶部，所屬分據要津，立朝驕蹇，莫敢誰何，人或呼爲張秦檜。其壻宗室昱，獨呼爲張嚴嵩。

昱是明王第八子少師倫國公宗室泗之長子，博學宏才，朝廷倚重，時領刑部，福巒思引爲助，妻之女，以固其心。昱雖翕巒，不爲之屈，凡事守正不阿。巒怒謂蔡生曰：「昱每如此相陵，行將以一拳搗婦翁也。天下有冰玉之不相能，乃如是哉？」陰遣人誣昱謀反。按之無狀，遂罷昱官。昱奮然曰：「渠能罷我，宗室豈無他人能械渠耶？」時有宗室㚇，宗室曮（均明王十二子太保胤國公宗室洄之子，㚇官掌水奇，曮歷官掌營管吏兵二部領廣南營左府掌府事郡公。）定王頗所信用，而專事酒色。不以國家爲意。巒以此益無忌憚，賣官鬻獄，繁刑重斂，人多苦之。四、五年間，地震山崩，星墜水赤，百姓饑饉，盜賊四起，潮州賊起，白馬暹羅兵陷河仙，境內從此多事。朝臣有曉事人，多以爲言，巒毫不加之意，適彗見柄，起東北，指西南，司天啓言當主兵變。蔡生告巒曰：「北鄭忘我南朝之恩，在所當報。況抑制黎皇，忍不可耐，國傳當承天心，領王旨檄數其罪，滅鄭扶黎，以明一統。立功而歸，坐朝紳冑，誰敢正目視我。」

或以語翰林院阮光前，前廣田縣人，博學多聞，尤善星曆。武王朝，充翰林院，邦交文移，盡出其手。因事移咨於清。武王欲稱國號，光前恐惹出釁端，固執不可。武王怒免其官，福巒擅朝，恐見抑於公論，以光前士望所屬，啓請定王復其舊職。光前在詞垣，每不可巒所爲，而有憂天之意。適聞蔡生之謀，語人曰：「彗指西南，不日，廣南當有兵起。國家承平日久，人不知兵，臨時既無平賊之具，鄭人乘釁南來，黷貨陵人者，恐無地容身矣。猶作煦堂燕語耶？」既而邊報西山賊阮文岳起亂，據歸仁城。正是：

蠹國奸臣幾倒地　起家黠寇正滔天

【校勘記】

❶「時」，原避諱作「辰」，以下皆同。

第二回

西山阮文岳聚黨起亂　北朝黃五福乘勢進軍

却說阮文岳籍歸仁府符離縣西山村。初賢王於黎正德年間，伐鄭取義安，俘七縣民以歸，散處各轄。岳之先，四世祖是興元縣所俘民也。父福移堅城邑，生三男：長岳，次呂，次惠。岳業販芙，嘗商於蠻。途經安陽山，得一劍，自謂神物，挾以誑人。後爲富雲屯卞吏，消失官錢，與其弟文呂、文惠，逃入山中，有手下百餘人，憑險爲盜。其師張文幸之子，敎獻私謂岳曰：「讖語云：『西起義，北收功。』汝西山人，當勉之！」岳以爲然，遂於西山上道設立屯寨，招納亡命。時值歲饑，岳掠富周貧，僞行小惠，以買人心。有玄溪省，家素豐，出貲相助。順義土豪阮椿爲之慫恿，徒黨日眾，散掠鄉邑，地方不能制。岳與其眾謀除國傅巒，而迎皇孫暘爲王，以安王室。約既定，使播遠近，人多信之。岳率其眾次堅城，自稱爲第一寨主，管符離、蓬山二縣。阮椿爲第二寨主，管綏遠縣。（後椿為岳所殺）玄溪爲第三寨主，管軍餉。時占城女主氏火，立寨石城。岳使約爲犄援，（氏火後為福洽軍所殺）乃謀取歸仁府城。

歸仁卽古闍黎。黎聖宗置為懷仁，國初哲王改為歸寧，武王改為歸仁，管轄三縣。岳欲取其城為根本地。

其弟文惠密獻計，岳因自坐檻中，使手下輸報沿途曰：「卞岳已成擒矣，驛送鎭營解納。」

巡撫阮克宣信之，開門入岳，縻之城中。其夜徒黨潛至城外，岳破檻而出，奪兵器，殺獄卒，大開營門，徒黨闖入，縱火焚營，走守將宣而據其城。放出囚徒，驅民為兵，建西山旗號，分置中前左右後五屯，相率而前。事聞於朝，定王命掌奇阮久統（阮久通之子）阮久策（阮久法之子）該奇潘進、該隊阮衞總戎宋棠、贊理杜晃進攻。兵至板津，岳佯退走，我軍乘勝長驅，岳縱其兵，崇，晃俱死於陣，統軍散還，岳勢由是益熾。清兩集亭、李才，起兵應岳，岳結為援，號集亭為忠義軍，李才為和義軍。朝廷遣將出征，多託求故免。福巒復納賄改差，眾情憤怒，臨陣輒走，莫有當敵岳者。宗室大臣迹亂所由，多怨巒。密令翰林吳恕、知府陳佳詐為巒通賊書，棄於道。參謀佐得之，以告宗室文。（文，武王第三子，官掌奇嘗欽命閱選歸仁，甚得民心。）文素惡巒，言於定王，請治巒獄，巒力辨其誣，定王不之罪。巒疑此書是佐所作，因而殺之。因復怨文，詐為賊書，言文與賊通，使人告變。文懼而逃，巒使宗室者，追獲文，沉之三江海兒。（在永昌蓟門二社分，秋冬風濤照多覆没名色虐處。）人莫不寃文，而虐巒者。巒請於定王，命香為節制，以禦西山。香率軍至碧鷄山，（屬歸仁）為集亭李才伏兵所殺，餘眾皆潰，岳遂據廣義府。宗室斌（靖之子）收兵拒戰，不克而還。岳使其黨攻延慶、平康諸府，拔之。於是自廣義以南至平順，均為賊有。賊進侵廣南，我軍累戰不利，阮久逸率所部與賊拒戰，夜令民多列火炬於林莽間，以疑賊，而率兵掩擊之於美市庯，賊稍驚潰，退守天祿，據險設屯，為持久計。報至春京，陞逸猷郡公爵，而差宗室昇，調撥諸軍往廣南營討賊。（昇宗室昱之弟，官歷掌營郡公。）提兵到廣南，見賊銳不可當，棄其軍，連夜奔還。（後鄭兵入順化，昇詣五福軍降。）岳遣軍進侵赤藍，誡所屬曰：「宗室昇無狀，宜防五營援兵。」既而嘉定調遣阮久潭，委龍湖留守宋福洽、該簿阮科陞、董領龍湖、平順、平康、鎮邊、藩鎮五營將士，募應義軍，水陸並進。

那久潭，清華貴縣人。阮久雲之次子，官右軍副節制鎮邊副將，暹人侵河仙，潭為欽差正統率督戰，行嘉定調遣事，破暹人於南榮。福洽，清華貴縣人。黎順化鎮撫倫郡公宋福治之裔。嘗授河仙，破暹人于朱篤。科暟，香茶人。參知正斷事阮科占之孫，現與福洽同守龍湖。

時諸將士勤王，洽步兵屯鼎堰、科暟，水兵駐涍淋，風行雷厲，夾攻賊兵，克復平順、延慶、平康三府，檄募義士。安江永安人阮文仁應義，洽授為隊長，隸暟帳下，率新差四隊兵，隨次煙岡。（後改雲峰）定王聞捷，遣勞其軍。復命宗室曮，提兵入廣南，收諸道餘眾，以討阮岳。北河諜子奏稱：鄭王舉兵南侵，現至河中。

卻說：鄭王累世志欲南侵，奈我朝君臣輯睦，無釁可乘。至是，義安守將裴世達探知廣南有事，啓知鄭王。鄭王森遣其將黃五福為統將，裴世達為副將，領二十二營將士，及清義東南諸道水步兵合三萬，前往義安，措置軍務。潘黎藩、（慈廉東鄂人進士。）汪士琠（琠、青關武毅人進士。）為參辦，黃馮基、（基、白鶴雲谷人，刼徒起家。）黃廷體（體、厚祿河上人，造士出身。）為屬將。

福，京北（安勇）奉公人。以官官位僚班之上，常統大軍征伐，平黃質、阮求之亂。達義安（東城）仙里人。常平鎮寧黎維褍之黨。

時以鄭王命，進兵河中。遣書南朝，以累世親勳，助兵滅賊為名。定王命為書報福，使北其軍，而遣宋有長為留屯道統率，宗室捷為布政營鎮守，以禦鄭兵。朝臣奏言：鄭兵勢大，急宜防截界首，而西山猖獗，所當速除。於是定王使宗室曮權監國事，（曮武王弟七子，時以掌奇陞郡公。）御駕親征。阮岳舟抵思容。

思容古號烏龍，今稱賢思。（屬廣田富榮夾界。）南景陽門，北埂海門。李、陳南征，竝駐蹕於此。（黎聖宗征占，御製詩云：「樓船擊鼓到烏龍，百二關河此要衝；列障懸崖青矗矗，稽天浪泊碧重重。先朝事業傳遺跡，南國輿圖認古封；納垢藏汚河海量，人間無處不朝宗。」）本朝建都富春，此為海防。（關緊之處。）

御舟時駐海門，命福繼治兵龜山，以備策應。方議進兵廣南，邊書告急：鄭兵已至北布政州。知府陳佳投五福軍鄉道，福使佳管後道軍，又使其屬阮吳瑤列寨大丹（社名）以張聲勢。定王乃命阮久逸為左軍大都督，領水步軍，留禦西山。召宗室曮扈駕回京，撥兵拒鄭。諜報鄭兵已渡清河江驛（清河江即瀘江下流，北竝橫山。南限柴壘，乃兩河分界要地。）福時使人陰結我守邊弁吏，夜潛渡江軍於高牢。語黃馮基曰：「南人言何人頑巧，入過清水，未易有翼飛越柴壘，我軍今過櫪江，祿溪侯（陶惟慈。）若在，能保地險以抗天兵否？」報聞：定王即命該奇貴祿、勾稽兼隆，犒五福軍，且言：西山草寇，不日掃除，無勞官兵跋涉。貴祿至鄭軍，福使私焉。兼隆曰：「路不行何到，鐘不叩何鳴？」福會其意，進軍布政營，留守宗室捷與記籙葆光退守洞洄壘。福遣別將黃廷體潛師薄鎮寧壘；（沿海社名屬廣平界首，與夾萬象之鎮寧，沿山地勢迥別。）馬軍黃文弼、黎十試為鄭內應，大開壘門。鄭兵鼓噪而入，守將論政、誠信等降。體謂之曰：「昔南王修理鎮寧，何等勞悴，北朝攻擊鎮寧何等艱難。今二將軍，何見我軍遽即降服乃爾！」令解誠信、論政等詣福軍前獻功。福進廣平營，鎮守廉政與宗室捷遁走。福乃會修功册，馳啓鄭王。鄭王自帥舟師入義安，次河中營，遙為聲援。福進攻留屯道，統率宋有長亦遁，福愠謂諸將曰：「廣平遁守將捷、留屯遁統率長，南人果善遁耶？何輕輕放過等將頭也。」督軍進次湖舍。

湖舍屬廣治界，泥田廣漠，林麓延長，舊多刼徒藏匿。內贊延壽侯禁止之。人有歌云：

弟心憐兄，亦欲過謁；怕湖舍林，怕三江折。虐彼三江，今旬既竭；嚴此湖舍，內贊禁揭。

福時駐兵其地，謂諸將曰：「人言湖舍難越，今我到來，三江之險可知，須檄數張福巒罪狀，以張兵聲。」檄言：「巒貪緣閫闥之親，叨竊樞機之任，崇信奸慝，陷害忠良。擅殺立，則肘腋而豺狼；逞荼毒，則衣冠而禽犢。重民稅而殫膏血；減軍糧而削爪牙。致西山氓隸之徒，蜂屯蟻聚；占廣南膏腴之地，豕突狼奔。是用先去彊臣，次平黠賊。除殘去暴，捍國戚於多艱；續統繼存，延先王之世祀。赴難實由義舉；乘危非有貪心。」福檄蓋以惑南人，而我南朝諸臣，實多痛巒之橫。於是宗室晪與阮久法謀共執巒送福，以求解兵，（晪武王第四子，時節制水步諸軍。誠郡公法，阮久世之第四子，逮事三朝官掌營煥郡公。福巒擅權，法常爭之，不能得。僞岳起亂，法薦其子久策、久慎與久逸領軍入廣南討賊。五福南侵，法以巒專權致亂，乃與宗室晪執送鄭軍。）而囚其黨蔡生。福既得巒，索受金賂，械之軍中。（後福送巒於昇龍城，巒道死。）復命偃旗息鼓而行，至廣治之登昌營，陳惟忠徑來福營，言曰：「北兵欲即取富春耶？二百餘年之國，天地鬼神，實監臨之『黑鴉相公』（時北人稱福為『黑鴉相公』。）謂我南中再無奮固持耶！（上王時，鄭攻長育壘，張福奮與鄭兵惡戰，矢石不避，壘得不拔，人號為奮固持。）且慢慢進。」福召陳佳指問其人。佳曰：「此乃南臣陳惟忠，渠必來言軍事者。」正是：

遼起宋帥因拓跋　漢收蜀險為張松

第三回

陷富春郡公政敗兵　幸嘉定都督逸護駕

却說：陳惟忠見南朝勢弱，思欲賣國求榮。將以詩諷福，而無先容。故先聲言以代通刺，鄭先鋒軍引入，忠獻其詩有云：「十世厭聞秦法令；百年復覩漢威儀。」福領之。忠乃言曰：「南人怨纔入骨，將軍爲除其害，功德與雲山、翰海相爲無窮，忠故特來軍前効用。」福問：「今我進兵富春，水陸何便？」忠曰：「南兵不閑步戰，獨水技爲良。兵法舍堅攻瑕，將軍遠來，勿與南兵爭長。且從陸便。」福善其言，留之軍，許爲勾稽。因致書言：「西山未除，請會兵富春，以便策應。」定王召廷臣議，命宗室捷爲統兵，屬內該隊鄧管禁衞兵禦之，而使宣政成德詐降，以誘鄭兵。又遣品評往誘廣平布政諸營豪目，應義分屯，以撓賊後。既而品評爲鄭所獲，福詢知詐降之謀，遣別將阮進寬、黃馮基等戰，敗宗室捷，隊鄧不戰而潰，福遂進次拜答。（社名）定王命宗室晊節制步兵，宗室營節制水兵，井渫侯阮登場參贊軍機。領海道船分路拒戰，於良福屯，不克，又戰於富禮江。福令阮進寬迎之，黃馮基以兵截其後。晊大敗，報回春京。定王乃召宗室晊還，命掌營郡公阮文政調撥水步諸營以禦福。時南朝猛將精兵，調入廣南討賊，自賢士江以外，兵將多是老弱，不習戰陣。凡鄭兵所至，不迎陣降則開壘走。福乘勝長驅，如入無人之境。因顧惟忠問曰：「昔仙王初入南時，有吳美人者，（武允忠之妻。）能計破賊將，（立、暴）陳烈婦者

（茶郡公妻）能義報讎兵，（義山）信有諸乎？」惟忠曰：「將軍毋以婦人遇我南朝也。南中英才甚多，朝廷用違其才，故將軍得至於此。今既懸軍深入，宜謹兵備，設奇謀，方保必勝。不然阮廷雄之襲南布政；阮有進之破范必仝；阮有鎰之走鄭櫄；宋有大之追黎憲，北朝寒心於我南，想亦已久。」

正說長較短間，諜子報言：南將阮文政到軍，責隊鄧退縮之罪，立斬以徇，將驅兵至。俄而文政率所部徑來拒戰，福見旌旗耀日，劍戟磨霜，顧諸將言：「此兵亦少出色。」戰凡數合，南兵雖勝狀，然聲勢頗振，福為戒心。召惟忠問政之為人，忠言：「政不知將略，雖有慷慨之忠，而無攻取之策，日夜飲酒高談，古有醉張飛能擒蜀將，飲謝安能敗秦兵，然政非其人也。」福遂遣黃廷體、黃廷樸（金洞、黃雲人。）等從山路渡沆磨灘，鼓旗震耀，兵馬喧闐；踏山越水，倏忽而來。屯守祥光、允德，倉皇出陣而亡。福即令造浮橋渡軍，乘南軍無備，前後夾攻，阮文政戰死於陣。（政清化宋山人。籍居承天，郡公阮文富之子。）諸軍驚潰，福兵遂犯富春。時黎景興三十五年甲午十二月丁未日也。却說：富春京城既陷，定王命宋福淡將餘眾出禦北門。

福淡香茶人。功臣宋福禍之後，現官中軍參謀。王以其沉靜有機略，授為中營監軍，令出城北捍禦鄭兵。

仍遣皇孫暘先出海雲關，左水阮谷、中水武彝巍、前水張福顥，整備船艘以待。福淡軍潰，定王幸廣平。出思容海口，駐蹕廣南之架津。時有宗室靖、宗室瞰、宗室晊、與內隊長阮久愼、張福顥，及杜清仁等從。王思阮久逸忠烈可恃，召赴行在。

久逸，阮久法之第三子。有將帥才，以收復美市之功，定王使調兵禦西山。逸每臨陣騎象面如噴紅，所向披靡，人以為關雲長出世。嘗於山下設伏，挑賊陸戰，賊死甚衆。又於船上設礮，誘賊水戰，賊傷無算。賊據天祿，官軍累攻不拔，逸出其不意，襲擊賊後，賊潰遂退板津。前後累十餘載，戰無不克捷。

時承召至架津，與諸將議，以爲廣南兵糧不繼，勢難久持。奏請駕幸嘉定，以圖恢復。定王深以爲然，宗室晊進言：「今天步斯頻，國儲未定，願立皇孫爲世子，以係屬人心。」皇孫暘，故世子昊之子，於定王爲比兒。美豐姿且有賢德，輿情素所歸戴。定王時未徵蘭，乃立暘爲嗣，稱東宮。鎭撫廣南總里內外諸事務。別令諸將檢閱水步軍，爲進取計，西山岳偵知其事，使集亭李才，將舟師出合海口，自督步兵，出秋盆源，兩道來侵。阮久逸與賊戰，不利，走茶山，東宮退還俱低，定王幸蓮潴。命侍臣傳語東宮曰：「今前有西山，後有鄭兵，我兵不滿一千，糧草匱乏，俱低地狹，而嘉定之兵，久無聲息，其以阮久愼爲右軍大都督，與東宮留守俱低，阮久逸整備戰船，護駕幸嘉定，收兵還富安、歸仁，以分賊勢。俱低之兵，因而合力進取，此攻遠救近之法也。」東宮受命留俱低，宗室靖、（宗室昱之弟）宗室晊（武王第六子）與宋福淡均屬焉。於是御舟駕海，會大風起，阮久逸與宗室曒在別船，恐御舟濱危，舉手加額，大聲而祝海王：「願借吾君一帆順風，以渡南海。逸無才，生不能濟君於險，今日風波，惟天所命。」宗室曒顧舟師曰：「天乎！波狂而寬，掉手安望，曁予濟乎？」既而風翻船覆。久逸與宗室曒俱赴謁於海龍王。

時我高皇帝年十四，與定王同舟，獨無恙。顧見逸、曒沒海，深爲軫悼。既岸，由陸進抵平康。宋福洽、阮科晊自煙崗屯徑來迎駕。定王授福、洽爲節制敬郡公；科晊爲參政；所部阮文仁授該隊命隸督戰堅，從洽部署，駐軍平康，以禦僞岳。科晊與掌奇張福愼（郡公張福識之孫，該隊張福悅之子。）從幸嘉定。

嘉定，古眞臘之地。先朝開拓，隸歸版圖，俗號同狔，字稱鹿野。東南際海澤，鹵饒沃而相錯；西北界高緜山巒，峰巒起伏而互轉。地廣人稠，兵彊糧足。坐鎮其地，可以奴隸氏蠻，控制暹臘，實我南藩一大雄鎮。

定王既南駐蹕於牛渚，授我高皇帝為掌使將左翊軍，官軍以次朝謁。鄭天賜亦前來面君。天賜是河仙開鎮大將軍武毅公鄭玖之子。寧王朝命為河仙鎮都督，世輔南朝，有招集人民開拓土宇之功。近為暹羅所破，退保鎮江，使其屬載粟上京，以供軍餉。船至歸仁洋外，為賊所奪。天賜深以為憂，聞乘輿南來，率諸子詣謁行在。

定王奬勞久之，進賜爵郡公，並加其子潢、淌沿等官，令回鎮江道按守。既乃命張福慎差人馳報東宮知會。時東宮在俱低，阮岳使其黨統率面、先鋒詳，率兵屯翠鸞蒲板為上道；集亭李才率兵屯巴渡為中道；督戰豐、虎將罕，率兵屯河中為下道。約能迎得東宮者重賞。東宮知之，使謀士敎貴往諭面、詳，使降。面、詳以上道兵屬東宮，阮久慎護東宮由山路行。集亭李才進至汙邪與面、詳等戰破之。逼迎東宮回會安廟，久慎死之。報至牛渚行在。定王命語宋福洽，計破西賊，取還東宮。差使未出轅門，廣南諜子急報：黃五福與西山戰於錦沙。正是：

屈勢神龍閒渡海　乘時猛虎鬧爭山

第四回

得龍瑞阮文岳稱王　招虎將杜清仁起義

却說：鄭將黃五福受鄭森密詔，進攻廣南，將至海雲關，阮文岳使其黨集亭爲先鋒，李才爲中軍，岳自爲後隊，迎戰於錦沙。福使屬將黃馮基出輕騎突入，殺集亭軍甚眾，岳與李才走板津，論敗軍之罪，謀誅集亭。集亭走廣東，岳遂逼東宮還歸仁。五福屯軍廣南，以截文岳。我朝宋福洽乘岳之敗，攻復富安，步兵屯春臺，水兵次淋澳，使白允朝往諭岳。朝廣平麗水人，戊子鄉元，現同春知縣，廉明彊幹，治有美績。時以福洽擇能傳令於賊，而難其人。朝慷慨請往，乃與該隊碩至岳所，謂岳曰：「還我東宮，不然大兵且至，岳爺爺走無去路。」岳心壯允朝，不忍加害，且被新挫，稍懾福洽兵威。佯應諾而遷東宮於河寮安泰。密將寶貨藏於西山上，以避其鋒，與其弟文惠商定北退鄭兵南摧福洽之策，遣其屬潘文歲持金幣就五福軍乞納廣義、歸仁、富安三府，求爲小將爲大軍前驅進取富安。又使東宮從官宗室靖往廣南撫慰軍民，宗室晊入富安諭宋福洽以擁立東宮，挾扶南主之意。歲至福軍呈上降表，福啓知鄭王授岳爲西山長校壯節將軍，令阮有整（眞祿東海人，鄉貢。）齎勅印劍旗與之，晊至富安以岳軍事告知福洽，且言李才與東宮厚，亂設計降他可助一臂。福洽語之曰：「岳尊東宮，是黎擁陳嵩之故智，然東宮在他籠絡，不將計就計，何能復我副車？」忽廣南諜子回報；宗室靖爲岳所殺。」晊由是不返報岳，別洽而入嘉定面君。

洽撥軍護晊南行，乃使人至阮岳軍，言東宮事。岳聞洽有使至，於屯營正中設龍榻，南面坐東宮。左則岳立侍，右則宋福淡立侍，以見洽使。岳因言：「五營將士，千里勤王，可謂忠義奮發。我今迎立皇孫，以定大業。諸將士當共圖之！」洽使曰：「明公翊戴，誰不嚮從，五營兵來，當於何處屯札。」岳沉吟良久，顧東宮曰：「殿下處置，惟命是從。」東宮謂岳曰：「惟卿調度。」岳欲賺洽修，書講約交使者遞回福洽信之不爲備，岳陰使其弟惠掩擊破之。洽退兵牙莊。所屬該隊阮文賢，慷慨有膽略，初率鄉勇從洽勤王，嘗破賊於潘郎。時隨軍適與賊遇，力戰陣亡。惠獲該隊阮科堅於三山嶼以歸，留李才屯富安。五福知岳既破南兵，即進軍次珠塢。（廣義界首）岳以攻破富安之功，請於五福。福啓鄭王勅授阮惠爲西山校前鋒將軍。會鄭兵在廣南疫死太半，福馳書於鄭，請棄升、奠二府爲後圖，回兵順化，未抵富春，道病而死。

初福入富春以月初五出兵，有狂夫攀轅諫云：「將軍以今日出凶直等十八日可見。」福以其狂，置之。至是道亡，果應凶兆。（十八木日字，木加日，高皇御名是，我朝再復富春之讖。）當日岳知福信，差人提兵往據廣南，細作報稱：「宗室鎏舉兵，現屯其地。」宗室鎏是武王十四子，甲午之變，不及從駕，與其弟春，潛往廣南地方，糾諭英傑，乘福既去，遂起義兵勤王。用張福佐爲謀主，得清商名悉以家貲億萬助軍據有升、奠二府之地，聲勢大振。岳以科堅爲將拒之，堅乃阮科晊之子，狀貌雄偉，膂力過人。初隸福洽軍屢立戰功，人稱爲趙子龍。富安之戰，以孤軍爲賊所獲，岳嘉其勇，使禦宗室鎏，堅罵賊！不屈，伏劍而亡。岳乃悉眾拒戰，相持二月餘。鎏軍乏食，爲岳所乘而潰，鎏不知所終，春走嘉定。岳留參將阮文睿守廣南，自引兵回歸仁，籍三縣丁壯爲兵。使其弟文呂爲節制，率水步兵入寇嘉定。

報至牛渚，定王使掌奇宋福洽率侍從官兵護駕，幸鎭邊，駐蹕於仝藍。文呂進據柴棍。（此失嘉定第一次）柴棍在東浦境內，眞臘國二王匿嫩所居。國朝取其地，築嘉定府城，文呂屯兵其中，使屬將調遣和犯，龍湖營記錄裴有禮（富榮人）爲呂所獲，呂修軍狀馳告於岳。岳召其弟文惠商議平南，惠言：「我西山祖墓，是天子之地。風水家言：『既葬之十二年，發則莫禦。』計自堅城起兵，至茲戰勝攻守，南主犇播於偏方；東宮覊縻於禿黨。縱能綸邑興夏，會稽報吳，恐也猶在他時。北朝不綱，蕭牆禍鄭，將鐘虞移黎。諺言：『黑牛觸與黃牛觸顚，觸倒暴投下江。』是鄭逼黎相繼以亡之兆。兄請早正王位，示天下神器有歸，收豪傑以爲羽翼，籍兵壯以益爪牙。先定南方，然後收兵北向，爭伯圖王以應阜元持統之謠（時有讖語曰：午運當天阜元持統。）誰竟吾兄弟何也。

適有黃龍見於歸仁府城，驤其首而望富春，周旋城上而去。惠復謂岳曰：「龍爲君象，宅順化而帝兩河。我西山得天矣！且閣槃城即占盤蛇城，我初興時，即能據而有之，國基非天假我乎！」遂請增築其城而造龍樘，尊岳爲西山王。時黎景興三十七年丙申三月日也。

岳既稱王，命鑄國印，金三就冶乃成。陞其弟呂爲少傅；惠爲輔政。其餘將佐，各授僞職。於是會其臣，議攻福洽，以取富安。

却說：宋福洽自富安之敗，使其從弟宋福和守烏甘，適阮文仁從督戰堅攻賊於三山嶼敗績，走回。洽令隷福和軍，自引兵退保煙岡間。同春縣人朱文接起兵，招使南歸。接原名尹梗，武藝絕人，頗有將略。初業商，與阮岳有舊。岳唱僞西山，接與其兄尹褚、弟尹振、尹項往河灘源糾合蠻衆千餘，據茶榔山。參謀武名楚從接參贊戎務，五營豪傑多歸之。建興人黎文勻來投，署爲該隊。勻勇悍善戰，人稱『勇南公』。接妻以妹氏，豆妹亦能軍，號『朱妹娘』。岳時掘起，南北交攻，內外寡援，使人詣接約以會立東宮，接往廣南相會，既至歸仁，岳皆初約接，乃率所部還屯茶榔，以拒，岳聞福洽兵次雲峰遣人通款，福洽啓請遣接將所部兵按守上道，與五營兵相聲應接，使武名楚草檄極數僞岳醜惡，傳播遠近，遂與其屬謀攻富安。時富安屯將李才以自集亭東去，僞岳待已寢薄，有醴朝北斗之心。東宮之在會安，多爲陰祖。（集亭欲害東宮，李才多方解免。）宗室睦之去歸仁，曾與密約，近因守富安率所屬軍馬詣福洽軍降，洽以事聞。定王命才從洽節制，洽既得富安與李才謀，回兵嘉定，以討僞呂。適定王在全藍，以兵勢單弱，令召福洽，將兵入援，而使參贊陳文識、朱文接按守富安、平順諸道。又命杜清仁檄募諸道義兵，會同福洽進取柴棍。

清仁承天香茶人。爲人驍勇，初投軍爲船右隊長。定王南行，隨軍候命，時奉旨往募，以福洽軍遠未至，而洽所使福和率部入援，現屯諒坡，乃往三埠。招定祥建興人阮黃德，德姓黃，賜國姓，故稱阮。黃祖珠官該隊，父琅亦官該隊。德狀貌魁偉，勇絕群倫，人稱虎將。既應義兵，仁又招陳鈽杜，鐄杜忌與武閑杜榜等糾合義兵，得三千人，以三埠爲據險聚義之處。三埠在定祥鎮轄，上有主趙，中有該呂，下有建定三古阜，（俗號𢀨壇）貫串建興、建登二縣地分，岡陵起伏，樹木陰森，前阻長江，後倚莽澤，屯兵聚糧，倉卒可恃，亦劍閣關之常山蛇，梁山泊之負隅虎。清仁據有其地，自稱東山上將軍。謂諸將校曰：「今我同心起義，翊戴天朝，尚各努力合攻，殺文呂，復嘉定，迎回翠華，堅我金城之勢，然後啓請籍兵調將，火往歸仁，捉僞岳兄弟，祭我軍旗。若得福洽軍來，未表我獨力撐天之勇。」遂定密計，斬木揭竿，班衣盡面自三埠浩蕩而來襲攻文呂。三合三勝，賊衆披靡，呂知不敵。然不肯峙糧以資我軍。督屬將奪取倉粟二百餘艘，駛回歸仁。清仁既復嘉定，（此復嘉定第一次）遣迎定王，駕回牛渚。定王嘉獎清仁，擢加掌營芳郡公，東山將士賞賜有差。

諜報宋福洽自平康還，初福洽得召命即舉兵回，至鎮邊營，福和自諒坡來會，洽留福和按守鎮邊，親率降將李才等，詣謁行在。定王命洽駐軍，以備調遣。洽攖劇病，定王謂侍臣曰：「洽慷慨有大略，素以討賊爲已用予正倚之爲重，今乃遇此不治之症，誰堪臂予，立召醫治，不及而卒。（贈右府國公，建祠龍湖，春秋致祭。）所帶降將才隨軍入援。定王欲收用之，杜清仁言：「集亭、李才，符離市儈之徒，乘亂助僞，罪所當誅。集亭既爲廣東總督所殺，才今不見容於西山，窮而歸我，看他無賴，縱用而有功，恐亦彊悍難制，不如早爲他結果，免他日惹出事來。」才由是與清仁有隙，洽既捐營，才恐爲清所中傷，遂將所兵部，往據昭泰山以叛。正是：

豚經入苙猶羈足　鴟縱嘗桑未革音

第五回

柴棍營皇孫暘監國　龍川道宗室晭殉君

却說：昭泰山距邊和鎭南十一里餘，爲莅城之朝屏，崔嵬起伏，蜿蜒而東。沿福江下流，抵孔雀岡而止。層巒古樹，幽雅宜禪而險要，尤利屯守。李才擁兵居於其山，謂所屬曰：「我無頭脚底人，見南朝勢危，故棄僞岳而歸眞主。今忍賊我，除非東宮到來，我決無再順南朝之日。」遂謀襲擊清仁，清仁與戰，不克。築壘自牛江至炭津，爲固守計。適宗室春自廣南來，啓言東宮駕海還朝定王慰勞之曰：「卿與鬖將軍揚兵升奠事雖不成然使僞岳知我宗臣有人，義聲可謂震薄，第不知東宮在歸仁時，事體如何？」春言：「阮岳降鄭之謀既成，遣人往安泰迎回東宮，館之芄江，配其女壽香，以平山縣爲嫁資，謀立東宮爲王，挾以惑衆。東宮不從，岳怒告其弟惠云：王子不肯爲王，得毋欲從寺僧兒掃菩提葉耶！遷之什塔彌陀寺中。（那寺湖州高僧謝元韶卓錫歸寧時所築。）東宮既留寺中，密與謀士教貴謀，欲乘間南歸，時有船戶名進，泊舟虎磯。教貴約進備船以待，東宮遂與張福顯、宋福淡、陳文和及教貴等，乘夜雨出，至磯，海風正逆。東宮下舟，風帆轉順，船行如飛，抵平順之渭泥，洋分臣春乘船適至，遂同駕海而南，東宮遣臣先入告知。」定王乃遣宗室春守香福屯，命臣往接東宮，護還行在。東宮請安既畢，請遣參謀阮名曠往諭李才。才疑東宮未果出歸仁，留曠於軍，與新虎、賢、南四屬將盡率所部，直下柴棍。清仁兵素懼才，望風而潰。走下三埠駐紮，才遂分兵四道，擂鼓而進。東宮使人開旗示之，旗有「東宮奉命招安」六字。才軍望見，均棄鎗羅拜，歡聲如雷，乃迎東宮如油𢧐。尋還柴棍，張福慎啓請定王駕御金璋寺。（在嘉定城外。）李才奉東宮朝駕賀，定王乃大會文武，禪位於東宮，稱新政王時丙申十二月壬申日也。東宮既襲王位，尊定王爲太上王，陞宗室晊爲少傅，宗室春爲掌奇，李才爲保駕大將軍，時扈駕諸臣盡在，惟杜清仁與李才不合，不肯赴會，李才言於新政王，命掌奇宋福和與宋福添同守龍湖，以備西山，而實防濟仁之襲已也。

我高皇知李才驕橫難制，密告定王請往三埠招撫東山。李才聞之，逼迎定王於油𢧐。參謀段德協不從，爲才所害。新政王不能制，乃遣張福顯扈從。翌日，新政王諭才迎回柴棍，適武彝巍、蘇文兌率軍二百餘人，從歸仁來。

巍承天富榮人。兌嘉定平陽人。均官該隊。定王南幸不克從，相與糾集殘卒，潛來衞駕。

新政王命隨軍聽候，乃以宋福淡爲監軍，陳文和（陳文擢之弟。）爲參謀。令潛回廣義，與都統使鄧文豐、招討使阮文董招集義兵。福淡等至蓬山之蒲堤，爲僞岳伏兵襲擊，文和死之，淡不能比。既而廣南細作報稱：「阮岳根據廣南，遣其臣杜富雋使於鄭，求廣南閫節，鄭王憚於用兵，勅授岳爲廣南鎮守宣慰大使，封茶國公。岳現繕兵儲糧，勢甚猖獗，恐不日驅兵圖南。」

却說：阮岳聞東宮稱新政王而用李才爲上將。謂其弟惠曰：「新政恐難征進，李才終是再離，南朝無別將乎？何用啜粥而尿其鉢之瘈狗也。」即命惠大率水步兵入寇，報至嘉定。新政王留李才守柴棍，自將兵至鎮邊令副節制阮久俊屯記江，宗室春屯與福，掌長舵阮大呂屯女僧山，以禦賊。賊潛由上道，日夜兼程，三軍奄至，迅電轟雷。俊等兵均係新募，不能抵敵。賊乘之，俊與大呂俱沒於陣，李才在柴棍屢與賊水兵戰於牛江亦失利，新政王聞報，即會諸將議。參贊阮登瑒以爲賊衆我寡不若退回柴棍，以圖攻守之策。新政王乃留宋福良屯鎭邊，自引兵還柴棍，調撥未敷，而惠兵猝至。

新政王命李才率和義軍出旭門拒戰，才斬賊巡察宣。賊兵稍退，適張福愼自芹渤提兵赴援，無甚隊伍而軍容齊整，有奪人之先聲。才遙見旌旗疑東山兵襲己，自撤兵回，賊乘勢追擊，直進柴棍。（此失嘉定第二次。）才軍危迫，不遑擇地而逃，亂走三埠。才與凡唐人所至，（俗稱清人為唐人，猶古稱中國人為漢人。）盡爲東山所殲。新政王得福愼軍，退保爭江，使尋阮登場，則已爲阮惠所獲，即乃差官奔問定王。

時定王避幸定祥之橙江，橙江南多墥阜，北多林澤，瀰漫五六百里。東山所嘗聚兵，進而扼險，勢可縱橫；退而守險，人莫蹤跡。定王駐蹕其地，適我高皇帝以東山兵四千赴援。定王使建東山上將軍旗號，提兵至才埠，命新政王曰：「爭江後路，王自當之，才埠前路，我自當之。」遂使諸軍背水列陣，以待賊兵來攻才埠。

定王恐爲賊所無禮，幸定祥之興隆，勢甚孤殆。杜清仁自架溪引兵來，定王問：「今有何險地可避軍？」清仁啓曰：「鄭天賜現屯鎭江之芹苴，乘輿請且權幸，以避賊鋒。」定王乃御芹苴，而天賜所部兵力寡弱，難與賊抗。乃遣清仁與黎文勻潛往平順，召朱文接、陳文議等入援，而密報新政王，宜謹防備，以待援軍。時新政王在爭江爲賊所攻，退保茶津。（屬定祥）適報阮登場爲僞惠所殺。

場香茶縣人。慷慨有志節，富禮江之敗，扈駕廣南，將幸嘉定，因故弗克從，歸隱鄉里，後携母黃氏越海南行，因風漂入施耐海口，為賊所獲。惠聞其賢，待以賓師之禮，固辭不受。新政王逼居歸仁，場與密謀，王使先入嘉定，場明言於惠，願從故主，以全臣義。惠曰：「先生此行，欲回天地，得乎？」暘曰：「丈夫生世，忠孝為先。我今扶母從君，於義明矣。」惠壯而許之。既至嘉定，復參謀議柴棍失守，暘再被獲。惠問：「先生今日何如？」暘言：「君辱臣死，義不苟存。」臨刑，北面再拜而死。野史有詩云：「西都天未燼炎精，東海臣能贊義兵；富禮何年鋒鏑薄，歸仁此地電雷轟。轅中誼主三軍淚，泉下慈親萬里情；死惠縱今魂作賊，難將威武屈孤貞。」

新政王閔暘之忠，深爲歎惜，將號召諸將士，規畫軍機。宋福添自龍湖率水兵至，迎回永祥之巴越安營。新政王遣宗室祐守美籠；福添守香堆，爲左右翼。而命宋福和管諸軍衞陣禦賊，賊兵又犯巴越，宗室晊內左阮敏掌奇宋福祐俱病卒於軍。宋福和獨與賊拒，屢戰皆捷，而賊勢日大。又益兵進攻香堆，福添勢孤，奔回巴越。新政王以兵少食盡，謀奔平順，與朱文接兵合。適聞陳文識自富安入援，至平順與賊戰，不克而死，竟不果行。諸將見勢弱盡散，福和歎曰：「主憂臣死，義不可逃。」自伏刃死。（後人有聯挽福和云：故國有世臣與同休，應與同戚，窮時見烈節，能料死不能料生。）

新政王既喪福和，恐屯陷軍民不免屠戮。乃約於賊曰：「汝能全我屯中軍民性命，吾當自來。」賊許諾。乃自詣賊而薨。從官十八人，俱爲賊害。時丁酉八月庚戌日也。報至芹苴，定王召天賜謂曰：「西山賊勢，匝地漫天。新政王今既蒙塵，如何籌畫，再造基圖。」天賜對曰：「請召屬臣郭恩洋艚來，奉駕投清國廣東乞師，殄滅群凶，復我疆土。若非此遠圖，恐無著足之地。」定王乃幸龍川，天賜遣五戎該奇寬護駕先往，而自留堅江汛口，以待郭恩船至。

龍川原眞臘哥毛之地，隸歸河仙。天賜請於朝，置爲龍川道，無甚地險可憑。定王時至龍川，兵衞無幾。親臣惟我高皇帝與我興祖第二子宗室晍及宗室春扈從。諸臣則張福愼父子，與留守諒參謀阮名曠而已。阮惠探知其實，使掌奇誠提兵來犯龍川。誠兵奄至，奉定王駕還嘉定而崩。在位十二年。（壽二十有四）宗室晍殉難，福愼父子與留守諒、參謀曠死之。當黎景興三十九年丁酉九月庚寅，蓋後新政王一月二十一日也。

野史有三不絕句云：「漢主不邀懷愍去，晉臣惟恨曜聰深；二辰亂賊瞬興替，萬里山江天古今。」「新莽不亡炎鼎祚，劉崇難擅漢臣名；旗翻東海三軍淚，廟享西都萬祀崇。」「徽欽不改冠袍服，劉李猶存鐵石身；社稷幾回夷夏感，山河千古去來人。」

昔仙王未鎭順化時，童謠有云：「金瓜帶水寒，黃豹去柴關；炳文成九點，武跡沒重山。瓊木待今升白日，瑤原依舊露全斑。」當時不解，今按：金帶水肇祖名；瓜寒是言中瓜毒而崩。黃與潢同音，柴壘廣平界首。是言仙王避難歸鎭順化。仙王以戊午肇基，至定王以丁酉殉國，傳世九君。（歷年二百三十）是文成九點之數，福巒便專政而亂，阮岳起兵而亡。巒、岳字均從山，是跡沒重山之應。木升白日，原露全斑，蓋言撫有全越輿圖，則待於我高皇之滅西山云。

時西山惠既獲全勝，使人跡我高皇所在，而差諭天賜於堅江。天賜不肯從，移駐富國島，暹羅國王使人迎天賜如暹。宗室春自龍川脫出海島，亦尾天賜請援於暹。正是：

金師北返邀皇宋　楚使西來哭伯秦

皇越龍興誌 卷之二

第六回

破賊兵嘉定城繼統 除逆臣東山夥伏誅

却說：暹羅古赤土國，後分爲二。曰暹；曰羅斛。羅斛併暹，始稱暹羅。萬曆中，破東蠻牛，降眞臘，遂霸諸蠻。我朝定王初年緬甸（緬甸古朱波國，嘗為明嘉靖所破，瑞體起洞吾，破南掌，取土啞，攻景邁，服車里，為西南雄，子應裏助清進鋤明孽。）攻破其國，虜瘋王，及其長子昭督。二子昭翠奔河仙；三子昭侈脞奔眞臘；茫薩長鄭國英（清潮州人，父，偃寓暹為范薩長、偃死國英襲職號「丕雅新」。）乘暹空虛，起兵襲取其地自稱爲暹國王。以昭翠在河仙，恐爲後患，襲天賜執昭翠以歸。尋與天賜講和，適聞南邊兵報伐，眞臘人輔嵡膠來諭，天賜與宗室春請迎入暹，春與天賜既至辭請援兵暹王曰：「西山勢彊，前昭南谷（蠻詔昭是王也，南谷卽南越也。）既殉社稷，五營將士，所在星散，諸道民庶，所至風靡，現無立錐之地，國統誰嗣，而援我乎？宗室春對曰：「西山雖崛起一時，而肆爲殘暴，陳涉、吳廣之徒，行胥椹櫝，南朝雖值靖宣之難，而浧背勇將，頂香義民，隨處而有。我掌使將左翊軍，是前王親姪，聰睿夙成，嘗率阮久俊伐眞臘，降其主匿榮。又招東山義兵，翊前王於芹苴，軍事追隨，謀多奇中，臨機應卒，有撥亂才，廟社之重，臣民素所屬心。現今潛寓龍川，糾論英豪，以圖恢復。王能舉兵護復嘉定，捍南國於多艱，則車輔勢堅，可無虢亡虞及之患。暹王乃欵留春與天賜於望閣城，以待我高皇聲息。

初，我高皇帝於龍川失守時，獨乘扁舟，泊於科江，欲乘夜由篤黃海口出洋避賊，有鱷魚橫阻舟前者三，乃止。明日，探知前路有賊、遊船，從臣恐賊追跡，請移蹕於土硃嶼，遣探西山則僞惠留其黨總督朱虎將罕司寇威、調遣和該奇振分守嘉定諸營，而自引兵退回歸仁。帝遂收集餘衆，舉兵龍川，進至沙的。那沙的距永清鎭西五十六里餘，東口道屯駐於其南，左有仙浦，右有鳳鶩洲、羅城護衞，山川險要，邊圉雄關。帝命駐軍其地，杜清仁以初奉密詔諭平順將士，遂與其屬黎文勻糾合三埠義勇，詣軍迎駕，檄召諸道勤王。統戎阮文弘、掌營宋福匡、宋福良、調遣楊公澄、該奇胡文璘各以兵會。

弘平定綏福人。定王朝官總戎掌奇，西山唱亂，弘攻賊於富多失利，南入嘉定。福匡原清華貴縣人。其先從太祖南鎭，籍於承天，父誠，仕武王朝，官掌奇，贈郡公。匡以廕起家，官至掌營。（公娶廣南人黎氏，生我承天高皇后復尚公主，玉琚生子福樑。）定王南幸，携眷以從，福良是福匡族親。定王朝爲該奇，嘗屯鎭邊，與福匡並爵郡公。公澄河仙龍川人。驍勇絕倫，時稱楊家虎將。以該奇遷欽差調遣扈從定王幸嘉定。又協宋福和分道與賊戰屢捷，璘定祥建登人。現爲該奇，該隊阮文仁亦從公澄應義。

時諸將齊會，帝命爲定王發喪。三軍素服，誓報國讎，襲破賊調遣和於龍湖營，進克柴棍。（此復嘉定第二次。）杜清仁與諸將尊帝爲大元帥，攝國政。時黎景興四十年戊戌正月日也。

帝既攝政，光化道守禦黎褚奉獻先朝冊寶。初定王幸三埠，褚奉金冊四，金寶一，銅印四，以從。至查江與賊遇，褚驚走，投冊寶於江。至是復於故處撈獲以進。

帝遂率諸將上定王尊謚，而尊我興祖為孝康王。既而歸仁諜子報稱：「僞岳自立爲帝，僞號泰德元年。以其弟呂爲節制；惠爲龍驤將軍。遣總督朱、司寇威以水兵侵掠鎭邊、藩鎭。沿海諸地方，護駕范彥復提兵自歸仁至，我軍和義道陳鳳拒戰於福祿江不利。」帝即命杜清仁守柴棍，自將次栗江。建三軍司命旗，指麾將士黎文勻與阮文弘率大兵破賊於栗江塢原等處。賊退出長江伺隙剽掠。帝命諸軍築土壘於牛渚西岸，沿至通港之中，堅木椿備戰船，爲禦賊計，黎文勻復將水兵與賊交戰。杜清仁亦提兵合擊，斬賊司寇威於牛渚，盡奪其戰船。阮文弘進兵鹿野，擊破賊兵，斬其將廉陵，收復鎭邊。賊將范彥犇還歸仁。嘉平定悉平，黎文勻乘勝引兵進克平順，使其屬報迎朱文接。

接初與陳文識按守富安，內屏嘉定，外捍西山，賊勢稍沮，定王幸芹苴，時接遣識與參謀楚提兵入援，識與賊戰死，楚爲賊獲。岳謂楚曰：「前檄文指我爲狼狗，是乃所作耶？」楚曰：「我知吾主，知爾是誰？」岳殺之。帝在三埠嘗密使接攻西山，以分賊勢。接以兵少，不敢前。時以勻捷信，欲糾兵同進逼延慶，報入柴棍。帝召勻還命，總戎阮文弘、禮部阮儀領步兵往守平順，與接兵合。適有山南下膠水人陳春澤，上元人阮金品與其屬陳春格、阮金鶯等赴義。

澤初聚衆為盜，攻陷廣安，及山南。至慎為（屬上元縣）為鄭兵所敗，品黎校尉領山西按鎮阮金績之子，與春澤聚黨海外三百餘人，越海入嘉定應義效用。

帝以春澤金品均諳武藝，授爲左右支掌奇，使之訓練諸營士卒，餘各授職隸軍。尋閱嘉定諸營版圖，分畫鎭邊龍湖諸界地，俾相聯絡。又以長屯道爲三營要地，建長屯營，置官管治，罷別納庫場，定田土稅課，國計兵謀，事有條緒，於是杜清仁與群臣合辭勸進，帝時年十九，以國讐未復，謙讓不受。再三敦請，乃以庚子春正月癸卯即王位於柴棍。文書用大越阮主永鎭之寶，（明王所製。）年號仍黎景興。（四十一年）論翊載功，陞外左宋福匡，內右宋福良，內左阮延晆，參議陳大體，吏部胡仝，戶部陳福佳，禮部阮儀，刑部陳明哲，兵部明及諸將士有差。惟杜清仁以首功陞外右輔政上將公。

却說：清仁於定王晚歲，高皇帝初年有再復嘉定之功，嘗率胡文璘伐眞臈，誅匿榮，立匿尊之子匿印爲王。又督楊公澄伐茶榮叛酋屋牙，率平其黨，取茶榮府，置威遠屯。造兵船，習水戰，蓋勇而能謀，故險難周旋，功最諸將。然以自東擁山彊兵，有跋扈之意。生殺予奪，隨手低昂。宮中經費，裁損不肯獻納。甚至興祖忌時，不支禮品，凡黨羽所親厚者，輒與以己姓。人有罪，熾炭燒炙之，刑最慘毒，人多切齒而不敢言。帝每爲優容之，時幸其家，亦不爲禮。嘗因西山入寇，引兵潛往山中，欲叛投西，謀弗果而還，將圖不軌。宋福添惡其肆行無忌，密言於帝，請除君側之賊。帝猶豫不忍，添曰：「仁心懷莽操，不得不除。若以計去一武士力耳！」帝乃以疾召清仁入內議事，令衞士擒殺之，即宣旨罪狀清仁，而赦其所屬將校。令掌水營晃，領步兵；宋福添領水兵。又分東山兵爲四軍，命黎文勻掌前軍，宋福良掌左軍，武允霑掌右軍，張文博掌後軍。以防東山屬將之不逞者。

其黨自清仁死，多逃三埠爲盜。招之不肯歸命，武閒、杜榜遂據三埠以叛，謀襲平順，乘便降於西山。時平順統戎阮文弘，禮部阮儀俱以病卒。帝命宗室裕（宗室勝之子，宗室會之兄。）掌中軍，節制諸道步兵，鎭平順。召朱文接回嘉定朝見，授欽差都督掌奇郡公，管富安營，調撥將士兵民諸務，復閱內外水步諸營，議大舉西征。命宗室裕率平順步兵，宋福添、阮有瑞、楊公澄率嘉定水師，分道進征。朱文接檢點兵馬待發，嗣而接進軍延慶，裕自平順捉兵至雲峰，與接兵合，對賊爲壘。賊將步兵列陣，戰象甚多。我軍見之退却，接不能止，退保富安之茶榔山。會嘉定有東山之變，人多解體，水師不果出征，帝命裕等撤回，而使阮廷暟與宋福良分道進討閒榜。

暟與福良既欽命往，帝諭宋福添曰：「賊勢方驕，國內有變。親臣春與舊臣賜在暹，前遣該奇參靜通使，未審暹王應否？結援如何？宜飭河仙鎭臣細察報知。」添言：「近聞參靜聘暹，會暹王商船自廣東回，至河仙洋分，爲留守昇所殺，盡取其貨物，暹王怒，將參靜繫獄。眞臘匍蛉膠譖於暹，謂我謀取望閣城，密書令春與天賜爲內應。暹王盡捕鞫問，鄭子沿辨其誣。暹王格殺之。天賜自死，春與參靜及天賜眷屬五十三人，並爲所害。我國人民居暹者盡徙邊遠。」帝爲歎允之。福良表言：「良與閒榜戰於富良江，敗績，統兵宋文福（宋文魁之子。）死陣。帝以福良兵無節制，罷之。命益暟兵刻日合攻，乃遣阮文貴、潘文誼入其夥，擒獲閒榜誅之。復以武曰寶原隸清仁標下，使往諭降餘黨於是東山悉平。宋福添、阮有瑞、楊公澄相率稟：請因破東山之威，再舉平戎。帝命諸將會議良策，適報眞臘國使來乞援兵。正是：

內平賊黨欽神武　外援鄰邦讋重威

第七回

斬賊帥參良橋奏捷　舉援兵梁山將成功

却說：眞臘國王匿螉印，乃我南朝所立。現留胡文璘保護其國。時被暹羅遣其將質知、匒癡（二兄弟。）來侵，馳書告急。帝命阮有瑞率兵合與文璘援之。瑞清華貴縣人。父有德，官該隊。瑞勇略有將帥節，與父及其弟祐，從駕南幸，父子兄弟，一門追隨。瑞官見中軍監軍掌奇，尚公主玉璿。

時往救眞臘，師次羅壁。會暹王鄭國英囚質知、匒癡妻子，質知、匒癡謀叛。暹王遣人詣有瑞求成，且邀至寨會約。瑞弟祐諫曰：「暹王遣將提兵伐人，而囚其妻子，質知和我，而邀至軍寨，莫是其中有謀。」瑞曰：「國英得心疾，羈執無辜，彼故借我爲援，此請殆不妄。況我已許諾，不往彼將怯我。」明日，帶領隨兵數十人，徑入暹寨，質知匒癡折矢爲誓，瑞贈以旗、刀、劍三寶器而回。既而暹古落城賊起，國英遣丕雅寃產出征，賊首乃寃產胞弟，寃產與賊合兵，反攻望閣，執國英囚之，馳請質知回國。質知留其弟匒癡與瑞講和。連夜引回望閣，殺國英而嫁罪於寃產，遂脅衆自立爲暹佛王。封弟匒癡爲二王，姪摩勒爲三王，我國難民，前被國英流徙者，並許回望閣城，給以銀米。

瑞以狀聞。帝時方謀進攻阮岳，聞捷，命瑞班師，以備差派。

初阮岳聞清仁既誅，喜曰：「右芳（清仁別名）今死，諸將也不足畏。」遂與其弟惠，率戰船數百艘，大舉入寇，至藩安之芹蔭海口。帝命宋福添調撥水兵，陣於七岐江，無地險之固，傍近又無屯禦兵，賊乘風直衝，我軍退却，該奇幔槐死之。槐富浪沙人百多祿所進，帝令管督洋船從征。時水兵披靡，槐獨乘西洋裹銅船，力戰良久。賊四面攻圍，擲火器燒其船，槐與船中兵士，均死於火。帝聞報，即督兵船接應，至三岐江遇賊，帝戎衣戰笠立船頭，手持鳥鎗，麾擊賊船，而令諸軍且戰且却。纔回牛渚，而賊繼至。我兵連戰不利，帝善用鳥鎗，時與賊戰，發無不中，賊以爲帝得神助，不敢趕逼。帝幸三埠，以避其鋒，福添後爲東山仇兵所殺。

福添清華貴縣人，初從定王南狩，歷官掌奇，龍湖巴越，累著勤勞。帝正位柴棍，有翼戴功，令管戶刑二部，兼體務，並水兵諸道，爵郡公。以贊誅清仁為其餘黨所仇。

帝聞其死，嘆曰：「福添忠臣，不死於賊，而死於仇，天也！」即諭從臣使覘僞岳事體。岳時進據柴棍（此失嘉定第三次。）遣所屬率步兵，自邊和界從上道往藩安鎭防截我兵，平順節制宗室裕聞報，即率左支陳春澤、屬將陳文緒、參贊胡公超領和義道屬將陳公璋，將兵赴援。至芙園地方，遇賊前軍，伏於林中掩擊之，斬賊護駕范彥於參良橋，而賊大兵縱至，我軍胡公超爲賊轍擊死。

超，承天登昌人。初入嘉定從調遣宋文魁戎務，魁署超參謀提兵，捍戰西山，魁陣歿，超被傷，退回平順，既而扈從定王於嘉定。尋出為龍湖營記錄，復召還嘉定，遷兵部參贊，從宋室裕討賊於平順，至是陣死。

裕深爲之惜，仍幸范彥之死，以事奏聞行在。彥、阮岳親臣，岳聞彥死，如失左右手，慟曰：「諺言：暴如芙園虎，今乃陳公璋耶！」問知和義兵均係清人，遂悉捕清人之寓嘉定者，萬餘人，不問新舊兵民商賈，並行誅戮，投屍滿江。時人莫不虐僞岳而仁南朝者，日以匡復望帝。

却說：帝聞我軍既誅范彥，復自三埠進幸定祥。從臣阮黃德、陳春澤、阮金品、楊公澄與統兵清人盍敬等，收集餘衆三百餘人，帝命設堡於呂埠，以拒賊軍。會賊都督阮學提兵驟至，帝親督兵船迎戰，官軍奮勇而前，金品斬學於陣，賊大敗而走，獲賊船三十餘艘，我師乘勝，追至鎭定營，命阮黃德爲先鋒，宗室裕爲中軍，春澤、金品護駕，進次嘉定之四岐江，賊阮惠率勁兵奄至，背水列陣鏖戰。阮有瑞之父德，與其弟祐俱死陣上。我師退却，御馬逸陷於淖，阮黃德翼帝於岸，出其馬，拳之使馳，至栗江，留守昇、先鋒醉自永鎭營赴援，迎駕權幸後江。帝思有瑞曾與暹約和，欲使往求援師，旨令召瑞。

初賊犯柴棍，瑞與其妻玉璿公主，率所部兵，進次鹿野。設水堡於平化，屯步兵於新潤。賊平戎阮文金率衆掩襲，瑞退江陵，收兵再戰不克，公主與瑞相失，潛寓巴撫。

瑞請於帝，往使暹羅。帝命陳春澤及該奇阮文閑、高福智與俱。（閑安江永安人，智嘉定平陽人。）假道眞臘，不意眞臘陰附西山，遂殺瑞，澤、閑、智脫奔於暹。帝憫瑞之死，飭令探尋公主玉璿。諜言：「主爲平戎金所獲，其屬督戰阮名習逼遷柴棍，船至三汜江，公主義不受辱，已投江薨。」帝即幸架溪。（屬堅江。）眞臘糾率兵船，追至山澌。先鋒醉截擊却之。

尋幸河仙。夜乘小舟駕海，舟底若有物負之者，黎明視之，乃群蛇也。從臣皆懼，帝趣之行，遂幸富國島駐蹕。（此第一次寓富國島。）密派人號召諸將，檄攻阮岳。而敗衂之餘，三五星散，無兵可交阮岳既獲全勝，無復意外虞，與其弟引兵回歸仁，留東山降將杜閑蟄與賊戶部伯領兵三千守嘉定，屯於牛渚。閑蟄殘虐，人多怨之，好事者懸一聯，以諷之云：

播遷非帝宋，不應海港別藏天；撥亂有皇唐，會見春雷驚振地。

既而胡文璘收集餘衆，攻賊都督阮鸞於龍湖營，克之。又與調遣楊公澄、該奇阮文貴會兵，進攻賊於栗江，獲其戰船十餘艘，馳報朱文接勤兵會勦。接時屯茶榔，驟聞兵變，與少傅宗室旻謀舉兵入援。旻，我興祖第五子，（慈妃阮氏所生。）襄陽郡王皥之母弟。隨定王南入嘉定，常從征伐有功，聞四岐江之敗，正思招募豪傑勤王。及知乘輿外幸，即與文接部分諸將，范文仕爲先鋒，黎文勻爲左支，阮文順爲右支，阮文討爲後道，阮龍潘援保護宗室旻爲中軍，接自領勁卒爲策應。

范文仕平定符美人；阮文順永隆永平人；阮文討嘉定平陽人，初從文接應義，隸安全營，後宗室旻承制授平康鎮守。阮龍平定同春人。初從文接應義，據富安上道拒賊，尋往平和招義勇屯盤石，人稱為龍將軍。

時會齊調撥，擇日進兵，旗揭『梁山佐國』四字，聲勢張皇。報入嘉定，賊戶部伯聞之，謂閑蟄曰：「文接武藝絕倫，今舉兵來，勢未可敵，不如退兵歸仁，來春再舉未晚。」閑蟄不從，曰：「接雖驍勇，然比我東山虎威，殆無以過。況株守茶榔，累經歲年，牙莊之戰，纔臨陣時，見象便走，兵無節制可知。今縱能取吾城，無過傳舍假人，終亦斃於我軍。且吾承命守城，逢敵便戰，萬一不支，稟請增兵再戰，看啃啃鳥能重挑信天翁否也。」遂自悉衆迎敵戰，我軍范文仕前進殺賊，諸道兵繼至，乘之。賊軍或死，或獲，或走，看似雀被鸇毆，鷃爲鷹擊一般。閑蟄止軍不住，將走，戶部伯謂曰：「信天翁何不立啄群魚，而乃以翼飛也。」蟄怒以目，遂與脫奔歸仁。文接復收柴棍，（此復嘉定第三次）分兵攻取各處府縣，別使幹員先詣富國島奏捷，而自率兵迎駕。

時帝在富國島，日謀尋問聚兵攻賊，得報，即命回鑾，至四岐江，文接率屬將等拜伏道左，泣曰：「今日復見主上，社稷之福。」帝慰勞久之，駕回柴棍，陞接爲外左掌營並論參良橋戰功。陞宗室裕爲外右掌營，尋命中水武彝巍、前水張福顯歸集舊額水兵，修造戰船，以備攻守，既乃遣使如暹通好。正是：

越保會稽謀復國　唐通突厥擬資兵

第八回

嘉定鎮賊將宣驕　富國島眞人養晦

却說：我朝雖復嘉定，而兵勢單虛，加以西山連年侵掠，帝以爲憂，諭諸將曰：「賊今雖敗，來春必復入寇，今計莫若結暹以資緩急之援。」乃造金花銀花，遣該奇黎福典、參謀黎福平如暹通好。復差人密回富春偵賊情，適宗室曦與伍長鄧廷雲、知縣阮都、黃公奎、縣教阮保智自富春來。

雲與奎不知何處人，曦宗室昱次子，都廣田人，以鄉貢補知縣。智豊田人，以學行補縣教。

定王南狩，不俛僞官，聞帝再復嘉定，問道入謁。具言鄭靖王森，溺愛嬖姬鄧氏蕙，廢長子棕而立其幼子檊爲嗣，黃素履爲輔政大臣，靖王薨，宿衞優兵（黎以清義兵爲優兵。）殺素履，廢檊而立棕爲王。（卽端南王。）優兵恃功驕橫，無復紀綱。素履門屬阮有整，謀復師讐，因年前曾使西山，欲借其力以除驕兵，駕海投岳。岳愛其才，以爲都督。整日夜爲賊畫謀，不日富春必爲岳有，而我嘉定新復，城堡恐難與賊相持。臣聞西山現謀入寇，宜早方略。帝乃授曦爲掌營監中軍，雲爲兵部，智爲參謀，都爲侍講，奎爲勾稽。因命諸臣面定攻禦之策，乃於牛渚江南岸設草講堡，楊公澄守之。北岸設魚角堡宗室旻守之，朱文接與宗室谷、武彝巍、大將船艘，分布江中，橫設草龍一條，防備賊衝。留守昇，先鋒醉，各設別屯爲奇兵，監軍蘇掌火攻浮筏，臨時放火，以燒賊船。分撥停當，耑候岳兵到來。

初阮岳見戶部伯、降將蟄敗回，怒曰：「梗賊乃爾倔彊耶！吾弟提兵來看他梗不梗？」即遣其弟文呂、文惠分督兵船，由芹蒢海口，泝流而上。賊司寇阮文金進逼草講堡，都督黎文繼進逼魚角堡，留守昇、先鋒醉以奇兵迎戰於曲蒴，餌賊入陣。監軍蘇放起火攻，軍勢猛烈，賊幾潰，會潮水漲溢，東北風大作，火筏反燒我軍船艦，烟焰衝天，將士潰亂，賊乘勢薄之，宗室旻退走，繼折斷浮橋，旻落水死。楊公澄為賊所獲，朱文接見勢不敵，從山路走，時癸卯春二月二十四日也。

賊遂進據柴棍（此失嘉定第四次。）駕避三埠，從臣惟宗室谷與金品等五六人扈駕，衞兵不過百人。已而諸道兵，跡帝所在，陸續齊會。帝命阮金品為先鋒，阮黃德為後應，宗室裕、阮廷晊與吏部胡仝、兵部明、參議陳大體、參謀陳大携為中軍，晃為左支，阮文貴為右支，率其兵進屯仝宣。報入賊軍，阮惠盡馳步兵混戰，我師失利，胡仝與阮黃德為賊所獲，晊、貴、明、携死之。

明、貴何處人，不詳。晊嘉定新隆人，官外左掌營，有翊戴功。平東山餘黨。携富榮人，
陳大體之子。
定王南幸携與弟序隨體扈駕，庚子論翊戴功，父子與諸將各陞賞。至是携與晊死陣，體不知所終。

帝自三埠駕幸栗江，無船可渡，涉過之。至橙江，江多鱷魚不可涉，有水牛臥江邊，帝乘以濟，中流汐急，牛沒鱷護之，既岸，抵美湫，命中水將阮文茗等收拾船艘，奉國母及宮眷駐富國島，尋差宗室谷調撥水兵與和義道調遣陳挺回芹蒢海口，偵探賊勢，挺素輕谷軍事，多不用命，谷殺之。其黨總兵陳興、林旭遂據河仙以叛，會阮金品入河仙收兵，太長公主玉璹（嫁張福嶽）亦

往辨軍需，興等襲殺金品，公主亦遇害。事聞，帝親率兵船討之。興、旭潰走，駕幸河仙，有暹將榮離麻率所部二百人，戰船十餘艘，自古龍島來附。帝納之，尋移駐於疊石嶼，賊統率張進愼引兵猝至，黎福腆見勢危急，自請服御服，立船頭，賊爭來執之，帝乃乘別舸幸崑崙島。

崑崙屬鎭邊海中。明王時，海匪安烈與其黨蘇利伽施分設頭目，合夥投泊其島，結立寨柵。王命鎭臣張福舉設計除之，盡收所積金帛進納，嗣著鎭臣巡邏，以淸海道。帝時爲愼軍所追，權壁島中。（此寓崑崙第一次。）皇子腆與宗室谷及掌奇晃榮離麻均爲賊獲。皇子腆乃我世祖同母弟，常從征討有功，宗室谷，宗室譚之子，常與朱文接領戰船禦賊三埠、四岐，有護駕功。黎福腆承天富榮人，材力過人，有氣節，以勞績歷官該奇，尙公主玉琇。（興祖長女。）時在賊中，賊誘以利，谷厲聲曰：「吾寧爲東浦鬼，不爲西山臣。」皇子腆與黎福腆又罵賊不止，賊怒曰：「桂蠹死猶辛，亟殺之，毋出我醜。」於是皇子腆與宗室谷，黎福腆及榮離麻、掌奇晃均死於賊。晃妻氏性前爲西山擄回歸仁，聞晃被害，亦投江死。

報至崑崙行在。帝以西山暴橫，而崑崙島大只百里，自芹蔭港放洋東行僅二日夜可到，閣閭惡匪，時常出沒其間，西山或用爲間，勢難久居，將幸富國，以避其鋒，賊惠使僞駙馬張文多率水兵圍之三匝，忽風雨晝晦，波濤洶湧，賊船蕩覆頗多，御舟乃越出重圍，泊於古骨嶼，尋回富國島安營。（此寓富國島第二次。）却說：富國島屬富國社海分，夾近暹臘，山谷隱僻，竹嶼土硃遙相拱衛，英雄用武，最利藏兵。

帝與西山相持，或失利輒避其處，時西山蟠據南方無乾淨地，駕駐島中，竪木柵，建砲臺，爲守禦計，從臣惟張福顯、武文政、張福教等十數人，糧儲乏匱，有商婦以米船獻；颿檣壞裂，有商船以簟帆進，帝以人心劾順，銳圖進兵，親幸麻離海口，探賊虛實。賊船二十餘艘猝至，圍逼，御舟張帆望東而去，飄揚海外，經七晝夜，舟中水盡，軍士皆渴，帝仰天密祝：「余若有命爲君，祈救一舟之命。」俄而風靜波平，清泉湧出，嘗而甘焉。軍人汲飲解渴，帝令汲取四五壜，海鹹尋復如故。御舟駛回富國島，扈從海船，次第復集。（後吏部右參知吳位承撰賀平賊表有云：「艱難際龍卭富島，隨地為勾踐之會稽，危險中海醴山風，得天有漢皇之睢水。」蓋道其寔也。）

帝與福顯謀回嘉定，乃命武文政（永隆，永治人，官該奇先鋒。）先入龍川，招集兵馬，以備差遣。帝駕御舟，繼出篤公海口，遇賊遊船，獲其將管月，令送文政斬之，以壯軍聲。（後征歸仁政與賊戰死。）御舟尋次龍川，修理船艘，轉漕糧餉，賊留守阮貨偵知，密令水兵大隊自巴忒而來，暗伏篤公海口，以截去路。該奇阮文講、該隊阮文威夜巡洋，獲賊遊船一艘，及賊副將姜。帝詢知阮貨設伏之計，即令飛棹疾出海口，貨知有備，不敢追擊，御舟遂次蕤嶼。賊副戰憲來降，副戰阮可憑漂風爲我軍所獲。帝問西山事，憑言：「賊呂與其弟惠已回歸仁，現留其黨。駙馬多，與掌前保據守嘉定，將派水兵進逼行在。」帝令赦憲與可憑，聽留從軍，即往土硃駐蹕，旨令諸將分道攻賊。

時我掌奇胡文璘破賊於新洲，賊調撥阮繼艷退走，兵進芹苴，與賊留守阮貨戰敗之。獲海導船十三艘，前軍黎文勻收新附兵，守新和江，與賊拒戰。掌奇宗室會亦收集新屬將士，據星埠堡，賊攻圍之，胡文璘率所部進星埠，會聞援至，突圍而出，直趨新和江，與黎文勻兵合。賊駙馬多追擊之，諸將敗走，勻犇於暹，璘與該奇胡文張、阮文卞等由爐越陸路如暹。帝在土硃得報，將謀往援鄰國，聞百多祿在暹地眞奔，使人召之。

多祿卽法蘭西富浪沙人，號監牧師，客遊嘉定眞臘間，暗傳爺蘇敎，聞帝既正王位，謁請効力，帝納之，尋因西山入寇，乘輿外幸。

國母與宮眷往眞臘。眞臘人謀叛，多祿率其徒護回三埠。與帝會。後又從幸海外諸島，自請回由嘉定招諭土豪，取便往暹求援。時聞命召，卽詣行在。

帝諭祿曰：「西山未平，卿能爲我使大西，使其發兵爲援乎？」多祿請行，問所以質。時皇長子景生甫四歲，帝命范文仁、陳文學、阮文廉、黃進謹等與多祿護之，如西。

仁貴縣人，籍承天，武王朝官該隊，定王南幸以足傷礙，不克從。帝既攝位，始潛詣嘉定陞副衛尉。西賊入寇，從駕富國。帝駛入龍川，聞賊在芋島，仁與吳公貴乘趙子船覘賊。學嘉定平陽人，初從多祿謁帝，因我兵爲西山所破，與多祿護慈駕及宮眷退龍澳，矯制遣眞臘，護幸芹苴。廉亦平陽人。謹廣平豐祿人。

皇長子既與之行，適暹將遞暹王國書，並朱文接表文，請駕如暹。先是魚角之敗，文接與范文仕走由哀牢轉眞臘，取路投暹請兵，暹王欲許之，而意未決。令接由山路回，而遣其將撻齒多將兵船往河仙邀帝入其國，接密表委人，從暹兵來，帝得表大喜，乃幸龍川，與暹將會。撻齒多固請帝如暹，帝從之。撻齒多令人回報於暹，暹佛王知帝來信，召文接轉回，以候迎駕。正是：

越險孤臣心拱北　援鄰蠻主志扶南

第九回

得鄰援鎮江飲馬　避敵兵望閣潛龍

却說：帝從撻齒多之請，將越境求兵，乃奏知國母，及安慰宮眷，且於土硃權駐。時有內臣黎文悅，（彭義人，生而隱宮。）精悍有材力，選充太監，內庭事甚辨，嘗與諸將論兵，帝以其智能爲將，特命護侍慈駕。遂以甲辰二月朔，單舸如暹。從臣宗室會、胡文盃、張福教、阮文治、劉文忠、阮文訓、陳文財、阮文存等三十人，隨軍數十人，吏部白允朝力疾追隨，帝諭令留隱村邑，朝泣曰：「君行臣從，義不敢後。」尋卒於道，帝泣解御衣葬之。（後人有挽朝聯云：「天未死英雄，慷慨有心呑泰德；地非尋乾淨，生平無夢到暹羅。」）

三月駕至望閣城，暹王迎勞盡禮。帝悲憤不自勝，佛王曰：「昭南谷怯乎？」帝曰：「國運中微，寡德不才，思欲一雪仇恥，雖死甘心，何怯之有？」佛王狀其言，問以國事，語未竟，朱文接自外入詣，抱帝膝，跪泣不止。佛王爲之動容，謂其臣曰：「昭南谷雖危難中，然山風海醴，鬼神効靈，忠臣義士，艱險盡力，天意人事，南朝當有中興之時。」遂約資兵，暹二王因言：「昔年與阮有瑞約誓，患難相救，今日願爲死力。」乃出有瑞所贈寶器爲信？刻日興師。

帝命文接整理船艘礮械，以備調遣。仍請暹王準定師期，時暹有緬甸侵邊之警，二王出征，佛王乃遣其姪昭曾、昭霜率水兵三萬，戰船三百艘，護送回國。帝以朱文接爲平西大都督，調撥諸軍。六月初九日，發望閣城，由北喃海口，進克堅江道。又攻破賊都督阮貨於鎮江，直抵巴忒、茶溫、斌洌、沙的等處，分兵屯札。諸將啓言：「大兵歸國，臣民未見應義從軍，如遲望何？」時有承天明靈人鄭玉智，官屬內隊，聞帝回鑾，詣謁行在。帝即準陞該奇，令往諸賊堡招撫舊臣，及豪傑士民。智至滽澳，賊副督戰理率所部降，且與朱文接言：「賊掌前保在賊中，檢點兵馬，不日與朱將軍決一死戰。將軍專靠暹兵，未必能保全勝。」朱文接率水兵攻賊于斌洌江。賊掌前保拒戰良久，接跳上賊船，爲賊槊所中。帝麾兵急擊，斬掌前保，賊衆死傷甚多，賊駙馬多奔龍湖，文接傷劇而卒。帝命以戎服葬于會安。

時人有聯挽云：「彈壓此江山，壁茶榔、屏嘉定、橄梁峯，八九年征戰，一身泰德賊渠；武略讓君三舍；騷屑幾甲胄，象牙莊、堡魚角、舟斌洌，千萬里歸來，數陣暹羅鄰國，忠肝證我千秋。

帝思文接既死，倚重需人。諭諸將曰：「接十年來，與我同患，今半途相棄，誰可代掌我軍？」諸將皆言前軍可。時黎文勻掌前軍，乃陞勻欽差平西大都督勇郡公。董領大兵討賊。勻進克巴淶茶津二堡，掌奇鄧文諒死于陣。

諒定祥建和人。從朱文接應義，官欽差上道該奇經從望閣。

帝聞諒死，傳諭文勻，宜調度軍機，免傷將士。尋命參將鄭子泩守鎮江，參贊阮承演守滽澳，參論阮文誠往八疆光化，收集東山餘衆。

泩、鄭天賜之子。天賜被難時，泩及其弟浚添，姪柄榆材栖尚幼，得免徙邊，暹佛王立，許回望閣養贍。帝在暹時，泩謁見。帝念功臣遺裔，授參將。演，承天海陵人。舊參政阮承緒之子。歷官平順記錄，定王南幸，授演參贊，從入嘉定。誠肇豐博望人，阮文賢之子。善武藝。初從父應募，定王授該隊，及隸勘理紀麾下。紀失利，誠集兵勇八百人，從清仁為步兵先鋒。後從阮文弘略地鎮邊。屯兵潘里，御駕幸暹，弗獲從。帝以暹兵回，詣謁茶津行在。

帝命往諭東山鄧趙。時趙浼偽官總戎，與其黨掌雄、掌綏同守八𩏠光化。誠諭趙殺雄、綏，引兵歸順。

帝命誠將兵八千助暹征陣，暹兵殘暴，所過擄掠，民多怨嗟。帝諭諸將曰：「暹兵無制，縱得嘉定而失民望，吾不忍爲。況今賊勢必將添兵入援，宜各防備，免爲所陵。」時賊將告急于西山，岳使其弟惠，大率兵船救應。惠至，數戰不利，欲引兵還。我叛臣有黎春覺者，爲惠畫計。惠喜曰：「君乃闖人獻策者，我做冗求，當破南兵。」陰以勁卒伏于涔江之楸茷，誘暹兵來。昭曾、昭霜不知地勢陰易，又狃其勝，率兵直指美湫而下。賊伏兵水步掩擊，暹兵大敗。曾霜僅收殘卒數千，由眞臘山路奔回。黎文勻及諸軍亦潰，阮文威死之。

帝幸鎭江，戶部陳福佳、該奇阮文評、太監黎文悅等十數人扈從。行間絕糧，民奉麥飯以進。至瀝架處，爲僞將掌珍所獲，留在舟中。珍念祖父舊恩，夜乘僞軍睡熟，即送帝登岸。

帝自雲野徒行力倦，賊追急，該隊阮文治負帝奔詩江。鄭子泩乘船適至，乃遣子泩與該奇忠如暹關報。既而阮文誠與宗室暉宗室會等，各引殘兵五六十人繼至，遂移駐土砞。賊兵追逼，駕幸古骨嶼。適該奇忠引暹兵船來迎，因復如暹。

却說帝之再往暹也，從臣少傅宗室暉、掌奇宗室會、黃進景副中軍、阮文誠該奇、張福顯、阮文定、阮文評、枚德議、阮文瑞、張福律、宋福玩、阮文閑、阮文性、阮龍武、文政、張福峻、該隊阮文祐、蘇文兌、阮文敏、黎文律、阮文翊、宋曰福、枚進萬、張福敎、尊壽榮、阮永是、阮秦、黎尙、戶部陳福佳、知簿潘千福、參謀吳有祐、留守阮登昭、段文科，太監黎文悅、隊長胡文盃、阮文利、阮文謙、阮文得、從軍二百餘人，乙巳四月至望閣城。暹王問失利之狀，帝曰：「王念鄰好，以兵相助，柰兵暴將驕，所以致敗。」暹王怒曰：「狗徒智於室，而愚於市。西山從此弱暹何？」即欲斬僧、霜。

帝解之曰：「二將固罪，天意或有所待。且寬二將之誅。」暹王乃請帝暫留其國。

帝以西山方彊，機未可乘。駐蹕于龍邱，遣人回土硃奉迎慈駕及宮眷詣行在。

初，帝自暹回，奉國母及宮眷居笠溪，及復如暹，遣吳公貴奉移土硃。貴龍川人，歷官該奇，爲人誠樸，有彊力。帝幸富國，貴奉傳國寶隨後相失，駕回柴棍貴自龍湖奉寶來獻，嗣奉護駕國母。國母念帝違邦，遲回不進，公貴曰：「臣奉命護侍遲誤臣罪，」即率妻子，奉慈駕及宮眷，從林路行，聞林中人聲，貴緣木以望，見暹衆相聚捉人。公貴大驚，即棄其妻子，急奉慈駕及宮眷，取路疾走。至大海口，得一小舟，乃奉駛往土硃，至是仍奉護如龍邱。

帝請安畢，問貴頗知賊情否？貴言：「賊惠返回歸仁，留賊都尉鄧文鎮守嘉定，屯堡羅列，將卒喧闐，岳軍恐難撼搖，請且檄召諸將與文勻到來，候圖機密，否則朝夕邏，庭彼亦難爲我計。」已而文勻將所部六百人，拜謁行在，諸將士亦各取路繼至。帝命分往屯田以供軍餉，繼命阮登昭與黎尙、阮秦乘兵船十艘，潛回龍川偵賊，至大同（遊國海岸。）適楊公澄船至。公澄自魚角之敗，爲賊所獲。開帝駐蹕望閣城，乘間率所屬阮文仁及戰船三艘，望洋駛去，與黎尙、阮秦相遇。尙謂澄曰：「今上委我，散居海島，以爲偵邏，計將安出？」澄曰：「當乘賊疎防，夜襲龍川，以爲屯柵，首唱義聲招集散逸，以爲後圖，另當稟候規措。」遂相合兵，襲攻龍川賊堡，獲賊平戎直，駐兵翁田，使阮文仁與宋文姜獻俘行在。

帝曰：「龍川乃嘉定要地，賊所必爭，且翁田地居海瀕無水陸之便，我軍駐此，賊至何以應之，即命文仁馳報諸將移船海島以圖後舉。文仁未至，賊太保參已自柴棍提兵掩擊，黎尙、阮秦俱陣亡。公澄復爲賊獲，登昭掠得小舟回暹，以聞。帝曰：「諸將不知兵法，故有此敗。」

參既獲澄，數以叛賊之罪。澄曰：「降汝詐也，去汝義也。吾主在，吾無降汝之理。」參殺之，澄大罵賊岳而死。參聞於岳，岳曰：「人言：勝爲王，敗爲賊，我戰輒勝，南人何多賊我，敗將而猶罵言。殺之，是。（後人讀澄傳有聯云：「軍國事罵得成張睢陽早挈常山九郡輿圖獻唐天子，古今人嘯不住，呼延灼曾爲水泊，數年頭，領戰宋將軍。）

文仁偵知其詳，以言於帝。帝爲悼惜不已，適暹王差人請帝會籌邊事。時緬甸三路兵侵暹柴諾，暹王將親禦之，咨謀於帝。帝曰：「緬兵遠來，利在速戰。」暹王即進兵，帝親率從軍助戰，令黎文勻與阮文誠前進，以火噴筒擊之。緬兵驚走，俘獲五百人，及礮械無算，未幾闍婆又來攻暹，暹王請帝助兵。帝命黎文勻率水兵與暹二王討平之，暹王由是服帝兵謀及勻將才。欲羈留御駕與諸將臣在暹，以資其力，勻察知其意，乃曰：「龍來鰕室，曾作雷雨以顯神威。今反爲所弄耶！」密請預圖歸計。

帝遣黃進景、阮文閑、武彝巍、張福顯等率兵往扛坎山，造十號戰船；又差謀士間回嘉定，招募義勇，取路潛往歸仁，探採賊勢，詳悉報知。適聞西山阮文惠引兵攻取富春舊京。正是：

犇虞帝子謀綸邑　亂漢公孫占蜀都

第十回

回宗國一將獻謀 耀神威三軍奏凱

却說：富春京乃我朝根本之地，前爲鄭兵所犯，黃五福留鎭，福死，裴世達代鎭。達還，范吳俅（爵造郡公。）繼爲守將。西山累欲窺覦，伏而未動。適范吳俅使其屬阮爭如潛往偵賊，爭如與阮有整相善，爲整具言順化可取狀。整言於岳，岳使其弟惠節制水步諸軍，增阮武文任爲左軍，整爲右軍，弟呂率水軍繼發，進逼富春。副將黃廷體出城拒戰，與其子二人，及裨將武佐堅（石河河黃人造士。）死陣。督視阮仲瑺（清漳忠勤人進士。）死亂軍中，俅面縛降，西山殺之，據有順化之地。整欲乘機滅鄭，爲惠陳謀，惠留其兄呂守富春，自與整分兵水步，直抵昇龍。鄭將步兵黃馮基、水兵丁錫壤潰走，鄭主端南王親禦於龍津，敗，奔山西，爲社民阮莊賺送於賊，道中自頸而死。

整教惠以扶黎爲名。時黎顯宗病彌留，惠彊請設朝，具將版籍以獻。黎帝封惠爲威國公，妻以公主玉忻。黎帝陟方，惠擁立太孫維祁爲嗣，岳聞惠已定北河，疑其叛已，引兵倍道，馳往黎城，挈惠及將士以歸。事聞望閣，諸將言西山奄有南國，我朝現無寸土爲資。皇長子西行，未挈兵來，何以光復舊物。正商議，間范文仁、阮文廉與陳文學奉表文回言：「皇長子以乙巳年（西曆一千七百八十五年。）春，至小西，（印度）會大西國（法蘭西）內有變，棲於封啤嘍哆城，文仁告多祿求援於紅毛。（英吉利）多祿以紅毛桀黠，不如筆須稽（葡萄牙）柔順。乃謀爲書求助於筆須稽。今夏小西具船艘，送皇長子如大西，仁等駛回奏知。」帝諭曰：「近委希坡儒國（西班牙）人耶？姤悲麻怒哝（百多祿之黨）航海如呂宋（北清廣州南馬路古。）求助兵，途遇西賊兵船，爲所殺。予爲戒心，今得書信，喜吾兒安吉。且慰良臣爲國苦衷，令仁與文廉留侍。陳文學又從洋船去，既而筆須稽遣其將安㑳磊齎國書來，言已備兵船五十六艘，在孤亞城，又以禮物遺暹，請迎帝入其國。暹王意甚不悅，帝諭之還，令戶部陳福佳搭瑪瑤船如孤亞城答慰。福佳與㑳磊既行，侍臣奏言西援無功，南臣有助。舊將宋監軍福淡至，福淡自蒲堤之敗，潛回富春，熟知賊勢，聞乘輿在暹，與侍講阮都、該奇宋福玉、該薄阮文瞻泛海從之，會大風，漂入緬甸。緬人與暹世讐，疑暹細作，搆執月餘，清人有寓緬甸者頗識字，淡以筆談，清人爲之言，得放如暹詣謁行在。

帝問西山現情，淡言：「賊岳，自昇龍南還，封阮惠爲北平王，鎭守富春，引回歸仁，索所掠鄭府貨寶，惠拒不與，惠欲併廣南地，岳亦不許。惠乃聲岳罪惡，驅兵直擣歸仁城圍之。岳堅壁自守，其黨鄧文鎭、留參督陳秀守嘉定，自提兵赴援。至富安，爲惠所虜，岳於城上呼惠慟哭，始解兵講和。而兄弟仇讐，內各相備，現今嘉定單弱，機會想亦可乘。」黎文勻言：「邊和人阮文義、阮文雪起義討賊，賊參督陳孝廉殺雪而走義。藩鎭人黎公鎭、范文慶與嘉定醫師杜福愼糾衆謀襲牛渚屯，盡爲賊阮秀所殺。軍勢恐非單虛，近該奇范文珠回探河仙，報言：『賊岳封弟呂爲東定王，主鎭嘉定，太保范文參輔之。』參賊黨腹心，恐閒視他不得。」

淡言：「賊黨中，惟僞惠最黠，惠今據海雲以外，勢將兼幷北河，不暇南窺；賊岳據廣義以南，地狹民殘，中央土非得時用事之主，行且休囚。呂在賊兄弟之間最劣，孤垂無援，亦何能爲？

參與秀縱均彊項，可逼之使降。今奉乘輿留暹，將倚爲援，然暹人自甲辰敗衂之後，心畏西山如虎。近聞賊惠遣使結暹，不無別情，托暹非惟無益，久久恐將以寓公爲奇貨也。臣請條陳武備，籌畫軍機，護駕先回嘉定，規立國基，相時審勢，徐爲恢復之謀，則中興有望。」勻與諸將以淡言爲然，請帝即定回鑾之策。

却說：帝自再居暹龍邸養晦，荏苒三秋，嘗欲暹王助兵，阮文誠以爲資暹兵力，事成必有後憂。宗室會以爲暹爲西山所嚇，必不敢南。帝默運神機，未逢其適，因福淡言，乃與密計。先遣阮文誠、阮文謙回河仙偵賊，范文仁回竹嶼整備船艘以待。前水穎、該奇阮買辨禾苗，聲言往稼山中，該奇忠就丕雅伐棱寄稟暹王，請委人載禾秧往竹嶼耕稼，以供支餉。乃于在行諸船，裝載禾稼，乘夜留謝書于行在。奉國母及宮眷下船，駛出北喃海口，當丁未年秋七月丙寅日平明。暹二王知之，乘輕舟疾，追不及而返，帝至竹嶼停泊，該奇忠遇暹商船，殺其人而掠其財，帝恐或挑暹釁，命斬送首級於暹。御舟進河仙至古骨嶼，何喜文以兵船歸附。

喜文清四川白蓮教之黨，自稱天地會，掠閩粵間帝在暹時，嘗使阮太元與阮文誠往諭降，喜文越海謁請効用。帝慰遣之，至是以其屬梁文英、朱達權等委質爲臣旨授喜文管巡海都營大將軍，英權等各授副管營至龍川，阮文張率所部兵船來歸。

張廣南醴陽人，才略出衆，初投賊為掌奇，龍川之帝幸茶山，張躡其後，忽山中大樹無風自拔，路塞張神之，引兵還守龍川，意欲歸順。帝自暹回，遣阮文敏報張，張遣其屬黃文點拜降，請回兵龍川，以圖進取，駕至張率精兵三百餘人，戰船十五艘，拜迎道左。旨授欽差掌奇管前道水兵，以該奇吳公貴守龍川，而命張進攻賊於茶溫堡，破之。阮文義聞捷，將所部義兵迎謁，授爲掌奇，令還鎮邊討賊。御舟進抵芹蔭，義旗雲集，報至柴棍，僞東定王呂引避諒埠，築壘以居，賊太保參堅據柴棍，官軍累攻不下，因獲賊金蓬大船，及告身一道，並賊護督理愛妾氏祿。

福淡設計分弱僞兵，乃依告身印篆字樣，假作僞中央皇帝岳密書，言參是北平王惠之黨，驕橫難馴，使呂設計殺之。仍令氏祿持以告參，參得書大驚，謀先事制呂，即詐豎白旗，率水兵直至諒埠，（原我朝興兵以來，國讐未復，故旗號尚白。）呂望見白旗，疑參已降，奔回歸仁。參復獨據柴棍，帝命諸將回兵虎洲，至巴槭江，賊調遣阮繼艷率戰船十餘艘降。帝納之，而遣胡文璘與阮進諒先回堅江，收兵俟駕至美湫相會。

璘既行，黎文勻奏言：「賊御尉阮文屯兵巴涞，列船江口，以禦我師。臣請潛入賊中，舉火亂賊，而大兵爲之外應。」帝命胡文盃、阮文治、張福教、阮文存等與之俱。

盃邊和平安人，兩次從駕望閣。（有女侍清和潛邸，後爲佐天仁皇后。）治嘉定平陽人，富島、暹城，追隨勞苦。教嘉定新隆人，數番海國，二度龍邱，重有勞績。存真臘茶榮人，原掖庭奴，經扈駕望閣有功。

時各領命從勻潛至賊堡外，伏於橋下，日暮賊卒數人出汲水，勻執問姓名，及賊中口號，遂與胡文盃等以賊口號潛入。賊方夜飲，勻從堡中放火焚之，賊見火起，大驚繞亂，勻直前斬文。帝率大兵，奄至襲擊，收獲船艘械杖甚衆，乘勝進至美湫，（在定祥鎮前。）賊太保參犯美湫，我師失利，阮登雲爲賊將青舍軍所獲。

雲少為阮文惠養子，以善武名，長知西山所為僭偽，佯以風瘖，率其屬潛出海島，謁行在降。帝授該奇，令率水兵攻參，兵敗，遁趨孔雀原。青舍出其不意，擒解參軍。

雲不屈而死，阮文誠與何喜文等十九人，跟駕不及，退泊崑崙島。帝遂駐蹕虎洲，收集將士三百餘人，戰船二十餘，命招集茶榮、斌沏二處番民數千人，東補爲兵，號暹兵屯，令阮文存管之。又以安和新東二村義民數百人，置爲武拒二衛，著隨官軍進討。乃命胡文璘攻賊於橙江，賊都督阮文縉敗走。掌奇眞、右校訓率所部降。帝以爲先鋒，更命阮文張、杜文祐爲後應，襲攻掌奇暹於美籠江。暹棄柵走，收獲賊船數十艘，兵威復振，進次美籠。（屬永清鎭。）命宗室暉與黎文勻往巴忒簪埠招募鄉兵，進屯星埠，宗室會歛兵往趙埠爲應。賊太保參聞暹敗，悉衆來攻美籠，不克，會賊太尉阮文興自歸仁率艚船三十艘與參併力拒戰。帝諭諸道按兵固守，未幾，興滿載糧粟而去，參勢孤復退柴棍，御舟遂進茶津枚江，命黎文勻、宗室會分屯要害，以禦賊兵。蘇文兌潛往會龍平鳳諸路，密探賊情適報僞北平王惠遣其將再攻昇龍城。正是：

漢皇再起謀東洛　金寇重來取北京

皇越龍興誌　卷之三

第十一回

張武軍克復嘉定　運廟算逼降范參

却說：僞北平王惠既敗鄭，欲假手北人誅整，潛師西歸，整尾其後，惠留整與阮文睿守義安，而使武招遠屯河中，武文任屯洞海，以爲犄角之勢。私囑文任察整動息，整不之知，糾合鄉勇，陰有爭據義安之志。會黎諸臣復立鄭槰爲晏都王，昭統帝孤立，乃召整自衞。整將兵出，走鄭槰而補黎帝，多以金帛結睿，約以謀去招遠而拒僞惠，畫瀘江爲界。武文任探知其謀，馳書告變，惠使拿睿，則已回歸仁了。乃命吳文楚、潘文璘領兵出義安，從任節制，驅兵取整。整遣其屬黎逾、阮泰與其子阮有攸往禦，俱爲所敗。整挈妻子奔京北，昭統帝亦率宮眷過河。任遣部將阮文和追整，戰于三層山，整爲所獲，檻送昇龍。任數其罪支解之，黎帝避居保祿山中，任以黎崇讓公維禩監國，具事以聞于惠，惠使任守昇龍，吳文楚副之，報至枚江行在，宋福淡奏言：「西山雖取北河，禾刀木未果遽落，竊料黎皇必請援于清，天兵若過關來，北平也恐不能遽平北，國朝雖羈旅之餘，恩澤淪浹，軍民樂從，此回必復嘉定，中央岳僻伏歸仁，必不敢怒螳臂以抗龍車也。」

卽請大軍進次廻渦。

廻渦屬安江永安，前江後江兩派交會，群溪爭流其水盤桓。

帝時駐蹕其間，未下屯札，賊太保參瞰其無備，潛兵來攻。帝命諸將會築土堡，阮文張、蘇文兌屯堡右，黃文慶、宋福玩屯堡左，與賊對壘，連日苦戰，賊始引退，小差隊長報稱潘文趙上謁。

趙永隆保安人，勇敢善戰，賊寇嘉定，趙糾集義勇從征，御駕如暹，趙以母老不克從，潛居鄉里，常率衆攻賊，賊執其母置之軍中，以招趙，乃降，賊釋其母，而使趙坐船後柁。一日巡江，趙佯失脚落水，忽鱷魚浮出，衆驚曰：「鱷食趙矣。」捨而去，趙因得脫。聞帝將自暹還，與鄉人張進寶再糾義勇俟應王師。

駕回廻渦，趙與進寶引所部詣謁。帝授趙總兵該奇，隸宗室暉。寶督戰該奇，隸宗室會。宗室暉請派往星埠，報守將荷文祿愼守屯堡，毋爲窮寇所乘，報稱祿與賊戰于岑埠已死。帝卽命該奇阮廷得進屯岑埠。得義安眞祿人，驍勇習兵，聞帝回鑾，南入嘉定，謁于龍川。旨授該奇，隸宗室暉，嘗屯美籠茶津，有戰功。帝以岑埠孤兵，特令與賊相拒。黎文勻守星埠堡，宗室暉守趙埠堡爲應。暉請鄭子泩鎭河仙，范文仁守龍川，星速進道，以防賊攻。

帝諭諸將各領命去。宋福淡請遣張福教，召武性于孔雀原。性邊和福安人，徙家平陽，東山屬將武閑之弟，閑以叛誅，性因管閑餘黨。聞新和人，武文諒俠氣，率，建和人，阮文孝，莫文蘇，平陽人，陳文信來會。諒豪俠不羈，父忠豐於財，西山入寇，苦於抄掠，魚鹽狼藉，賊取不盡，輒糞其餘。諒怒語忠曰：「西山狗視我，願擧義兵殺此賊以洩其恨。」遂散家財，陰結豪傑。性旣抵會，兵日益衆，乃推性爲首，起義于芙園。性以孔雀原田土沃饒，且多邱阜溝壑，穀粟多而地利險，堪爲攻守之資，乃移屯其處，有衆萬餘。分立五支五校，自稱爲總戎，號建和。道兵賊過輒掩殺之，賊相誡曰：「嘉定三雄，武性其一，（合杜清仁朱文接爲三雄）不可犯也。去年帝自暹回，至鰲洲，遣阮德川先往諭意，性奉命，諸將攻賊于巴淶，賊退走樀昏，性迎擊之，三戰皆捷。帝聞而壯之，宣旨往召，性乃率衆來歸。

帝授先鋒營欽差總戎掌奇，妻以長公主玉瑜，其屬諒孝、蘇信各授該奇，隨駕進次八仙。時賊掌奇耀屯鎭定，都督縉屯炭籠。帝命宗室暉與黎文勻攻鎭定，獲耀，進炭籠，獲縉。捷聞帝以宗室暉與宋福淡管轄鎭定兵民諸事，宗室會管後軍，黎文勻管前軍，阮文仁爲神策衞掌奇，隸宗室會，阮文誠爲中軍營該奇，隸黎文勻，分撥既清，適何喜文率兵船詣謁。帝乃進次三埠，會議進取柴棍，留阮文張屯守美湫，與鎭定步兵相接，使宗室會與先鋒武性率步兵圍賊督戰黎文明于伍橋堡，以鐵燈籠焚其柵，賊兵驚潰，俘獲無算。

帝欲乘勝長驅，鎭邊軍報阮文義大破賊兵于鹿野，即遣留守叚文科往募集舊軍與義兵合，專制鎭邊一道，仍督大兵進儀江，賊太保參列柵自調遣市至穹榕拒之，武性將兵繞出習陣野之南，直入牛渚以截其後。諸將分道夾攻，賊衆潰散，參收拾船艘，欲從芹蒢海口遁去。帝命黎文勻調撥諸道兵邀之，參退巴忒，我師進克柴棍，（此復嘉定第四次），時戊申八月丁酉日，當黎昭統帝既去昇龍之次年也。

却說：昭統帝自保祿潛往海陽山南，糾合義旅，爲吳文楚所破。於梧桐駕海入清華，復微服回京北之鳳眼。遣文臣陳名案、黎維亶奉書如清，至太平，始知太后初奔高平，與督鎭阮輝宿由斗奧隘奔清，通書龍憑營，求兩廣總督孫士毅提兵赴援，毅爲之請，清乾隆帝遣毅調兩廣、雲貴，兵分兩路來援，亶與案回報昭統帝，潛往關上迎接，毅大兵臨境檄諭：「有能生獲僞惠，許爲首功。」時吳文楚留鎮昇龍，聞報，議退三疊據險以守，乃密報諸鎮潛兵以歸。毅兵直抵昇龍，擇十一月二十一日宣封昭統帝爲安南國王，黎文武諸臣請毅進討僞惠，毅不從，傳令諸軍下寨休息，訂以開正初六出師。楚在三疊，令阮又雪馳書告急。僞北平謀正位號，以繫人心。乃築壇屏山之南，以十一月二十五日自立爲帝，改元光中。即日擧兵至義安，分順廣舊兵爲前後左右四營，增揀義安新兵爲中軍，得勝兵共十餘萬，分爲五道，鼓噪長驅。

己酉春正月初五日，戰于玉洄，清師抵敵不住，死傷甚多。提督許世亨，總兵張朝龍、尚維昇，濵州太守岑宜棟死之。士毅單騎北走，昭統帝從之，奔清，惠驅兵入城，遂併安南之地，以清捷報知其兄僞岳。時岳勢日窮蹙，忌惠猖狂，將不利於已。聞范參敗，欲擧兵援，又恐爲惠所襲。參日盼岳救不至，乃相度巴忒地勢，列營屯兵。

那巴忒江距永清鎮南百十七里，鎮夷道守所在其地北，虎洲峙其東南三十六里，至巴忒海門江口西行，經鱔場至月江三岐。北岐至斧頭江；西北岐經波營、柴光至堅江道大港；西岐經罷瀫市，至鷺江三岐；南岐出永清海門；西岐至龍川道，無甚地險，姑暫駐軍。

即於沿江兩岸築土堡，列戰船，爲死守計。帝諭諸將曰：「參保巴忒，意欲乘風駕海，奔回歸仁，此賊不可使之漏網，更貽後患。」乃命阮文張巡哨海口，與諸將分屯以截走路。宗室會管永鎮，用心防緝。宋福淡行兵部，注意機權。何喜文越歸仁，歷順化，出北河，打探賊情，并往廉州招諭齊桅海匪。宋福珠如暹羅通報捷信，且言僞參不日即降。既而參率水兵驟出海口，伺便放洋。帝命前軍黎文匀，後軍宗室會，先鋒武性會兵攻之。該奇阮文敏、杜文祐督戰船先與之戰，戰不數合，斬賊都督阮雄祐，執三軍司命旗，麾軍疾戰，賊砲擊如雨，祐與敏俱陣沒。

敏廣平麗水人，祐承天香茶人，俱追隨羈靮，有望閣功。

帝爲軫惜，卽命性與會、匀麾兵直進，戰於虎洲，賊衆潰亂，參復退巴忒自守。帝命黎文匀將步兵襲其後，而令水軍面前挑戰，參堅守不出。

帝自將征之，參部將有青舍者，原帝舊臣，以柴棍之敗降賊，參以爲腹心，使屯兵於外，與我將後支縉對壘相拒。青舍與縉有舊，日常出堡相見，謂縉曰：「我昔爲南主臣，今爲西山將，事勢至此，奈何？」縉曰：「卿降賊不得已也。賊今爲網中魚，卿不早圖，何面目見主上乎？」青舍曰：「我罪重，恐不爲主上所容。」縉曰：「天地父母何所不容？轉禍爲福，反掌間耳。」青舍曰：「卿能爲我請命，願以堡獻，無勞將士之力。」縉以事聞，帝許之，縉卽以報青舍。明日駕幸縉堡，青舍入見伏地請罪。帝慰撫之，使先回堡，令縉提大兵隨之至堡門直擁而入，賊衆大亂。參走檑欖，阮文張與黎文匀追擊破之。參走會龍，潛退鷺頸江，謀固守以待援軍。

賊參督陳秀，指揮阮準將水兵自美湫海口來援，帝親督兵船攻之，準敗死，秀以其屬降。參聞大驚，或勸之降，參曰：「束身歸朝降臣，成何體面？」曰：「然則隨身有短刀乎？」曰：「我非芳炳，安用短兵？計窮援絕，亦詣軍門降。」帝赦之，卽散其步卒，令隸諸軍。於是嘉定悉平，駕回柴棍會陳文學自孤亞城回到士株。帝遣學西往，具以事諭百多祿及小西鎭目，趣令發兵，又命宗室會督軍進拔芹苴屯，黎文匀將兵出守要地道。會與匀既行，諜報亡臣阮黃德自暹回謁。正是：

復許戎功賡魯頌　去曹大節美關公

第十二回

彊國勢嘉定建京　藝兵威黎匀伏法

却說：阮黃德自仝宣之戰與標下五百人爲賊所獲，僞北平王惠愛其勇，收用之。德在惠軍，思歸未得其便。一夜夢中大聲罵辱賊惠，惠以囈語不之罪，又多與珠寶以厚結其心，德終不悅。惠北攻昇龍而還，留德從阮文睿鎭守義安。睿本岳將，不樂爲惠用，德乃紿睿從山路潛回歸仁與岳合，睿率所部五千，潛道而南，令德引親隨兵五百前導。德行旬餘，令人謝睿曰：「士各爲其主，德之不忘南朝，猶將軍之不忘西山也。且舊主眞主，天命有歸，將軍如欲棄暗投明，可與我往。」睿怒德賣己，欲就計殺之。立馳令箭誘德，且停與面談以決向背。德知其意，恐遲則爲所襲，卽乘夜取別道由樂丸轉萬象，途間紆曲，軍士絕糧，至採木葉爲食，諸蠻部聞德名，多給以餱糧，得達暹國。至則帝已回鑾，暹王欲留之，德備述艱難尋主之狀，暹王禮而遣之。

旣至嘉定，謁帝于金璋寺。帝慰勞久之，授中營監軍，管中支將士，乃會諸將面議攻守之宜。宗室暉與宋福淡奏言：「我朝退保柴棍，十餘年間，經四失守，蓋兵衞寡而戰無勝陣，地險失而守無堅城故也。然漢無新室，不興光武於舂陵；唐無胡兒，不起肅宗於靈武。今上收獲故宇，卜諸天心，則芹海之風順，牛渚之河淸，顯有徵應。驗之人事，則民間財粟之積，樂於供輸，賊黨兵將之降，同其趨附，戰可使勝。然臣熟思，未有萬全之策，現屯新開，舊堡卑狹，人險無秦金城，天險無蜀劍閣，賊擧南來之兵，焚城有患，塹里無資，臨時何以爲守？請且分遣諸將進屯諸營，而築嘉定府城，以固根本。守備既堅，然後調撥兵糧，以圖征進。」

帝善其言，命宗室暉督辦城務。諜報皇長子景歸自西洋，初景如西求援，逾二年始至大西，（法蘭西）西國王路易第十六（路易或作魯意或作呶依，蓋譯音之轉。）約以助兵，適因七月十四日之變，終莫能助。多祿乃謀大西武員住印度名吧呢吰、多突率兵船二艘（艚龍艚鳳）從多祿護送皇長子還（配當西曆一千七百八十九年）至麻勒，適陳文學自小西回，與之俱，至崑崙以事聞。

帝命張福律先往迎接，尋命宗室會將兵船，出芹蒢海口接回，陳文學別坐洋船，遭風漂入呂宋。景既回朝帝，以景跋涉海國，往返六年，均多祿保護之功，授多祿達命調制戰艚水步，援兵監牧上師。呢吰、多突願留爲臣。

呢吰為阮文勝，多突為阮文震。

竝授該隊使管龍飛、鳳飛二號大船。既乃命張文交守藩鎭，阮文道守鎭邊，阮德譜守鎭定，黃進清守永鎭，鄭公柄守河仙。又命阮文誠與何喜文守魚角堡，以防西師之由海程來者。陳文學自呂宋回，帝令率西洋通言與烏離爲，番譯西洋言語文字，及製造火車，震地雷、兵器等項。又命標度嘉定新城土分及諸條路爲圖以進。於是宗室暉督率將士，以庚戌二月朔起築嘉定土城，城開八門，門準八卦，南乾元離明，北坤厚坎險，東震亨艮止，西巽順兌悅，前建太廟以奉。列聖，後建寢殿以奉國母，中爲行宮，左儲積庫，右製造局，周廬布列，以居宿衞親兵。庭竪三層旗臺，上爲望斗八角座，日掛旗，夜張燈，以號令諸軍。城外鑿濠，濠上架橋，衢巷舖市，行列次第，三月工竣，謂之嘉定京而落之。

帝以國事尙多草創，乃留意經畫，立占候司，置公同署，設使舘，建醫院，定租稅，中法禁，明官制，正朝儀，選法兵額以時舉行。阮文仁、阮黃德、武文諒、阮都、黃、秀鍾分閱諸營，校定民籍，丁三取一，揀其精壯，束爲御營兵，餘補各支。諸軍招募義兵，有能束成奇備隊者，各校以官，而以其兵屬之。該奇以上得自立標屬，官籍其數，餉給與揀兵同。有發，各率其屬以從。又立舟師廠、海道船、戰船、梨船、朱船、烏船、水戰之具。延袤三里，規措先後，皆宋福淡所議定。淡又進言：「僞光中受清册封，或狡思啟疆，以圖一統。請飭前軍勻緊把屯守。」

却說：光中惠既破清兵，留其將吳文楚鎮守北城，引兵南還。會兩廣新督福康安移書講和，惠遣之金幣，求爲玉成。遣其侄阮光顯叩關遞貢，并請入覲，以邀封典。清帝封惠爲安南國王，惠以其甥范公治狀貌類己，冒名赴闕謝恩，清帝賜賚甚厚。惠既顯，藐視南朝，報入嘉定。福淡以言于帝，詔諭黎文勻防備光中僞兵，勻在要地屯，建言：「嘉定新京未固，賊若乘風而來，恐上道荒蠻，背後煽動，請屯步兵於光化，置舟師於興福，以備不虞。俟北風晚候，賊不敢遠離巢穴，另出一將，提兵直抵平順、平康，設立屯札，募民爲兵，聯絡策應，賊來必無能爲。」

帝以時未可，諭令徐圖，尋召還。勻請進取平順，乃命勻董領水步兵六千人前進，先鋒武性，副先鋒阮文誠率所部先後之，勻陛辭。帝諭曰：「此行止救平順一府生靈免於塗炭，切勿乘勝長驅，深入重地，以傷威取侮。」因賜戎衣備給軍次。既發性與勻分屯潘里，誠屯旭簪。賊都督陶文虎來戰，性、誠左右策應，虎敗走，勻以捷聞，自言己功。性語其屬，斥爲憑風折笋者流。勻欲進取延慶，令誠前發。性趨三瀆爲後應。誠曰：「延慶唾手可定，但去柴棍稍遠，賊舉大兵而來，彼衆我寡，無乃刮肉以投虎耶？」勻乃令誠屯梅市，性屯潘里，而自引兵屯潘郎，以窺延慶。誠飛語上聞，諭曰：「新復府縣，寸土尺民，要宜固守，若輕動，能保其必勝乎？」詔留勻按守，而召誠與性還。會賊都督胡文緒，參贊徐文琇攻勻于枚娘堡，勻兵寡不敵，部將阮郡、阮文姜俱陣亡，（郡永隆保安人，姜永隆永平人。常從駕望閣，有征伐功。）士卒多死傷者。誠聞勻敗，勸性回救，性不顧而去。誠曰：「賊到家，婦人且戰，況軍將耶？何袍澤之情乃爾！」卽獨返兵援勻。報聞，諭勻堅壁以待援兵，勻與誠守潘里堡。賊悉衆圍之，勻表請益兵。

帝命武性與阮黃德、阮文張赴援。勻聞援至，開壘出戰，內外夾攻，賊乃遁。勻進兵藍壘，諭令諸將班師。勻回守興福，適貢臘昭錘下言于暹王，謂我方治兵鑄砲，謀欲圖暹。暹王惑之，將擧兵來侵。帝以暹人素重勻，召還議處暹釁。勻自以僨軍，恥爲武性所鄙，遲回，不卽就道。表言：「曩者平順賊退，應援官兵多肆擄掠，請派人按治，以肅軍令。」蓋欲暗算武性也。

帝時恨勻不還，命修國書，遣阮文閑、阮進諒如暹辨寢其事。因覽勻表，譴之曰：「事往何必按治？更滋煩擾。且朝廷方有內顧，不此之慮，何彼之圖？」勻懼罪，遂稱病。帝命該奇阮文利代管。久之病未愈，又分其軍爲前中後三支。阮文性管後支，屯全門；阮文利管前支，屯要地。

性邊和隆城人。初從朱文接應義，爲總戎該奇，從接入望閣。及還，隸黎文勻，再從如暹。駕還嘉定，隨攻西賊，自美籠至柴棍凡十餘戰，未嘗少挫。利定祥建和人。初與性從黎文勻扈駕暹城，及還，累從征伐有功，歷官統戎該奇。時利與性承管勻軍，各往屯守。

乃命馮文月管中支，屯興福，兼視勻病。勻愈，勻興福還下勻延議，群臣當勻法應死。帝以勻追隨望閣，備嘗艱險，及還嘉定，戰功最多，不忍遽寘之辟。命奪其官，俟立功贖罪，因而用之。勻不學無術，聞命憤愧，便仰藥死。帝怒且惜，幸其第哭之慟，而鞭其棺一百，將弁莫不畏服。

帝御將嚴明，而重嘆勻之臣道不終者。勻所掌前軍，兵額既分，又無首將，乃命後軍掌奇宗室會掌前軍。先鋒營掌奇武性掌後軍。中軍營該奇阮文誠掌先鋒。後軍營副將阮文書爲前軍副將。

先鋒營長支莫文蘇爲後軍副將。中軍營該奇阮文性爲先鋒副將。排布旣淸，方欲議攻賊巢，適報公主玉瑄自富春使人以機密事報。正是：

平賊神機推建武　殲仇密計邁湖陽

第十三回

施耐海南兵奏功　富春城北平踐夢

却說：玉瑄公主武王第十二女，嫁掌奇阮文統。甲午之變統既沒，主避居雲楊，削髮爲尼。僞光中惠犯列聖山陵，主令其壻阮德瀶潛往金玉、定門、居正各社，暗囑居民隨方保護，居正社人阮玉暄潛奉居正陵，安于淨處。帝還嘉定，主令親信人名喜搭商船奏其事，并錄懷南曲以進。

部陽處士黃光，善國音。撰懷南曲，首述列聖開拓艱難，仁恩浹洽，末則歸罪權臣，切齒僞賊，辭甚悲壯。

帝令以其曲播之軍中，聞者至有下淚。帝乃差人密將諭旨及空頭敕，潛回雲楊，令主招諭忠義良民及僞賊黨，使之歸順。隨事繕旨差旨傳給之，俟大軍回日詣軍効用。因諭諸將曰：「西山勢彊，未可制他死命，然年歲不征，無乃與賊以暇。不若歲因風候水兵從芹蒢進，步兵從平順進，得一州則城一州，拔一縣則屯一縣，嘉定之藩蔽堅，則西山之勢力憊矣！」諸將奏言：「人心思漢，白水重興；人心思唐，靈武再造。現今順化之人，每南風至，則人懷舊主；嘉定之民，每恩詔下，則爭納軍需。西洋商船，輸賣鎗礮，暹國兵將，助討上道。僞岳西山之日，光中彊暴風雨，勢不終朝。我朝兵甲日精，將士感激，請且試師施耐而破其屯，有他勝也不勝，另作良圖。

施耐古稱時富門，（屬蓬縣）南茶塢門，北津關門。時富山、泡獱山遙列左右，歸仁防海要處，西山派兵按守，以禦鹿野南來之兵，諸將時欲破之，以開歸仁洋路，宋福淡請從其言，詔令武彝巍督造黃龍、赤鳫、青雀、白燕、玄鶴五號大船，吳公貴與參論黎廷廉往古壇、赤藍諸道，精揀丁壯補軍。阮黃德與贊理昭協要地屯，將阮文利按守要地。德仍尋使進攻庯諸，昭與屯將利率兵往林陽、鯊潭，嚴備要害，阮文仁協仝門守將阮文性董築仝門堡，阮文善前管龍川、堅江二道，協河仙將鄭公柄防截海程，又修國書報暹，言：「僞光中惠將擧步兵，先攻上道諸蠻，進破南榮，轉攻柴棍前面。今計南朝以大兵攻歸仁，暹王以重兵攻義安，賊守義安，則暹兵攻其前，南兵攻其後。賊守富春，則暹兵撓其後，南兵撓其前。」書成，遣阮文瑞與阮進諒奉使如暹，命左軍宗室暉、後軍武性、中營監軍宋福淡守嘉定，阮德誠率堅威支兵守仝爭、船澳。

德誠平陽人。投軍補番茹隊，隸宗室裕，率排刀隊與賊戰，為所獲，遂浼偽職。後効順，陞總戎該奇，招集義勇，從軍討賊，屢立戰功。帝令按屯諸道以防不虞。

乃諭阮文誠率戰船五十艘爲先鋒。帝發儀江，阮文張扈從，既出芹蔭，試駛新造號船于海外。會南風盛發，乘順直抵延澳，獲賊遊船，訊知賊船在施耐海口無備，即令阮文誠率范文仁督鳳船，阮文張率阮德川督龍船先入，武曰寶管火礮率鵬一、船協陳登龍與阮文謙諸軍繼進。

德川承天富榮人，以勇略從軍，壘石、河仙有護駕功。帝幸望閣，以誤殺暹商，恐為所詰，留居瀝羌，駕回，川與阮文謙往平順覘賊，及收油布稅。曰寶清華貴縣人，嘗諭降東山餘黨。帝幸望閣，不克從，道居三岐江。尋從武性攻賊于孔雀原。帝克復嘉定，補寶小差。登龍廣南延福人，魁瑋有膂力，年十九投軍，駕如望閣，病不克從，嘗為賊獲，以伴瘖得免。駕還嘉定，遷龍肅直。文謙承天豐田人，從父入嘉定投軍。定王幸龍川，謙隱村里。帝攝國政，著謙從征，仝宣之戰，謙為賊獲，駕自暹還，謙逃賊從黎文悅謁帝，復從如暹。

時諸將與范文仁從阮文誠、阮文張進攻施耐海屯。賊都督成、指揮性猝聞兵至潰走，我軍縱火，燒賊水寨，獲其戰船甚多。阮文誠與阮文張欲乘勝進攻（歸仁），帝以我兵新集，不利疾征，命班師而還。阮黃德奏稱「進攻庯諸，賊將空壘而去，請進取潘里。」帝以平順民饑，無所因糧，令撤兵還。準陞阮文誠爲管先鋒營，領西洋船與所獲齊桅船，以圖征進。築新堡于美湫，屯重兵于興福。改差阮德誠移守新洲道，兼管雄勝、戰差二道，兼飭河仙守將防緝闍婆匪醜。適阮進諒與阮文瑞自暹還，遇闍婆匪于椰嶼，與之戰，斬匪三十餘馘俘二丁、獲船一艘以獻。

且言暹王請探西山見情。帝令諒送闍俘于暹西事另報。却說阮進諒既領命如暹帝欲詳質光中事勢與北河動靜如何，使議攻取良策，面諭文武諸臣曰：「光中受封于清，黎故臣有無唱義。」宋福淡奏言：「黎文武諸臣多從出帝奔清，北河豪傑非不思黎，動恐爲僞惠所害，無敢誰何？惟有黎維祇者，黎皇之弟；據宣光、高平。依土酋儂福縉、黃文桐連結萬象、鎮寧、鄭皐、歸合，謀破義安，惠使鎭將阮光耀都督阮文琬，率精兵五千從義安上路擊之，克鎭寧，滅鄭皐、歸合，萬象國長棄城而走，光耀長驅至暹羅界斬其帥左潘容，右潘超，還師保樂。維祇與福縉文桐勢力不支，俱爲所害，事在光中未受清封之前。」帝曰：「義擧也！雖敗足爲黎家起色。」問：「惠有無梗，請於清如何？」淡言：「惠滅維祇，遣使如清獻捷，因請于高平之平水關，諒山之油村隘，開市通商，復請于內地之南寧府設立牙行，清畏惠之彊，均從所請。」帝曰：「僞惠國政亦有端緒何如？」淡言：「惠既得志於清，以帝制自居，黎氏玉忻爲北宮皇后，嫡子阮光纘爲太子，以義安在國之中，於麒麟山上築土城，起樓殿，號爲中都，分鎭治定官名，攢造丁田簿籍，立信令牌，捕漏籍民，政令煩苛，殘虐無道。」帝曰：「然則西山何日可平？」淡言：「仁則雖弱易彊，暴則雖彊易弱。夫差非彊乎，何以不敵越王？少康非弱乎，何以卒誅寒浞？」正商議間，密差隊長奏言：「阮廷得在北河委該隊權回奏賊情。」諭導之入。帝問西事如何？權奏稱：「僞光中以九月二十九日死。」帝顧福淡問：「僞惠縱橫若干年？」淡言：「惠以丙午年稱王，戊申年稱帝。今壬子年畢命，凡七年。」帝問：「惠緣何暴死？」權奏稱：「惠將起兵侵清，遘疾不果，疾中晚坐忽眩暈，見白頭翁自空中來，著白衣，持鐵棒，罵惠曰：『爾之祖父，生居王土，世爲王民，爾安得無禮犯至陵寢！』以鐵棒擊其額，惠昏倒，良久，乃醒。以其事語中書陳文紀，且言：『富春神京，吾子恐不能久留乃召義安顧守阮光耀回議遷都，議未定而病日增，憂悶而死。」

帝舉手加額謝先王神靈，乃問僞嗣如何處分。權言僞太子光纘年十二襲僞位，葬惠香江之南（僞號世祖武皇帝）改元景盛，以弟光垂爲康公，節制北邊水步諸營；光盤爲宣公，領清軍督鎮；舅裴得宣爲太師，督視內外諸機務；太尉范公興同掌軍國重事；中書奉政陳文紀行中書機密務；少傅阮光耀、護駕阮文訓、內侯阮文賜、司隸黎忠鎮義安；大司寇武文勇、大司會阮文用、少保阮文名、大司馬吳文楚、刑部尚書黎春林、巡檢朱玉琬、節度阮公雪同鎮北城。

帝問：「纘能君乎？」權言：「纘徒事嬉遊，國事決於得宣，私第恣行威福，中外臣民，無不怨宣而弱纘者。」帝問：「阮廷得現在何處？」權言：「得現在山南京北諸地，方招諭豪傑，不日帶有義士歸朝。」

帝命召宗室暉會商西事，暉宗室昱第二子。有將略，善用兵，險難追隨，累著功伐，與宗室會齊名，時臥病重，不克面君而卒，近臣以聞。

帝爲悼惜久之，且以不及生獲僞忠爲恨。卽令冠書報暹該隊權奏言：「舊臣陳興達航海來歸。」興達香茶縣人，故河仙記錄陳桂第七子，醇厚有器識，初官翰林，鄭兵旣取富春，乘輿南幸不克從，潛入廣南隱居授徒，將南入爲賊所獲，（帝正王位于嘉定，其女爲宮嬪，篤生皇四子，是爲順天高皇后）達在賊中，屢瀕於死，僞官有素相善者，救解得免。乃與其弟德乘間南投，謁帝言曰：「天相南朝，使僞惠亟受冥誅。閻槃無援，機會可乘，宜先征僞岳，取路進富春。」帝從其請，召宋福淡會議西征。正是：

天滅僞朝難永世，　人扶宗國易逢機。

第十四回　皇長子東宮開府　歸仁城大將會圍

却說：帝將親征歸仁，召福淡令陳調遣之宜。福淡奏言：「賊子光纘雖弱，猛將猶多，老泰德被兵，勢必相救。我朝兵勢未甚張皇，恐難一舉卽滅。夫兵家上策莫如自治，今宜申飭各營留守，總峙軍糧，諸軍將校，調習武藝，在我兵彊糧足，方可出征。且太子國之儲貳，后則監國，行則撫軍，所以繫人心，維國本，請且先定國儲擇一二大臣爲之輔，使之上代國母晨昏，下鎮嘉定民庶，內顧無憂，然後御駕親征想也未晚。」

時皇長子景年十四，英睿夙成。帝從大臣之請，奏知國母，命有司擇日備禮，祭告郊廟，册立景爲太子，頒東宮之印。時癸丑三月甲寅日也。敕文曰：「父之有子，猶天之有元，一元成其大，而天道乃昌。宗之有支，如潢之有派，上派致其深，而潢流益遠。曰：「雖歲華方在弱齡，事之可否，略同衆智。然艱險曾經無恙，天之曆服必在爾躬。曰：乃心乃德，對耀彩于前星；斯世斯民，沐恩波于少海。」景旣拜命，福淡又言：「國家多事之秋，當使太子知兵。」帝啓甘戰，伯禽費征，從家學來也。

帝乃授景元帥領左軍營，營置神武、神威、神勇、神算、神略五衞，開帥府置僚屬，以文武大臣禮部一、副將，帮辦府務，小事由大臣處分，大事關白帥府裁決，以習政事。

帝諭福淡曰：「東宮年少，欲得賢師傅輔之。」福淡請置太學堂，設輔導督學翰林侍學，日以朝夕集太學堂，講說經史，凡東宮言動，侍學悉書之，月一進覽，以觀德業進益。

帝令炤議施行，福淡進吳從周可充東宮輔導，鄭懷德、黎光定可充東宮侍講。

從周平定符吉人。客寓嘉定，從平陽隱士武長纘遊。長纘經學蘊藉，立志高潔，遭偽西之亂，隱居授徒。中興初，帝駐蹕嘉定，嘗召見，嘉其高尚，賜號「嘉定處士崇德武先生。」從周遊其門，學行純正，有氣節。初授翰林，尋陞制誥，累遷禮部參知，出為鎮邊記錄。

懷德清福建人。祖會，清初留髮南投，客鎮邊。父慶捐納為該收，歷遷該隊。德篤志好學，從母遷居藩鎮，師事長纘。光定承天富榮人。父策為陀蓬源守禦。定少孤家貧，穎悟嗜學，與平順阮香客平陽，詣長纘請業。與懷德、吳仁靜相友善，立平陽詩社，四方文學多與過從。帝復嘉定，旨開鄉科，定與懷德應擧，竝授翰林院制誥。尋竝出為田畯，循行諸縣，勸課農桑，德風度沈整，議論常持大體。定才識通敏，練達政事，福淡所雅重，以言於帝。

帝令懷德與光定侍講東宮，吳從周現在鎭邊，另著揀代。於是宗室會率諸將言：「東宮既立，而西賊未除，所當一刷仇恥。請命范文仁爲左軍副將，令與監軍宋福淡輔東宮，留鎭嘉定。臣願與武性、阮文誠扈駕親征，分道收復歸仁旁縣，以披其勢。臣料泰德勢孤，不死於天兵，將去地府作魔賊耳。」

却說：帝自嘉定建京以來，每思龍丘霜雪，玉屛山陵，日夜焦勞。嘗恐光武之頭髮白，昭烈之髀肉生，而新室眞帝，蜀都郡偏王，洛陽素服之師，欲決一陣，因宗室會言，奏知慈宮，留景鎭撫嘉定。會議出軍，授掌前軍宗室會欽差平西大將軍，掌後軍武性欽差驂乘平西大將軍，掌先鋒阮文誠欽差平西前將軍，掌奇管中支阮黃監軍阮文張督徵四營租，戶部潘千福與參知阮德晊督漕給軍，該奇武彝巍管內水中水營，該奇阮德譜率効義支，往廣義招集六道義兵屯茶曲，肅威該奇阮文利仍屯興福道及庸針屬蠻各册。

僞都督阮公泰富安同春人。管僞忠勇道，詣軍効用，仍授欽差都督，令招募舊軍，立為効忠支，從阮文誠調遣，進屯石津、沙龍諸路。

藩鎭該簿、阮子珠與刑部阮公議體察水步諸營，禁戢擄掠，分派停當，以首夏興師。宗室會與阮文誠、阮黃德各率步兵，進破賊都督胡文緒于潘里，緒從參蘆上道竄去，收復平順。帝以管建武支阮文性留守，武彝巍與阮文張率諸道水軍抵雲峯。武性兵繼至，夾擊賊兵。賊指揮智奔歸仁，收復平康，乘勝直抵春臺，（屬富安）攻賊都督胡文恬于羅台堡。恬走，收復富安。

帝令中軍副中水營阮文仁行留守，仍準仁率兵民詣行在聽調。該隊武文諒與前支校尉阮文得攻拔花芃堡，收復延慶。阮文張與武彝巍扈御舟進次施耐海口。武性攻施耐堡拔之，追破賊兵于新會橋。性軍平盛，賊岳使其子寶出城拒戰，性擊走之，寶退屯自土山至郁山以拒我師。宗室會步兵從河芽、虬勷分兩路來。

帝密諭會於富貴岡督軍斬木，佯為進兵之路以疑賊，而與阮文誠夜度岐山，會、性襲擊賊後，賊出不意，兵象潰亂。司寇武文勇、都督陶文虎遁走，我軍拔土山堡。黎文悅與武文諒進攻郁山堡拔之，收獲礮械無算。寶退回歸仁，岳怒光纘不救，謂寶曰：「兄弟之交四海，何忍無情？」寶對曰：「父子之兵一心，庶求有濟。」岳頷之曰：「吾且堅守，看南兵奈我何！」即令閉城以守。宗室會與阮文誠等進屯三塔山，岳使其將都督斗、參贊秀屯兵庫山堡，憑高發礮，我兵不能前。帝欲募人使入賊中行計，有陳公憲者，廣義人，年前應義，將取道歸期，為賊所破。今詣軍，請自夜趨乾陽，潛入賊堡，隨機內應。」

帝壯而遣之，復命阮德川獨至堡前，呼賊兵，語之曰：「今王師已克新會橋，至三塔山，爾主收兵入城，大兵四面攻圍，歸仁不日且下。爾等爲斗孤守，自取屠戮乎？」賊兵聞言，不復發礮。

帝命阮文張以黎明時，督大兵繼進，公憲於賊中衝擊，賊亂，開壘門降。賊參贊秀與都督斗退奔，遂克庫山堡。於是武性與宗室會諸道步兵進薄歸仁城外，列柵圍之。駕幸藍橋，阮文誠自福厚屯來謁，賊伺隙襲福厚屯，誠回兵擊之，斬賊數百馘，遂移兵與大軍合攻歸仁。張福律管肅直、班直兵船二十餘艘，進菜芹，攻奪賊船七艘，乘勝直抵大壓海口，焚其水寨。帝令阮文張進坊買，遏賊水援。自董舟師進安裕海口，張與阮文仁、阮德譜分三道攻賴陽板場燒燬賊船甚多。又連破賊兵於美懿、津關諸海口，賊徒潰散。

帝諭令阮文仁與武文諒、阮龍還軍富安，築羅台堡，建倉貯粟，以備軍需。召陳公憲投總戎該奇，賜之腰牌，令回廣義招募士兵七百人，補爲右支，留屯旛江。帝諭諸將宜乘機急攻賊城，時諸將圍逼歸仁，日數機戰，僞岳堅壁不出，宗室會正欲請謀於帝，富春諜子報稱僞岳援兵且至。正是：

射猶幾奮揚弓武　諺語　迎象遑思踐墓憂

第十五回

籍歸仁西山改册　援延慶東宮還兵

却說：我師久圍歸仁，岳勢窮蹙，馳書富春告急。僞景盛纘遣其將大尉范公興、護駕阮文訓、司隸黎忠、司馬吳文楚率步兵萬七千，象八十四，統領鄧文眞率舟師三十餘艘，分五道入援。報至行在，帝命阮文誠移師石津禦之，興等別從沙籠遶出我兵後，誠退保賴陽，與興過，五戰均卻之。而興利速戰，誠慮不支，從陸道趨施耐，與水師合。廣義道兵掌奇陳玉褚與賊戰死於茶曲江。阮德譜退屯弓肱嶺。陳公憲與賊司馬吳文楚戰敗，奔施耐軍。

於是宗室會奏言：「賊興軍勢甚盛，請且遣將嚴備新復城堡，而退師以避其鋒。俟賊釁可乘，然後驅兵再戰。」帝諭諸將曰：「歸仁城堅，勢難卽下，姑聽退師，然後要徐徐而行，過無擄掠。如賊躡我後，卽以後軍爲前，且戰且却，不要勝，但全軍爲上。」師還富安，議者言賊追兵且至，阮文誠曰：「歸仁、順化外親內仇，名雖爲援，寔則相圖，岳自救不暇，何暇追人？」

帝乃令宗室會守富安以防賊侵，而自退軍。會築平康堡，又築土城于芽莊，名延慶城，留阮文誠鎭守之。以後水營該奇阮端行平康留守。諸將或言：「我軍過平順者，多被順城藩王佐殺掠，此賊不除，恐增西臂。」

初明王滅占置順城鎮，封繼娶子為順城藩王，給京兵護衛。復以潘里、潘郎以西之地，為平順府，置官管治。餘屬繼𡎚子所部。繼𡎚子卒，該奇佐嗣為藩王。適西山入寇，佐盡將傳國寶器以降。

帝復嘉定，佐竊據蠻崗，抗拒官軍，其酋長阮文豪、阮文振不肯從佐面西，率所部二百人，詣軍効用，隸前軍營。

帝以諸將言，卽令阮文豪導軍進討，擒佐誅之。乃命諸將班師。御舟出洋，大風起，禮部參知阮德睟，屬內該奇劉文忠從船覆沒。（睟，平定符吉人，從征有功。忠，嘉定平陽人，有望閣功。）帝命水軍起陸而還，賊將阮公興等以我師既退，卽入歸仁城。岳以金銀各一盤犒師，令其子寶致辭曰：「不腆敝器，寡父以酬勞頓。」興曰：「須全城犒我王師，乃籍府庫，收甲兵，而據其城。」岳恚曰：「纘不念伯父耶？丐汝援我，而逼吾城，能終汝之身，不為南兵所有，老伯死亦甘心。興汝隨燭唆燼，南兵當碎汝屍。」意將拒興，而支持無人，勢無可奈，嘔血而死，時癸丑秋九月日也。岳以甲午年起兵，丙申年稱西山王，戊戌年稱中央帝，是年斃命，慫恿凡二十年。興以事報纘，纘喜曰：「先父志滅歸仁，以成一統，今遂所望，當令禮臣備禮告知。」乃與其舅裴得宣議封岳子寶為孝公，割符離一縣與為食邑，號曰「小朝」，令參議裴得宙輔寶而陰制之。其母激寶曰：「開拓土宇，皆汝父功，今食一邑，與其受辱無寧死。」寶遂與纘不睦。阮文誠在延慶探知其事，語所屬曰：「國家洪福，賊兄繼受天誅，胄小駑雛，寶不寶，纘不纘，興等朋奸，不免為人魚肉，行請吾君快快出師，早除國賊，以報吾父死陣之讐。」卽乃差人奏聞。

卻說：帝覽誠奏，諭宋福淡曰：「誠銳意討賊，赤心可嘉，但大軍初還，未便驟動，延慶之地，四顧戰場，生靈塗炭已極，吾令東宮鎮之，卿勉為輔。」乃召阮文誠還。命太子景往鎮延慶，宋福淡與范文仁、宋曰福竝百多祿輔之。臨行諭曰：「我備嘗辛苦，始有此尺寸之地，汝宜加心慰撫，調度得宜，使百姓知朝廷用兵意在安集，則人樂爲用，而西山可除。汝情爲父子，義爲君臣，功勸罪懲，自有法在。」東宮拜命而去。

帝命掌奇阮文賜率本兵爲前遊，從東宮差撥。該隊阮文謙與石城屯將阮龍率所部還延慶城，從東宮調度。武文諒與留守阮文仁、該奇阮德誠守富安。召宗室會還。會請去順城王號，改爲順城鎭。命阮文豪爲正鎭，阮文振副之，管藩僚及諸蠻册，歲輸租稅，隸平順營。清華上道統領何功泰奉表輸欵，帝厚賜遣之，令招集義勇以應王師。

東宮表言：「延慶軍需不繼。」帝命阮文誠督艚往給。既乃使探僞景盛纘動息如何。時纘使其將阮光耀水兵入芽莊海口，阮文興步兵至平康，護駕阮文訓、點檢陳日結引兵招掠富安，留守阮文仁移兵羅槃上道。適宋福淡將兵循行，至蘇鰕，聞賊來侵，移文於仁曰：「君等所率之衆，不過三千；賊兵之來，數逾四萬。知難而退，武之善經。」仁以衆寡弗敵，乃與武文諒、莫文蘇、阮德誠引退潘郎。會有旨令仁率其屬護漕延慶，幷從東宮調遣。仁趨延慶，賊追之，東宮令陳文信以兵迎戰，敗賊于清溪，賊悉衆來攻，信兵稍却，賊進薄延慶城，環三面圍之。東宮與文諒攖城固守，而令莫文蘇屯三濆，阮文仁屯龍岡，阮龍屯上道，以遏賊兵，通我援路。

帝聞報，令阮黃德與阮太元、阮公議留鎭嘉定，阮文張任代，阮文誠管戰船，預備討賊。張福律管神策、班直左右選鋒，前三衞先進平順。戶部陳德寬、參知阮文美協阮奇計督漕于塞概海口以給軍。

計廣平麗水人，初從朱文接為該合，遷正營勾稽，與記錄吳有祐徵收別納各項稅，以裕國用。陞戶部右參知，與正卿潘千福典財賦。時東征西討，軍費甚廣，應手裕如。帝嘉其幹，令主延慶軍餉。

既乃親董中軍繼發，命宗室會節制前水營屯羅茸灣。武彝巍管中水營，從海道進，以甲寅夏四月日進征。張福律遇賊船于椅那，攻破之，奪潘郎庫糧進兵渚州，再攻富安，弋獲賊遊船一艘。時賊累日攻延慶城不克拔，聞大兵至，驚潰奔北。即以宗室會爲先鋒，武性爲後襲，而率中軍追賊至春臺，攻賊都督僉，大破之。阮文誠管上道將軍，阮龍左支。武文諒與平順守將阮文性率左軍營，竝神策六衞，兵從東宮攻賊于河芽、柿野主山三堡。我軍該奇阮廷欄（嘉定福錄人）陣歿俘賊二千餘人。賊都督阮文縉遁走。東宮復回新柿堡侯駕。誠管諸衞兵、設守羅台，阮文仁領戰船爲前導，與阮文張攻賊統領阮文員、董理阮文慎于安裕海口，收獲賊餉船十餘艘，乘勝進兵廣義大古壘海口。阮廷得率所管三百人追阮文慎，戰於三座山破之。陳登龍被賊礮傷足，裹瘡力戰，俘賊兵八百餘人。陳公憲率雄武軍，從阮文張攻賊都虞阮文甲於富登庫，盡獲其糧船。前軍副將阮文書爲賊礮擊中而死。

書定祥建豐人，初募義勇從宗室會討賊，經守堅屯道與屯敲洲防禦巴忒有功。時歿于陣，帝命錄其功，另俟贈典。

宗室會進破礁磯梅鄉諸堡，收獲杖械頗多。武性破賊于會安市，進攻施耐海屯。諸將欲乘勝直進歸仁，百多祿略知天文，奏請退師，以免風患。

帝令舟師退泊淋澳。翊日颶風，賊船沈覆太半，而我師船艦無損，賊以爲有神助，遂各按險固守。我兵未可猝破，乃還師延慶，修屯積餉，爲備賊計。帝欲命官留鎮，而難其人，武性請自當。

帝命東宮率所部兵先還，以武性留守延慶，復命上道該奇阮文願（同春縣人）按守石城，武文諒與阮龍按守富安，張福律與阮文張按守楮州，於是御駕凱回新京。道中宋福淡病卒。福淡崎嶇邏緬，遠効忠欵，嘉定反旆居首功，帷幄機略，多所建明。其輔東宮監軍務，號令嚴肅，不避親貴，帝每倚之爲重，至是道亡。

後人有聯挽云：「君相信之深，海邦山國，千萬里崎嶇，靡不去，招不來。完節枚德議、白允朝以上；天何奪之速？財政兵機，六七年籌畫，戰則勝，守則回，論功武彝巍、朱文接其間。」帝聞淡訃，命歸殯于嘉定，厚葬之。既乃論戰鬪功，陞賞諸將，阮廷得奏言：「北河鄧陳常可備亞卿之缺。」正是：

真人應運無難易　志士從君有死生

第十六回

圍延慶武性請師　焚庫山阮耀走陣

却說：鄧陳常山南彰德縣人，黎朝參從鄧廷訓之後，中黎末生徒，遭亂晦迹，志遠尋君。我朝阮廷得奉旨密往北河招諭豪傑，常與青威富衍人阮伯釧等航海而南，至延慶，揖見東宮，東宮厚賜行賮遣之，至芹蔭，廷得使人先奉常表以進。

帝覽而奇之，促令入見，問以北河事勢，常條對稱旨，延慶之役，從軍籌畫。及還，帝以廷得言，陞吏部右參知，常與廷得進言：「賊今見挫勢必再來，延慶爲梗，請飭武性預畫兵機。」時性鎭延慶僅數月餘，操練士卒，治器械，修亭堡，嚴爲攻守之備，以待賊兵。既而諜報賊將阮光耀兵至富安，初僞景盛纘諭其將光耀曰：「南朝一舉，連取泰德四城，（平順、平廣、富安、延慶）事由伯父勢孤，致此微創。今歸仁已隸全圖，若不收復延慶，闍槃孤危，必爲南朝所有。將軍宜再往攻延慶，毋使武性獨擅雄名。」卽令光耀以甲寅冬十一月日起兵，司隸黎忠副之，進犯富安。我朝守將阮龍、武文諒探耀勢大，退屯平康，欲入延慶城護守。武性飛書遣還嘉定以聞。

帝以海程風候未便出征，諭曰：「賊兵遠來，利在速戰，卿當堅守，以逸待勞，并賜將士寒服。」性傳令軍中嚴防，不與賊戰。耀見前途無阻，進侵平康。性復馳奏告急，帝諭曰：「賊來意在延慶，今城中糧儲戰備應手裕如，彼善攻，我善守，要勿輕動。」乃命阮文誠發兵三千，往守平順，誠辭曰：「賊兵衆將悍，平順又四戰之地，非假臣兵五千不可。」阮黃德曰：「精兵三千，可以橫行天下，蕞爾平順，守亦何難？」

帝卽命德爲調撥，而誠屬之，將步兵直進潘郎，遙爲延慶城聲應。報入耀軍，耀卽悉衆圍延慶，使黎忠侵榆萊以截平順援路。德爲所阻不能進，退軍庯諸，尋以兵餉不繼引去。誠亦退還麻離，（庯諸在順潘驛上路，順潘卽潘沕之地，經順幽順林二驛至麻離。）麻離傍山際海，頗便屯兵，誠時還軍過潘沕有詩云：

薄海沿崖掛戰鋒，王師停駐整戎容。征塵點出山頭白，灶火吹來水面紅。瓦解伺他崩潰勢，風來遲我削平功。庸才未學呼風計，癡坐周郎虎帳中。」

及退麻離口占云：「風匝山腰傳砲響，濤翻海角助鼙聲。」對景生情，有切齒西山之意。適黃德兵至，曰：「將軍賦詩，將以退虜耶？」遂相合兵，退守要地。誠謂德曰：「此名要地，虎將軍今乃平白地，公作一姿，君前可語大話？」德笑曰：「然則公是皤然一翁否？敵衆我寡，姑退以驕賊鋒。」

報聞，帝怒其怯，逮德與誠還，命廷鞫之。誠辨退兵有狀，詔免其罪，而奪其軍，令從前軍宗室會効力。耀偵知援兵旣退，引兵奪花芃堡，謂其屬曰：「人稱嘉定三雄，淸仁立心不仁，朱接用兵不接，武性果武耶？吾誓與他死生，看他雄也不雄？」卽分兵遏絕延慶城中汲道，性令前遊，前戟、中戟三衞兵戰賊。賊肉薄登城，城上礮擊死傷甚衆，賊於城外築高壘逼之，性乘間襲擊，擒賊都督定。賊怒定被擒，攻之益急。城中鹽少，將士艱食爭言曰：「今食無鹽，且移軍向鹽戶邨行刼如何？」參謀某誡之曰：「刼乃挾刃而去，非義。不聞龍駕幸崑崙時，海鹹爲醴，虎將奔暹羅時，木葉爲鳥，驂乘天植忠義，安知延慶城中不散空鹽以惠戰士？」性密窺軍情，得其狀，以忠義激之，士樂為用，出力死戰，賊不能克。性募城中敢死者，乘夜潰圍馳報嘉定，有執戟隊長阮文公應募潛出，奉表請師。

帝問知城中事體，悅曰：「性為將，古人何加？是誠國家之幸。」即馳諭性使按兵不動，以待援師。召鄧陳常諭曰予在暹。時夢至帝聽，帝謂：「汝南中主乎？行取爾頭，是何吉兆。」常言：「主是古卿夫之稱；王，則君天下之號。黎皇在上，本朝臣黎，北人故稱為主。今黎既亡，而帝錫之夢，主去點頭為王。臣料今後王師戰勝攻守，非復偏伯之初，延慶被圍，請且驅兵逐耀，乘勝還都，以應天意。」

帝乃加常為欽差贊理兵務，仍命宗室會先率所屬兵進屯娶地。會言眞臘匿印前為闍娶所攻，走依于暹，請且會暹送他還國，以表我朝字小之仁。

帝遣該奇阮文瑞率兵如暹，護送印匿，俾王其國。暹令昭垂卞守北，尋奔。

帝又從暹請，準割巴忒之地畀印，乃遣阮文仁、阮文閉以延慶兵從上道討賊，以分耀勢。太監黎文悅奏請募兵五百人，立為耀武衞。帝許之，以悅為衞尉，令隸神策軍。會議赴援延慶。

却說：帝將親征光耀，會議出師，阮德川言：「賊耀多詐，請且嚴備嘉定地頭，免他乘虛為要。帝命東宮景留鎭嘉定，以范文仁、蘇文兒、阮都阮太元、潘千福、阮公議輔之。乃令阮龍出上道，從間路直下露溪、清泉，為延慶城犄角。陳福縕與阮文得往延慶招買民間粟米。為清野計，召阮文張于楮州，令管中水、前水、後水三營將士，從中軍調撥。阮德川、武彝巍、宋曰福、武文諒、阮文性、黎文悅與宗室會從。乙卯夏四月朔進發，宗室會督諸道步兵先進庯諸，屯於吹侌，武文諒進守鯤鵬嶺。武性聞援兵至，乃率將士夜開城門，焚攻賊寨，自仕林至花芃橋分兵據其地，設堡以拒。黎忠進犯庯諸，會擊走之，又連破于壘江。忠退涸江，武文諒率富安上道人武文楚糾集蠻兵，奄攻賊堡，斬賊都督鳳。

帝親董舟師進至平順之椅那澳，適賊都督阮文仕自延澳來。帝命宋曰福以水兵迎戰破之，斬文仕，沈其船一艘，收獲賊船七艘。阮廷得領班直選鋒右五衞兵，與賊戰于臘塲堡，斬賊都督嘉。兵部進于陣，御舟進虬動，賊都督黎名豐據窰爐堡。

帝命阮文得與阮廷得攻之，豐有忠兵護守，堡得不拔。帝卽改差黎文悅與阮德川將兵攻之，悅謂德川曰：「堡小而固，下之最難。今計分兵二道，我攻堡後，使自爲戰；公掘堡前，以壞其壘。壘壞鼓噪而入，蔑不破矣。」卽率耀武三隊兵，渡江急攻堡後，賊果悉衆以禦。德川率雄武衞兵疾趨堡前，掘其壘，驅兵而入，賊忠兵潰，豐走。

帝幸觀其堡，悅與德川請受矯制之罪。帝曰：「臨陣制勝，功在必錄。」仍要進兵急攻光耀，早解延慶之圍，方顯將略。諜報黎忠謀退潘郎。

帝遣阮文得與効忠支阮公泰暗渡潘郎江設堡防截。得攻奪枚娘庫，駐軍經營市。賊忠來攻，得進屯三濆，衞尉段景居自老冷山進攻賊于氏儀江陣歿。（景居，定祥建登人，有望閣功。）帝以景居孤軍致敗，卽令諸將會同進討，張福律時屯楮州。帝遣阮文得引兵從福律調撥，賊兵攙入沱演，武彝巍率兵船進薄岑嶼，協同福律攻賊于富安，賊不能進，武文諒代守楮州，請以水師先取歸仁。

帝諭曰：「捨近圖遠，非計之得。」乃遣諒仍還艱難嶺備禦。宗室會請益兵襲擊黎忠。帝諭曰：「卿所請亦制勝之宜，但破耀則忠自潰，毋須益兵。」時耀久圍延慶，又屯重兵於庫山魚腸江，軍勢甚固。

帝欲召會計下庫山，會進良江，忠連日鏖戰均爲會所敗。忠走油林，會又敗之。忠走延慶，與耀兵合，會進據欑舘。帝令諜探庫山路徑，適有賊遊兵阮名儒降，請爲嚮道，帝遣該奇阮玉滿領肅直兵三百人，乘夜暗渡魚腸江，士卒皆裸衣爬上庫山，舉火焚賊寨。帝料賊必遁，分兵截其歸路，自將大兵繼至，喊聲大震，風猛火烈，賊兵自相踐踏。光耀退走，使其屬團練講率兵三千，據磐石江以拒我軍。阮文得自楮洲引兵截擊賊兵于局劇山中，賊礮死之。（得，邊和福正人，嘗從駕望閣，累有戰功）

帝聞報，準該奇阮德誠代管得所部軍，令與武文諒隨阮德川等兵躡攻賊後，大破之于磐石江，俘獲將卒及其象馬器械不可勝數。光耀為我軍所挫，又聞賊太師裴得寅為武文勇所殺，語黎忠曰：「主德不剛，大臣相殺，內變不定，何以禦人？」即與忠奔還歸仁。

帝幸延慶，勞武性曰：「耀亦勍敵，卿獨能完此城，疾風勁草，予心汝嘉，賞錢一萬。」緡留宗室會鎭延慶，阮龍守平康，尊壽榮守庯諧及潘泂、渭泥。武性禦賊艱勞，且現攖病，許回嘉定將息。於是諸將扈駕凱還，宴勞將士，陞武性郡公爵。宗室會奏請揀置平康、延慶鄉兵立為平山、平和、平城、平水三十六隊，隊置該隊隊長，各以士人克領。

帝以益兵備敵，合行事宜，可其奏。阮文雲又請招募義兵，以備差派。正是：

破賊神威連奏凱　歸朝將子重宣勞

皇越龍興誌　卷之四

第十七回

降將昭備陳賊釁　宗室昇請册太妃

却說：雲阮文張次子，嘗奉密詔諭降賊都督菊，又從破滅范參於美淸。帝征歸仁，雲乘別船，遭風飄泊壞海岸，爲賊所執。乘間潛回，招募義兵，請立爲振鋒衞。帝許之，授爲衞尉。既乃命禮部錄中興以來及延慶之役陣亡病故諸功臣。立顯忠祠于嘉定，旌忠祠于延慶河羅山。

帝思國運艱難，諸臣委身殉國，欲一擧殄滅西山。諭武性選可探富春及招諭賊將以披其勢。適賊參贊徐文昭以私姦岳妾，懼罪而逃，由富安潛詣嘉定投降。帝諭曰：「賊舅宣緣何爲賊臣勇所殺？」昭對曰：「僞光纘疎狂，以國事委宣處置，生殺予奪，盡在其手。賊奉政阮文紀有罪，宣坐以徒，配之美川驛。勇現調撥北城，宣恐或倚外兵與他爲梗，使其黨吳文楚代鎭而召勇回。勇至美川，紀語勇曰：「太師擅作威福，將不利於社稷，若不早圖，後悔何及？』勇密與范公興阮文訓謀，聲言往南野祭旗，乘夜率黨圖得宣于禪林寺。（宣以寺爲居第）是夜宣偶以事宿纘府中，勇環府索之，纘慮，袒宣不得，執以送勇，勇下之獄。矯詔令節制垂械楚，送富春，又使阮文訓以兵圍歸仁，捕宣子裴得宙解回富春，幷宣黨董理振、御史彰等十餘人，織成反狀，盡溺殺之，纘不能制。延慶之役，光耀狼狽而歸，雖天威不敵，亦內難嚇他，不然，死到脣機，恐他未退。」

帝問「耀歸有無與勇作梗？」昭對曰：「勇以耀與得宣有姻誼，恐耀爲妻黨報仇，委公與以兵迎耀，調停其事。阮文訓守歸仁，聞耀還，先來謝罪。耀不之問，師至安舊，屯香江之南岸。勇與內侯賜軍北岸。挾光纘之命以拒，光纘不知所爲，使人往來慰諭和解之，耀始率左右見纘，與勇講和。」

帝問「今歸仁守將是訓否？」昭對曰：「耀以訓是勇親信人，請纘召還，而以黎忠代守。是與今延慶守將爲對頭人。現玆僞朝諸將，朋黨仇讐，勢必內潰，臣故棄暗投明，以圖尺寸。請且進討歸仁，拔取其城，以通進兵旱路，則富春舊都可指日取。」

帝頷之，授昭選鋒前衞副衞尉，隸宋曰福。昭對曰：「臣在賊中，聞宗室會智勇兼全，願賜隸會。」帝曰：「且供汝職，另有後命。」乃召宗室會還，令閱軍政。復授阮黃德爲欽差掌右軍營平西將軍，率所部兵往鎮延慶，莫文蘇副之，鄧陳常爲協鎮，黃德言于帝曰：「臣聞閣匪謀擾河仙。」

帝諭曰：「汝往延慶，勉守封疆，蠻匪宣驕，另派勦辦。」適堅江道守將奏言：「閣婁海匪糾船十七艘，竊發于河仙富國島洋分，肆行刧掠，爲海程梗。」帝命阮德川率舟師討之。川分三道襲擊，獲其船艘礮械及其渠夥八十餘人而還。川獻閣俘，奏曰：「臣聞諜言巴撫蠻叛，請効微勞。」時巴撫野江蠻酋長全扶噲嗎糾衆旅拒。

帝命前支阮公泰調撥阮繼艷、衞尉阮文雲將兵討之，著川休息，阮公泰等大破噲嗎於庯針。噲嗎遁走，焚其寨柵而還。

帝命順城藩僚招撫蠻民還集如故。尋以征討連年，將士勞頓，暫許休兵，仍各以時調留。於是阮文誠、阮文張、宋曰福、黎文悅、阮文謙、阮太元、陳福萃、黎光定及該奇、該隊、知簿、參論等以戎務稍暇，相與賭博，鬪鷄，鬪魚，勝負以千百計。宗室會謂阮文誠曰：「將軍亦從賭博路上行耶？」誠曰：「古之人有以賭墅敗苻秦，飲博卻契丹。本朝鄭玖以花枝藝拓地河仙，賭博亦何負於天下？」會曰：「然則介鷄構季孫之隙，矢魚進哀伯之譏，將軍亦奚取乎鷄與魚而鬪其捷？」誠曰：「檄鷄何以鳴唐文？罩魚何以譜周雅？」性時在坐，言曰：「郊壘卿夫之辱，今不下歸仁，延慶恐難保，將軍何在功名場作遊戲話？」遂相率請

帝進取歸仁。宗室昇止之曰：「三綱，軍政之大，事有大於討歸仁者，何不奏請施行，以明教孝之道。」

却說：宗室昇武王第十八子，於帝爲叔行。定王南幸，昇以年幼不克從，爲賊所執。僞統領阮眞欲妻以女，力爲救解，得免拘禁。因托漁釣，伺便而南。一日釣江，見一男子浮屍，被以己衣服，托爲釣溺，賊以爲眞，收瘗之，遂得遁去。

聞帝親征歸仁，乃與宗室㢘僘船泛海，潛詣雲峯軍次。帝見昇至，且喜且悲，執其手曰：運遭多難，親戚暌違，今日相見，豈非先王餘慶？」即加爲國叔掌奇郡公，嘗與之諮議國事。性與宗室會素所敬重，當日以昇所言問「何事重？」昇曰：「王上自正王位，今十七年。前議崇奉興祖廟祀，雖尊國母，未晉王妃美號。蓋龍邱、富國事多從權。今輿圖恢復，將還安邑舊都，寶誥尊崇，未答有仍厚德，上心想必未安。」即率會與武性及文武大臣進言于帝。

原我國母，姓阮氏，承天明靈安遊人，演國公阮福忠之女。初侍興祖邸第，生子三長。東海郡王晭，前殉龍川之難，季通化郡王㬫，近陷疊石之戰。帝是其中子。甲午之變，國母晦迹安遊，

帝爲元帥時，使人迎至嘉定，尊爲國母。西山入寇，乘輿播遷，國母及宮眷駐富國島，御舟幸崑崙，遇大風飄颺海外。七日，駛回富國島。帝備述海中辛苦狀，國母嘆曰：「山風海醴，天相可知，吾兒勿以艱難自阻。」帝拜領教。

帝如暹求援，國母及宮眷移駐土硃，帝以暹兵還與賊戰失利，帝復如暹，駐蹕龍邸，使人奉迎慈駕及宮眷赴行在。帝自暹回，至河仙，命武彝巍、范文仁護慈駕及宮眷留富國島。

帝既克復嘉定，遣阮文仁迎還，建後殿奉居。帝在艱難中侍養慈宮，愛敬備至，國母嘗以志殲國讐相勗。帝每日謀還都，庶憑九廟之靈，以孚慈望。適國叔以爲言，卽奏知國母，備禮謁告郊廟。乃親率羣臣奉金寶金册，尊爲王太妃。册文略曰：「漢文繼統，正薄后之徽名。宋祖開基，尊杜妃之殊號。曰事皇考於潛龍之日，舜妥宮闕自雍熙；保沖人於虎鬬之秋，堯母門庭遺慶善。功德如斯罔極，推崇敢曰或違，曰乾之承坤之貞。明德著太任、太姒，日之斤月之恒，丕休垂文子文孫。」國母既受尊册，帝率文武羣臣拜賀，布告所在臣民，時丙辰年冬十月日也。

既而國叔昇與宗室會、武性請帝還閱軍將，爲進討計。帝幸鎭定營，巡察沙的龍湖諸地方。既還，乃大閱諸軍于習陣野。象軍演象，舟師試舟。復置平順鄉兵，立順義、順和、順德、順安、順水四十隊，隸平順營。差內院會光廬往柔佛國通好。柔佛南洋島中小國，在龍牙西，息力南，彭亨丁機宜相近，疆域僅數百里餘，英吉利以爲海國四達之區。墾闢土地，招集商民，海船輻輳。光廬往贄其國大酋，和買鋼彈硇硝以充兵用。武性請先平巴撫蠻，然後進征歸仁。正是：

顯親孝大優虞舜　攘盜功高媲李唐

第十八回
征歸仁南軍重耀武　鎮延慶東宮再出藩

却說巴撫叛蠻噲嗎餘黨全扶何、桑芒厤收衆復叛，去年冬，順城正鎮阮文豪以事飛報。帝經命豪與副鎮阮文振率僚屬軍民分屯設守，并圖山路險易，及可出賊後者以聞。又命左支潘進黃、該奇劉進評隨機分兵，預爲進討之計。適武性以爲言，帝諭令進兵黃評，兵至巴撫，豪與文振各以兵會，何厤潰竄。帝申諭諸蠻安集如故，現乃密差該隊權該隊會等往探歸仁兵勢與賊耀擁兵現屯何處？報稱賊耀與阮文訓、武文勇、阮文名爲僞景盛四柱大臣。人譖光耀威權太重，將有異圖。纘收耀兵權，許以本職奉朝侍。耀疑懼，稱病不朝，率其手下數百人日夜持兵自衞。黎忠現守歸仁，將卒厚集。

帝顧武性諭曰：「卿料歸仁可即下否？」武性對曰：「分銳以逆其來，晉以敝楚；亟戰以疲其力，吳以入郢。今賊勢外彊中乾，天戈所揮，縱未即取歸仁，賊纘也必耗兵損將。」帝是其言，大會諸將商議西征。命宗室會留鎮嘉定，阮文仁管知漕運，與會參辨機務。武性與阮文誠管將步兵先發，阮廷得率所管兵隨誠節制。帝親董舟師，東宮景扈駕，阮文張調撥五水營爲水先鋒，以丁巳夏五月朔出征。諜報賊據富安，誠即與武性率步兵進，與賊戰于會安堡。賊都督黎文孝走羅台，黎忠益兵攻會安堡，誠擊破之，又連敗都督孝于羅台。阮文張攻賊都督添于仙洲，添敗走，賊都督性拒戰于淡水，張又破之，獲賊船六艘，御舟進次虬動。阮黃德自延慶率兵隨駕，御舟進次施耐海口。報入富春。僞景盛纘遣阮文訓悉師以拒，起復阮光耀守壞海口，遙爲聲應。

時我師諸道，因獲勝狀，多有容縱士卒，擅入民家擄掠財物。帝諭諸將曰：「吊伐之擧，務在安戢；仁義之師，要嚴紀律。」卽頒軍戒于諸營：「水道不得泊入津渡，如帆櫓弊壞須詳所管官驗寔，方許停留修補。步道不得徑入民家，當於近林麓處採取薪草，不得要索於民。」由是王師所至，民慰徯蘇。

帝命諸營分道徑趨歸仁，諜報阮文訓自富春以重兵來守歸仁，勢未可拔。帝命阮黃德與阮文誠留攻賊于富安，牌召武性迅往大占海口，攻賊後背。阮公泰引兵屯三台山，便趨板津，與兵部阮德譜、副將阮文卞扼賊歸路。乃親率舟師百餘艘，直進沱瀼門，（沱瀼屬廣南，原翰門，群山聯峙門前，在大占俱低二海口中間，海防關要之處。）時歸仁兵象先已悉集海門，賊阮文訓見御道兵來，卽時迎戰。該奇阮文定陣歿。（定安江，安川人，有望閣功）

報聞，帝命潘文趙管班直、後堅威、武威三衞兵。前進攻賊，賊歛兵退，陳公憲追至朱買海口，獲賊冠軍道，獻俘行在。帝命阮文謙率兵登陸，夜啣枚薄賊壘攻之。復率屬將陳登龍協與洋人烏離爲造火攻杉板船十五艘，選戰心軍，乘夜縱火，燒賊船艦。阮文張乘勝進破賊於富嘉岡。武性率兵船越海，進攻賊都督阮文伍及海匪於洋外，收獲戰船三十艘，入大占海口，與東宮兵合，擊走賊兵，進屯河中。（廣南）阮文雲屯海雲關。武伯梃屯富霑市。阮德川將兵分屯，自站野至俱低，以遏賊兵相援。賊都督黎文清、黎宗質率兵從歸仁來，武性迎戰，賊兵衆多傷死。又渡兵美溪擊賊，都督阮文甲破之。阮文訓乃與黎宗質等收兵拒守，官軍累攻不克，尋以餉船阻風不至。

帝諭諸將班師而還。既抵嘉定，復授阮文誠爲欽差掌先鋒營平西前將軍，留鎭延慶，鄧陳常協贊機務。召阮黃德還。黃德請以武元諒為招討使，令往北城招諭豪傑。諒黎舊臣，官勾稽，初詣嘉定，充奉侍納言，有氣節。帝以德言使之北。又命補軍伍、修屯堡、買火藥、造戰船、預為攻取之備。密差該隊月報稱賊小朝寶襲歸仁城，使其臣遞上降表。

却說賊小朝寶前為光纘削奪，又為歸仁守將裴得宙、阮文訓、黎忠相繼脅制，心甚不平，謀欲拒纘，未逢其機。沱灢之戰，帝使諭寶曰：「今我兵進取廣南，次取歸仁，汝欲雪爾父讐，宜招集舊軍，俟兵臨城下，殺黎忠以迎王師，帶罪立功，在此一舉，毋以父罪及子見疑。」寶自得諭，陰有歸順之意。適賊耀在富春與諸將不睦，忠自以耀黨，欲為尋仇，卽率部曲引還，留淵清侯輔寶。寶因淵清侯而據其城，使其都督段文葛、阮文紹據富安市，上表請降。帝令阮文誠督諸將提兵接應，至富安，偽光纘已遣兵圍其城，擒寶歸，酖殺之，令司武陳名俊守歸仁。誠以事聞，詔令誠姑撤兵回鎮延慶。葛奔延慶投降，誠以聞，準仍授大都督管顯武支從誠討賊。誠在延慶，有齊桅海匪負海為梗，誠設計擒之，海道以帖。誠欲通使于清，以間西山，與鄧陳常疏言「清人自有事北河，為西山所挫，能不懷忿貽慚姑俟可乘之釁？近患海匪，曾檄西山查緝，他等之閒忽，清必移怒他。但山川險阻，若再動兵，恐難卒勝，故未決師期。我兵自沱灢奏凱以來，海匪烏船，俘獲甚衆。請以匪船數艘為獻疑之謀，臨庭面覲，折辨是非。一則提起西山內帝外臣，投彼所忌，以構其隙。二則探問黎皇消息，俱與力請援師。若他逡巡，我義激之。而不能動，亦顯我名節，而揚能夏之聲。」又薦吳仁靜學術優長，可充為使。

靜之先廣東人，南投嘉定。靜有才學，工於詩，而黎光定、鄭懷德相友。時為翰林侍學準遷兵部右參加使，奉國書搭商船如廣東，探問黎皇聲息。仁靜既行，諭召宗室會密商兵機，會時摽病重，卒于新京。帝以其為國宗臣，且險艱追隨，典兵征伐，有大勞績，贈「輔國元功」。

諭武性曰：「誰可代會掌我前軍？」性以阮文誠對。卽改誠爲欽差掌前軍，加先鋒營副將。阮文性管先鋒營，欲卽召回嘉定，便隨征討，而難其代。國叔昇曰：「延慶重地，非親信大帥不可委。東宮國儲，將士悅服，可再出延慶，以壯藩翰。」東宮自開府以來，博涉經史，好聞讜言，輔導吳從周隨事規正，多有補益。初鎭延慶，福淡啟言，頗知兵要。賊與犯城，能遣將分屯以禦賊衝，繼鎭嘉定，內撫百姓，外調軍需，防禦之方大有條緒，爲兵民所安。

帝欲投之艱亘，以鍊其才，因國叔言：「卽命東宮往鎭延慶，以百多祿與宋曰福從。」東宮既抵延慶，誠與先鋒性、贊理常回嘉定城。帝命誠操練所管兵，以備差撥。尋命左屯副將黃曰纘督運糧船于延慶俟充軍需。

纘香茶人，從定王南狩，招募義勇。從杜清仁收復柴棍，攻破茶榮。復從宗室裕攻賊于雷巤，追至錦潭。從武性解平順圍，攻賊于三座山。略地至廣義，今承督漕船，仍留延慶候差。

既乃議以軍捷報暹，適暹爲緬甸所攻，請師于我，帝命阮黃德與阮文張、阮廷得率舟師萬人往援。至崑崙，聞緬甸已退，黃德奉國書如暹修好，張與廷得引兵還將入，致命于帝。途遇阮文仁與一朝士將入朝門，張問：「何員？從何處來？」仁曰：「此原翰林鄧德超，自富春來。」問「來何幹？」曰「渠志平戎，我故引他上謁。」正是：

北狄防邊殊曲沃　西戎獻策異方平

第十九回

討歸仁三番揚武　走僞勇兩將獻城

却說德超平定蓬山人，年十六領鄉薦，定王朝官翰林。鄭人來侵，避居龍湖教授，常賦張良椎，蘇武節，與自此管樂諸作以見志。鄭官陳阮璧招之不至，僞光中朝徵欲官之，超義不臣賊。帝聞其名，令召之，路梗不達。至是搭商船南入，因阮文仁進見，獻平西方略。帝嘉納之，授中營參謀，令與諸將會議西征。適阮文瑞自暹回謁。

瑞廣南延福人，初從駕聖閣，及還，隨軍討賊，三使暹兩管清洲道，近從保護阮文閑如暹戎務。暹王賜瑞通行上道關，文瑞還以奏。

帝授欽差上道大將軍，諭之曰：「兵不厭詐，汝至萬象，宜聲言暹兵，而我由上道取義安，令賊驚懾，不敢括北河兵入援，則歸仁可破。」乃令與典軍劉福祥，參謀阮懷珠、阮文蘊，參軍黎文春，率樂從軍暹將昭丕雅、肥森沿山路自尋芃經區慷至幽奔，招諭蠻酋，使各動兵至圓禎城諭。萬象國王昭印使發兵為助。瑞在圓禎城，委阮懷珠、阮文蘊往諭鎮寧、清義諸蠻冊，所至無不從，命瑞遣黎文春還報。

帝命阮文酸往清華上道諭正統領何功泰招集義勇起兵，為官軍應，乃命皇二子。曦鎮嘉定，陞阮文仁為掌奇兼戶部事協刑部阮子珠陪贊機務，（珠廣義平山人，初浼僞太常，後詣軍降，授參謀。嘗從征歸仁，（體察水步諸軍，尋留平順，訪察官吏冗濫，以積勞陞刑部，特命與仁輔鎮鎖鑰。）諭之曰：「我今遠征，不能日奉慈宮溫情，卿等宜與吾兒代我三日一請安，以慰慈念。嘉定京重地，須善爲調度，撫戢兵民，以稱所委。」又命阮廷得爲左軍副將，與右軍副將阮公泰往延慶從東宮調撥。命平西前將軍阮文誠率諸道步兵前發，鄧陳常協贊軍務，戶部參知鄭懷德、永鎭留守阮文盛管道步兵軍糧。帝率舟師，著平西驂乘大將軍武性督諸將扈駕。枚德議管差船五十餘艘，護漕糧餉于虬勳暫庫。平康留守阮湍徵平康、延慶二府鄉兵防守要害。

議香茶人，翰林枚德淑之子，行檢且知禮，嘗從駕如暹。帝還嘉定，率戰船從張福律討賊，遷後屯正統。湍慶和福田人，以望閣功授該奇，從保護阮文閑攻破閣匪。

湍與德議既欽命往，準以己未夏首出師。阮文誠率步兵進攻賊于安美堡，賊參督胡文恬降，收復富安，進次三塔山。黎文悅將舟師至淡水，爇賊糧庫，斬其將團練講，傳首虬勳，御舟進施耐海口，阮子珠與陳登祐分管船艘，漕虬勳糧米給軍。陳文擢自賊中詣謁行在，奏陳方略。

擢廣南濰川人，先朝功臣陳文俊之子。初從東宮暘，為賊所執，浼偽侍郎，至是詣軍。

詔聽候參軍幕，東宮奏言：「百多祿病死軍中，多祿以嘗護東宮西行，又預參戎幕，自恃功勞，恣志驕傲。陳大律嘗疏其罪，請借上方劍斬其頭。」帝諭以「東征西討，愚詐可使置之。」至是東宮以訃聞。帝贈「悲柔郡公」，歸葬嘉定。

既乃差武性與阮黃德提兵登陸，屯富中，與阮文誠合兵，攻賊于柿野，賊少尉阮進翠敗走，獲象十三匹。進至新安橋，斬賊都督阮寶衞尉，宗室震死于陣。（震宗室霑之子，征伐功勞。）。

帝慮諸將或多陷賊陣，令神策軍監軍管五屯將士范文仁率，黃曰纘引兵分屯淡水、沙籠，遏賊步戰。阮文張與阮文謙巡防廣義洋外。張至津關，攻賊巡檢陳日結燒賊沙黃、縉溪、美懿、沙奇、榮芹五堡。帝聞諜報，卽命枚德議、阮德譜、武曰寶從黎文悅進屯津關。又命陳公憲率前遊兵，攻賊於沙圻。張進寶率所部兵攻賊於鱸潭，均破之。阮文利軍緡溪，賊內侯黎文利來攻利以火車大礮擊殺賊兵甚衆，賊退保大古壘。阮文誠軍三塔，賊兵來攻，我前支兵稍卻。阮德川在陣後分兵上道，直冲賊陣，賊飛彈中其額，川裹瘡復擊，大破賊兵，獲象二十餘匹。

帝差賞勞德川及其將校，錢緡有差，人或謂德川曰：「人言好官不過多錢。吾看錢字，金帶兩戈，將軍其無國爭乎？」川以語阮文謙，謙曰：「榮君之賞，偏我獨無。」率所部進賊敗兵于美懿海口。帝令諭謙須持重，毋爲海匪所乘。諜言海匪陰助西山爲海道梗。帝令水營奮翼衞宋福樑擊之，樑破齊桅匪黨。統兵樊文才于金蓬海口獲其戰船三十餘艘。

初西山招納齊桅渠目，授以統兵，清人責捕，輒爲遮蔽。欲藉他水技以抗我師，至是爲福樑所挫。帝命以海俘飛報武性軍，使之諭知賊將以慴其氣。武性奏言：「賊大都督黎質請降。」

却說質半定符離人，從僞爲都督，隸司隸黎忠。臨陣最善戰，我諸將與之鬬，數爲所挫。忠愛其才，妻以女。質知賊勢內潰，每勸忠降，忠猶豫不決。小朝之變，僞光纘疑忠預謀，收殺之。復捕質急，質取其僕貌肖己者酖之，佯爲自死，潛隱茶同山中。質友與賊總管黎文清善，爲言於清：「質有將才何不引爲一臂之力助？」清令引質入見，留之帳中，使管兵，質陰有効順之意。適我兵出征，遂率所部二百餘人，訪武性軍降，願爲朝廷出力。帝令隸武性差遣，又令諸將進攻歸仁。

時賊太府黎文應爲歸仁城首將，以我兵勢大，使總管黎文清、兵部阮太樸與少尉阮進翠居守，先自出城，謀往西山上，收運軍糧，爲犄角計。黎質得其狀，以告武性，性卽進兵萍市，遣阮德川管左道，黎質管右道，而自管中道，邀擊應於椅到，俘其兵六千人，象五十餘匹。應僅以身逃，於是諸道軍營，齊抵歸仁。賊巡檢阮良逆戰，武性盡虜其衆，進薄賊城，性軍城東北，誠軍城西南，賊攻東北，性出勁兵擊破之。賊攻西南，誠出奇兵橫截之。誠復移屯福厚逼賊，賊陣城外者，徑犯福厚。誠分進夾擊，斬獲百餘級，乘勝渡兵陶爐江，攻賊優曇堡拔之。黎文清勢窮，閉城死守以待援兵。僞光纘聞敗，遣其大將阮光耀、武文勇以兵船赴援。

軍諜以聞，帝命黎文悅進兵沙籠茶釘，宋曰福進兵平堤、弓肱，東宮管左軍，副將得右軍，副將泰進兵吹蔑、土山三道分屯，以阻賊援。武彝巍兼管五營兵船，按守金蓬海口。帝親董大兵進次津關，便命差撥。光耀、文勇兵至廣義，聞我兵先據津關，棄船陸進，擁兵數萬，捲地而來。帝慮我軍少，密使中使馳諭黎文悅、宋曰福稍却以避其鋒。悅與曰福對言：「臣二人在，賊不足憂，請各分路堵截。」既而耀與官軍拒，勇暗引兵，從堺谷間道直下石津，謀襲津關。

夜渡小溪，有一鹿逸挺於前，賊前道兵見之，連呼：「鹿！鹿！」賊衆倉卒，誤譟爲「鹿野兵！鹿野兵！」遂相亂走，陷坑谷中。曰福知賊夜驚，自將兵數百乘之，賊大潰，追斬甚衆，收獲椰包帽及器械無算。勇收集敗軍走回廣義。

後人有咏史詩云：「天未龍舟返舊京，先敎鹿野赫王靈。司徒夜褫三軍魄，堺谷神驅一道兵。鱷豈無心扶海駕，牛曾有意衞江行。寶興早悟熙朝福，何事歸仁苦戰爭。」

福以捷聞，帝諭福送俘于性以示，賊城中見之氣奪。帝卽命性急攻城，而使降臣叚文葛遣賊兵部樸姊氏訓賫敕旨入城諭降。

樸初奉僞命往鎭歸仁，玉瑄公主使其壻阮德澮諭樸歸降，有蒯徹時不再來之語。樸欲南投，適得諭旨，卽以孤城援絕，諭告總管清。清自以僞景盛聽黎應之譖，枉殺黎忠，復聽胡公曜言，殺少傅阮文訓，心懷疑貳，恐不自保，因太樸言，卽與修表乞降。詔令范登興與吏部陳文擢前往偽城宣諭。

興嘉定新和人，吏部阮保智門生，通敏嗜學國家體要，禮樂職掌及兵書曆法無不習而通。中興初三場中格，官歷奮武衛參論，從征富安，參謀帷幄。保智請於朝，準陞吏部參知。

（我慈裕皇太后是公長女。）公時在軍。帝令與文擢往歸仁城慰諭偽將歸降。幷報阮文誠知會，誠現按守石津，右軍先鋒二營竝從調撥。阮光耀率衆來戰，誠與相持，五日不能決。帝聞，進兵石津，耀訪知勇敗，不敢戀戰，乃斂兵退。於是諸將扈駕進歸仁城，偽將校及降軍數萬人，相率歸順，詔補束各衞支効力。令禮部吳從周、參謀鄧德超、揀點符吉、符離、蓬山三縣兵丁，置御林軍五屯，屯置五支。支置衞尉為管率，屯置都統制為統領。令潘進黃領中屯，降臣黎質、徐文昭、段文葛、阮文發充領左右前後四屯。

時兵將衆多，帝慮糧餉不給，命阮久亨與范如登等徵歸仁峙米。該奇范文礽偏行追遠縣一二屬，田租未輸賊者，依例徵收。又差阮奇計與鄭懷德運大羅庫糧移貯城內，以備給發。既而阮文誠表請進取富春。帝以問武性，性言歸仁雖下，順化尚有全力，機未可乘。」力寢其事。帝乃會諸將議鎭守平定之宜，正是：

經營漸復艱難業　籌畫猶煩守禦謀

第二十回

圍平定賊將分屯　援武性王師連捷

却說：歸仁原隸廣南，物產之盛，兵力之彊，爲諸鎭最。西山倚爲巢穴，經二十六年始克收復。詔改爲平定城，其城內屏延慶，外捍賊兵，鎭守最難其人。

帝思朝臣惟武性持重可倚，命性管所部兵將竝御林軍潘進黃、段文葛、黎質所管左中前三屯，及阮文存所管暹兵屯，留鎭平定，禮部吳從周協鎭，刑部阮懷瓊陪贊軍務，衞尉阮文盛爲留守，該奇阮文祥爲該簿，奉議佐爲記錄，均隨武性蒞事。劉進和守平康，范進浚守富安，武文璘守平順，阮文性守延慶，鄧陳常協鎭，阮文張按守施耐海口。俟大軍回，著退虬勳，合與延慶守將提防海盜，如武性有所調撥，緊卽應命。性與從周請錄平定義士，以勵人心。帝敕平定諸府縣轄：「自經亂後，諸有不肯俛僞，爲朝廷唱義而爲所害者，所在備列姓貫事狀，著從周核寔準列祀典，以慰忠魂。子孫隨材錄用，田產爲賊霸占，竝聽給還。」於是命東宮督諸將士及新降將卒隨駕凱還。

僞光纘聞報，諭其臣陳文紀曰：「歸仁是我朝興王之地，今不能守，富春屏翰何以克固？」卽自擧大兵來至茶曲，促諸將出師。陳日結言：「今九月風色不便，請姑還師。」乃留阮光耀、武文勇守廣南，阮文甲守茶曲而還。

諜者以報，平定守臣從周謂武性曰：「甲臨陣便擊膺鼓，所謂甲于內亂者，荼曲可襲而取。耀勇志吞吾城，恐不肯冷回者，驂乘請且防他。」性曰：「邊將嚴防，軍法爲正，我思石津勇兵不戰自潰，賊黨必內相傾。」旣而勇以婚谷之行爲宋曰福所乘，恐纘見罪，求耀爲隱其事，耀因與勇結爲死友。陳文紀與胡公曜陳日結素惡耀，以歸仁失守，耀頓兵無功，爲辭矯詔令勇執殺之。勇以書示耀，耀卽與勇引兵回富春，列柵香江南岸，聲言誅君側之賊。

纘遣人召之，耀不受命。紀歸罪結曜，結逃，纘執曜送之耀，始與勇解兵入覲。纘諭以「卿等爲國柱石，宜同心戮力以除外患，不必懷疑。」耀等泣謝，請復將兵入取歸仁。且言：「吾二臣此行，不復歸仁誓不反兵。」各面辭君而出。耀與勇謀曰：「諸將無敢與武性敵者，今性獨守孤城，進退無援，我以步兵攻歸仁，君以水兵塞施耐，嘉定援阻，取性必矣。」遂相率勁兵數萬，戰船百餘，勇水軍入施耐，耀步兵侵石津，時己未冬十二月日也。

報至平定，武性謂從周曰：「賊鋒方銳，未可與戰。」乃令後軍副將阮文率斂兵入城。武曰寶管四面城門鎗礮，阮進喧與黃公慶撤掘山、武溪二堡屯兵，回城居守。又遣黎質率所管兵先回嘉定調遣。且以賊情奏聞，質旣去，賊薄城下挑戰，性堅壁不動。耀謂勇曰：「性不戰，欲持久以老我師，吾必圍死他，以雪頓兵之恥。」乃於城外築長壘，以步兵圍之數重，勇以水兵列屯堡，又以定國大船二艘及諸戰船橫截施耐海口，作水長城。而於海口之左，鴈洲右三座山設兩堡，憑高放射，以防南兵。

報聞，諸將言「光耀兵大，驂乘勢孤，請速援。」帝曰：「平定儲積足支一年，今東北風急，水程不利，未可出征。」卽令馳諭武性曰：「將軍前守延慶，賊耀惡戰，不能下城，足知將略，今宜激勵將弁，嚴備城守，且防閑降將，免漏軍情，來春風順，另舉大兵相援。」乃令武彝巍修造戰船，并飭附近平順諸營巡緝界首。諜報降將胡文恬叛，聚衆于富安上道。

帝命留守范進浚分兵禦截，兼報武性知防。時降將都督治在平定城率所屬二十餘人，從沙籠山路遁去，性使人追獲，斬以徇衆。事聞，諸將奏言：「范參昔降而復謀叛，已正刑誅。想降臣嗣各知戒，今復反覆，以有耀兵臨城，請即申明軍政，及早援師。不然恐平定降臣將出城投賊。」乃詔改束神策五屯爲五營，以宋曰福、潘文琦爲中營正副都統制，黎文悅、宗室曈、潘文趙、枚德議爲左右前後都統制，黃曰纘、陳文信、阮文厚、尊壽榮副之，阮德川爲神策軍知象政都統制，范文仁仍管五營將士，預備從戎。又以大軍出征，嘉定守兵稀少，令諸營所在，增設斥候，以防奸細。

適鎭邊守臣阮德講奏言：「屬蠻煽叛，請加兵誅。」却說鎭邊屬蠻武芹車、武芹蓉二册蠻酋糾衆掠武越册。安撫椅棱遣屋牙、蛇骨請兵。帝遣將討平之。椅棱收集蠻屬，請仍歲修職貢，泡雷、范孕、同涯、安昆諸册，亦請歲輸稅額，帝準所請，乃召諸將會議出師，令管密差阮登豐擇可馳報武性者，使之預備攻賊。

時賊圍城已四月餘，城中多平定人，均賊親黨，謀叛出城，降我武文事、阮伯豐率其黨內叛，夜開城北門投賊。性遣裨將吳文楚扼門，其叛先出者已四百餘人，存在城中不敢動。性慮其反覆，盡誅之，令人告急。帝即詔留東宮鎭嘉定，阮文仁權領左軍副將，兼管四營公堂，留輔東宮，調度兵餉。刑部阮子珠協贊機務。授阮文瑞欽差上道平西將軍，往會萬象兵下攻義安，以牽制富春援兵。

清華上道正統領何功泰與土目阮廷巴使人奉表請率兵從阮文瑞討賊，劉進和亦請以平康轄兵從征，帝均允之。乃遣阮德川兵象陸進。帝親董舟師繼發，時庚申春三月日也。報入耀屯，耀使其黨大都督陶公簡與都督俊、參鎭恬列兵自富安以外凡九十餘屯，勢甚張大。德川至延慶聞之，以賊衆我寡，未可驟進，乃駐兵幔幔，疏請暫退潘里，俟水師至，然後齊進。帝諭德川且留延慶待命。御舟進抵虬動，召諸將會議，皆請棄平定攻富春。鄧陳常以爲「今我水兵乘順風突來，彼必不敢戰，當退守施耐。我若直擣富春，彼必水師擬其後，則進有堅城，退有彊敵，此危道也。」命陳常與延慶守將阮文性進兵富安，阮文性奏遣枚進萬以兵屯三嶺。阮文張表言：「富安是賊必爭之地，得失不足爲憂喜，若增派重兵策應，延慶防備單虛，請先固根本，俟探明賊情，然後進攻未晚。」

帝以賊曳落河甚多，議欲徵兵直臘。適東宮差人奏：「臘君匿螉印遣高羅歆森將兵象詣嘉定，請從征。暹羅遣丕雅、肥伐獻粟三十車。」帝令以粟充軍餉，兵赴軍次候勦。乃申諭水步諸營，有擒斬賊首將正管封公爵，副管以下加一銜，賞錢萬緡；擒斬賊屬將賞如例。將士踴躍從命。御舟進次磧澳，命阮文誠調撥諸軍自春臺澳（富安界首，別名月夜門。）登陸，由富安上道進，著阮德川與阮文性、鄧陳常隸誠節制。諸將既領命去，義安道兵諜報阮文瑞遣劉福祥、阮文蘊等以上道士兵攻破賊都統阮名樂于布屯，駙馬阮文治于藍屯。帝準以事諭阮文誠知辨，誠卽進兵與賊都督俊遇，戰于赤土、青岐，大破之，拔會安堡。俊走據隘石岡，誠遣尊壽榮守會安堡。黎質管前道兵至隘石岡，賊依山放礮，質傷飛彈，左軍稍却，誠令阮德川繼進，自與鄧陳常抵藝野。賊跨江而陣，誠越隘石岡擊走賊兵，追至魚骨山連破之。賊退保羅台，誠留阮文性屯堀支，分兵兩道，從徑路踰嶺而進，襲攻賊堡。賊走，文性邀擊，獲賊都督簡並戰象一匹，拔羅台堡。

捷聞，帝諭誠曰：「將軍與賊交攻，三戰三捷，雖未盡取彼凶，亦爲全勝。然賊爲我所挫，勢必益兵以報前恨，卿可與諸將臨機制變，以立奇勳。」乃賜誠御牌五面，令凡差人馳報兵事，執此爲信。

誠蒙旨諭，卽會諸將進兵。德川謂誠曰：「耀賊梟將，故能久困，驂乘將軍，幸無易敵。」

時耀怒都督簡爲誠所擒，嚴責都督俊及諸將，飼宜劇戰，以退南兵，而自圍城益力。武性在城中，聞援兵屢捷，亦開城南門，與賊大戰于三塔山，燒燬賊壘。日暮收兵，入城拒守。軍諜以聞，帝諭侍臣曰：「性能力保孤城，以老勍敵，可蓋武閑前愆。」卽命范文仁、阮黃德等護隨御舟，進次虬蒙澳。正是：

虎臣兵武無彊陣　龍駕臨戎有勝猷

第二十一回

平賊壘進屯雲山　用火攻大破施耐

却說虬蒙澳在富安、歸仁夾界，僞岳常造大船，爲澳口著淺，不能駛出，留置這船俟用。時御船將進攻施耐，方至卓泳、浪硠，密差該隊月奏言：「勇屯堅固，難於急攻，因伊澳開通，詔權駐軍。范文仁、與宋曰福、枚德議分管兵船衞駕。武彝巍管神策中營後營各衞，守錯澳爲御營策應。阮黃德督神策前營，潘文趙右營。宗室曈進虬蒙山屯札。召降臣徐文昭，令從黃德調遣。昭以與宋曰福不和，率御林右屯叛歸于賊。帝諭阮文誠緊防賊昭，適賊兵入雲山江，詔阮文張進攻。張督陳公憲率前遊支兵擊走之。賊司馬定屯兵花安，謀襲虬蒙，詔黎文悅由虬蒙山路進討。悅破定兵，俘獲其衆。

帝令枚德議管前營右營各二衞，從黃德進屯花安。誠聞悅破賊，欲即進兵，以阮文性病，奏令尊壽榮代領其軍，留守羅臺。自將兵出姥嶺，進河茅，賊據香山以拒，誠擊卻之。賊退守主山橫壘，誠進軍柿野，分兵六道，鼓譟薄城，賊戰益力。神武衞阮文奉，神略衞枚文寶俱陣歿。會左軍屯兵多去降賊，誠恐漏師，回兵柿野，增設屯堡于河芽、香山與賊拒守。時賊耀與司寇定謀與御道兵孤注一擲。軍謀以報，帝命阮德川分象軍爲二，半隸阮文誠，半川自領，與悅兵會。川以兵分勢弱，請仍留柿野，而命左軍營悉赴虬蒙，以杜後患。阮文誠亦恐賊乘虛，疏請留以禦賊。

帝諭曰：「柿野險峻，非用象之地。蕷野至雲山市，地勢平坦，利於象戰，著川即選雄象歷戰陣者管赴虬蒙。若左營軍，侯眞臘兵來，別有處置。」川既奉命赴隸黎悅，適宋福玩引歆森番兵五千人，象十餘匹至柿野。帝命從誠調撥，召黎質率左營軍詣隨御營侯派。誠乃謀攻主山，先掘坎于賊堡側，暗置火藥，爲地雷計。及與賊對陣，放火雷震，賊壘圯壞二丈餘。賊入堡固守，攻之不下，衞尉阮公仲爲賊礮擊陣歿。（仲安江安川人，常從東宮守蘇蝦，後從誠討賊有功。）

帝聞軍報，諭誠宜即謀破賊兵。密差該隊超報稱賊都督黎文興管僞餉船百五十艘，泊提夷海口。帝命阮文張督屬將阮文謙等迅往邀擊，興棄船遁，盡獲其糧。帝令以賊糧給充誠軍，誠慮賊堡堅不能拔，日以蠻子嚮導，探得西南間路可襲賊後，圖其地形以進，表請益兵會戰。帝即命宋曰福、黎文悅、阮德川、黎質各率所部兵，兼領前軍右軍將士進柿野，從誠節制。誠留悅與黎質按守柿野，自引兵踰渤溪山，走二百餘里，冒雨而進，從灯寨遶出賊背，放火燒柵前面。悅乘勝夾擊破之，賊退保棋原。誠遣宋曰福、阮龍管左道，黎悅、潘文趙管右道，而自督大兵與阮德川兵象中道而進，三道夾攻，斬賊都督歡於陣，都督阮德秋降。進兵長野，宋曰福別道攻賊于安象山，連拔四堡。又與枚德議率陳公賴鱗進襲攻。

賴之先清華瑞原人，黎功臣陳榴之後。徙家永清，魚角、巴淶、美籠、蓬楓，屯戰艱勞，著有功績。

時德議與賴協曰福，兵攻拔涯潭、山茶諸堡，於是自勵石山至花安、花祿，賊均棄堡夜遁。我兵進屯雲山，誠委員奏捷行在。

却說帝時進幸葛篤勘察地勢，令點算軍糧，慮不繼給，而嘉定漕運阻風未即至，乃命鄭懷德往富安，范如登往平康，吳應往平順，督徵諸蠻稅給軍。阮文性自富安詣謁。

帝命率所屬兵及左衞黃劍三隊回守羅臺禦賊，誠捷報至，帝以賊壘踏平，兵絡繹相接，均誠調撥之功，乃命阮黃德與諸道步兵，咸聽誠調遣。諭令進兵，並報武性防備夾攻。性聞賊軍屢敗，夜開城門攻賊，賊耀又益兵圍城，我軍日與相持，而水陸不接，圍久未解，潘文趙進言：「兵不可宿，請與賊一戰，以決贏輸。」帝因令范玉蘊詣軍宣慰將士，幷諭誠宜乘機進討，以解平定將士之苦，鄧陳常寄奏曰：「步兵力倦，而賊方銳意步戰，掩擊之計，難以數用。賊前備則後寡，請急擊破水兵。」帝命駕舟洋外，望見水屯甚固，嘆曰：「天未欲滅西山耶？何爲困我良將？」回虬蒙，召諸將議以登陸攻耀。鄧德超奏言：「水兵陸進，空船在此，賊聞必來爭奪。且水戰乃我所長，今夏天多南風，請製造火料，載以杉板，乘昏夜募惡戰者潛入汎口，佔得上風，攻之必克。」帝從其計，令諸軍準備火攻。問「諸將誰可使？」宋曰福請行。帝以事密報誠，且令分兵夜襲賊寨，使賊專意陸拒，以便大兵水攻。誠以告阮德川，會川病。帝令管小差隊阮紀齎人參賜之，川語紀曰：「主上欲爲火攻計，曰福請行。福雖勇而失於輕動，悅勇而有謀，若使之往，事必有濟。」紀回以聞，帝即召悅緊詣御營候差，賊聞悅帶所屬兵去，徑犯神衞堡，川擊破之，悅至入謁。帝問賊情，悅面陳攻破僞勇之策，請密差該隊祥往探水屯動靜。報稱僞勇兵將安逸，海口疎防。悅欲乘其無備。帝許便宜調度，即令阮文張、宋福樑將水兵前進，悅與武彝巍繼進。又令諭知武性當於其夜，乘便攻賊。乃命諸軍曰：「將士報國，正在今日，存則富貴與同，沒則恩典不替。」諸將莫不以死自効。

彝巍與悅不和，悅以中水營做燈，擲于帝前，託言彝巍不修軍器，請先斬彝巍然後出戰。帝慰解之，乃領命去。阮文張遣陳公憲率兵夜渡礁磯，獲賊都司阮文度，訊得賊口號，引奏行營。帝即頒憲龍牌虎劍，乃從張差遣。張與福樑督陳登龍及諸衞兵，乘梨船十八艘，扮作夜巡軍，掉過賊船攻之。至三座廟，斬賊都督荼，連燒賊船。黎文悅與武彝巍魚串而進，僞勇據山堡拒戰，礮磾雨集，彝巍坐海導船頭，督兵先入，爲礮所擊落水。

彝巍，先朝舊臣，追隨羈靮，凡製造船艘，主示規式；有事征伐，則率兵以從。五水號為得力，彝巍功居多。野史詠巍有云：「五營樓櫓重城外，萬頃波濤一陣中。雄慨欲凌黎左將，戰心爭赴阮先鋒。」

時巍既彈赴海，悅即身先督戰，自寅至午，該奇黃文定、陳文道，衞尉阮文祐（永隆新明人）及諸將士死傷幾六百餘人。御舟住珊瑚泳，三令小差諭悅稍退，以避賊鋒。悅請死戰，以救先鋒之兵，對小差言：「有入無出，麾軍急進。」至酉時方入海口。順風縱火，煙焰障天，僞勇大敗，語所屬曰：「西船有艘，南兵一炬，悅可謂能軍。然吾嫌其短於智，當經理平定之時，先據施耐，則吾水軍至無來路。攻破海屯之日，先扼富中，則吾敗軍走無去路。不是之圖，而殺人以逞，其捷豈非天哉？」乃走富中，賊統領誠據定國大船拒戰，悅將火燈籠各插船頭，押打僞船燒之，誠投水死，我軍奪得施耐屯，時辛酉正月十六日也。

野史有詩曰：「闍槃此地別雄藩，尸耐何年渡海門。金鼓喧闐三座廟，波濤激烈有艘屯。一杯左將軍前淚，半掉中營陣後魂。無敵餘威傳水國，誰教邊寇恣鯨吞。」悅既敗賊水師，馳人奏捷，帝御瑞鳳大船進泊施耐，詔令飛報阮文誠并武性隨勢攻擊。誠聞勇退富中，令鄧陳常督前面十三屯兵馬與賊拒守，即與阮黃德、阮德川進攻富中，斬賊都督阮核，獲其戰象二及器械無算。武性在城中，望知火攻，亦開東門出攻。賊武曰實率火車礮擊死賊兵甚衆，賊兵辟易，進燒賊寨里許。阮文孝中飛彈，爲賊所執，耀問城中事體，孝言：「城中軍餉尚支半年，性軍令嚴明，不可動。」耀曰：「吾欲招降武性何如？」孝曰：「性是一等英雄，諒他忠烈，有死無降。」正商論間，僞勇收集殘卒走來，正是：

爪揚熊虎幾難敵　臂怒螳螂莫逞雄

第二十二回

前軍誠薦破賊兵　中營張連復故地

却說武文勇既失水師，走見僞耀，耀問軍狀，勇言：「吾不意海鰍水戰，而兼赤壁火攻，剛剛一萬士卒，脫回十之二三。今將水我乎？定國也無船。陸我乎？婚谷也無兵。將軍且安處我。」耀曰：「我西山未有以水技勝者，鄭人之畝南兵，蓋專以陸。吾益君兵，且勉爲桑榆之計，毋再出醜，令南朝乘勝以取富春，則吾儕俘矣。」乃相與謀增築土壘土山，對射城中，堅竪屯柵，逼圍城而拒我軍。

阮文誠遣諜以奏御營，時帝駐軍施耐，以攻破勇屯馳諭嘉定，將合諸道兵進攻賊耀。誠奏言耀：「勇合兵圍城，軍勢厚集，我兵自尊壽榮卒于羅臺，枚德議卒于花安，將士疾疫頗衆，且節次臨陣，將校士卒多有死傷，請且按籍徵塡，以壯兵勢。」帝召諸將會議益兵，差前支黃憲慶與兵部阮德譜往揀富安、平康民爲兵，因命宋福珠還徵嘉定兵。諭曰：「予自龍川反旆，爾黎庶奔走服勤，一兵一財，以至造船鑄礮，取用於民。天啓中興，施耐之捷，賊船片板無遺，乘機轉戰，直抵富春。正在今日，更念諸道兵士歸集雖衆，而倚爲手足爪牙，不如爾嘉定之勇而義。」其議調兵一萬，由鎭臣阮文仁揀交左軍副將阮公泰管領。初，仁輔東宮留鎭嘉定，請募外籍民置鎭城兵五支，及四營雄鎭兵各一支，又以諸新增屯田寨兵悉補爲興武軍五校，以待徵發。適承詔命，即點檢兵馬由阮公泰管詣軍次。及抵施耐，帝即命泰引五校兵迅就雲山從誠節制。又以軍需最急，諭嘉定水師：「凡海運以先至爲功，兼飭四營給民，縣每六百人護運餉船，補缺員，備屯守，分戰象，揀兵器。」既乃馳諭阮文誠相機進討。誠以乾陽衝要，奏遣宋曰福率所屬兵進屯其地，阮文雲別屯芳菲，遙爲曰福聲應。賊將徐文昭分道掩擊福屯，衞尉陳文衡戰沒于政祿市。福督兵進至石谷遇伏，衞尉阮文智被擒，黃福寶、黃文賜俱沒陣上。（衛平定綏福人。寶承天廣田人。賜定祥建和人。均有望閣功，征伐勞績。）福怒甚，曰：「伏以人從犬，昭不識伏之不可爲人，而害吾虎旅耶？」即具表請罪。帝釋令從誠効力。誠在雲山，與賊對壘，賊兵常來犯堡，誠遣黎質擊走之。賊都督胡文恬率其衆五百人，據安美堡，誠令阮德川與宋曰福分道進擊，恬敗走。誠欲襲破勇屯諜報勇據魚橋堡，築壘自葉岡至木溪，又自老梧橋至花橋野，列陣以守。誠以事聞，帝令誠分兵三道，與御道水兵夾擊大破之。勇復爭花安山，誠驅兵殺退，即分調諸將左右竝進，遇賊輒戰，拔老勉山堡，賊退守平盛野，尋又列堡于東江、新會。帝命黎悅進攻，俘賊都督阮伯豐，築新會堡，與雲山兵合。晝懸旗，夜舉火，以便御道接應。

帝諭誠曰：「賊恬左右僞耀，宜計掃除，以剪其黨。」誠密報富安守臣，設計防截。恬復進犯富安，誠請命阮龍爲正統，率劉進和爲副統率，管中軍震武、安武二支，平康營慶武支，竝平順、富安二營兵，分屯守備。恬犯安美堡，我軍退守春臺海口，恬潛下淋澳，燒火鋒臺，龍退走。和提兵捍戰，爲賊所執，死之。

和邊和隆城人，以軍功累陞該奇，守平康，駕援平定，願從征，與范登興護遞糧船于虬蒙。帝命率所管兵隸誠，辨糧守堡，積有軍勞，至是勢孤陷陣。

帝命黃憲慶代領龍所部兵，從黎質進討賊恬，械龍詣行在治其罪。誠與阮黃德等爲之請，帝乃赦龍而促攻恬。恬既守春臺，扼據要害，欲阻我餉道。質進破恬于會安，獲其黨都司阮遴，餉道乃通。質初歸降，遇賊輒殊死戰，因逆臣昭叛，左屯將校多逃，質內不自安，惶懼請辨。帝諭之曰：「質卿能誠信事我，臨陣奮不顧身，誠可嘉獎，其部曲有情急思鄉而逃避者，我亦不以爲意。」質聞命感奮，故所向有功。帝以質破賊恬，欲即乘機攻耀，誠請遣將防截富春援兵，隨便進攻廣義、廣南，以熸僞耀軍勢。適報東宮以疹痘薨于嘉定。却說皇太子景自正位東宮纔八年，嘗守嘉定，又累從軍，威德著于中外，震主承祧，帝所心屬，年二十有八，生子美堂、美垂。帝聞其薨，爲之震悼，詔阮文仁與阮子珠行留鎭事，協與禮部董理其喪。既而阮文仁奏稱：「萬象遣使前來，嘉定遞上貢品，請引赴行在。」初，萬象國王昭印往朝于暹，謁帝望閣，約以還國，舉兵相助，後以不肯貢西山，爲光中所破，銳志報仇。

帝既攻復歸仁，遣阮文瑞諭印，印爲發兵，從上道官兵攻破義安賊屯。帝賜書褒獎，至是來貢。帝厚欵其使，賜印琦璃鳥鎗並鉛錫各項，諭仍動兵聲攻賊屯，以牽制廣南援兵。乃召中營阮文張令往廣義、廣南討賊，選鋒衞潘文德、奮翼衞宋福樑、順武衞王文學、管龍飛船阮文勝、鳳飛船阮文震、鵬飛船黎文棱屬焉。諭張曰：「此二處久苦，西山虐焰，民不聊生，卿奉命徂征，宜申明軍政，禁戢虜掠，以收衆心。」張進至廣義大古壘海口，攻破茶曲庫，燒其儲積。賊都督俊棄堡走，乘勝直至廣南大壓海口，攻破板津堡，收獲戰象二十七匹。遂進大占海口，攻賊于會安、富霑等處，竝破之。賊大都督阮文春與鎭守少尉文進體據羅爪堡，張督兵掩擊，春與進體敗走，收獲大礮八十餘輛，乃屯兵按守其地。

據聞，帝降旨嘉獎，遣宋曰福督戰船三十餘艘，兵一千餘人往副之。范文仁管號船三艘，竝龍飛、鳳飛號船將士，進沱瀼海口，與張策應。又命刑部參知陳文擢往協同張管知兵民船糧事務。報入富春，僞光纘召其臣陳文紀商議攻退南兵之策，紀言：「現今義安爲萬象、鎮寧所擾，清華外鎮土司，各起義勇以應南朝。西洋道長驅扇道徒所在蜂起，其在廣治、廣平以北諸鎮兵將，只合防遏地方，不應別調。朝中健鬬將校與勇悍兵丁盡在歸仁，亦爲南兵所截，勢難摘回。臣聞羅山處士阮浹（月澳社人）是黎朝鄉貢（嘗宰清漳，因亂，棄官歸隱。）有學術，請且聘他詢以國事。」纘以厚幣徵浹，浹語人曰：「雙魚水淺（山名屬義安海門。）阮氏還鄉。舊主山河，不久終爲舊主所有。」入言于纘曰：「國事不可爲矣。君王且遷永都，（義安）庶幾可緩。」光纘猶豫不能決。文紀勸纘遣駙馬阮文治屯重兵于捍門山，塓口、澄河各設堡柵，爲捍門聲應，仍飭大都督阮文春與少尉體再收兵隊，進攻阮文張，取還二廣，設立兵屯，以應耀勇。

諜得其狀，以告阮文張，張分兵嚴備以待。既而都督春與少尉體率其黨犯羅爪堡，春受文紀密語，欲以文戰退張，飛馬喚張出壘打話。張立壘上，謂春曰：「五制奇將，不知死已到項後耶？何終身僞朝，橫挑吾堡？」春曰：「中營忘我西山耶？虎符金帶，誰則眉目汝于醴陽人者。黎質之降，主恩已絕；中營之降，君好未忘。雖用才之時，使貪使詐，南朝則然。士夫冠裳，不應等諸土梗，君曾面阮黃德耶？勢窮降我，終復千里尋君。蓋一日臣僕，終身綱常，德也羞殺同降之胡尚書仝矣。君今縱樑棟南朝，春也死不敢服，參贊徐文昭，都督胡文恬始雖屈其身于南人，卒亦全其節于西主，是固善補過者。君宜還我廣義、廣南之地，帶兵歸朝，吾當保其無罪。」張怒切齒笑曰：「吾陣上不用饒舌，請與君再做轟烈一場，看我軍令。」即與宋曰福縱兵掩擊，追至水蒲、羅帶等處，連破走之。張乃屯兵于富霑、金蓬，依長江爲險，馳報范文仁，派探雲關，斷賊歸路。

捷聞，帝以廣南是賊衆往來之路，令張據險積糧，爲持久計。又頒空頭敕一百，凡有効順歸降，才能可使者，塡寫官銜給之。使隨征勦。有阮文纘者，廣義平山人，浼僞大都督，管廣義六道兵。帝嘗諭纘隨事建功，纘遂有向明志。僞耀圍平定，遣纘捍城東門，纘潛回廣義，率所部曲詣軍降，帝授爲廣義留守，催集六道兵從阮文張分屯要害，纘拜命去巡海。軍報稱：齊桅海匪有遊船逍遙施耐洋外，帝命宋福樑管內直、宿海二衞邀擊，獲其僞渠東海王莫觀扶，統兵梁文庚、樊文才。

帝令諜報阮文誠，誠與諸將奏言：「步兵日與賊攻，賊弩力持久，勢難卒解重圍。耀志得城，請密諭武性冒圍而出，以空城餌耀，而扼其援路糧船，且聲言由廣南進取富春，使耀分兵相援，我以勁兵中絕之，則耀可破，此亦欲取姑予之一策。」

帝召諸將會議平賊之宜。正是：

攻敵神威虔東鉞　運籌將略巧乘機

皇越龍興誌　卷之五

第二十三回

復富春僞朝纘奔北　陷平定郡公性殉南

却說：帝駐施耐御營，思欲救出武性以進富春，召諸將議定良策，諸將奏言：「賊之精兵猛將盡在平定，富春必空虛，舍堅攻瑕，兵法所尚。」阮文誠聞諸將奏議，請準定進軍。帝以城中糧盡，勢不能守，軫念被圍將士，不忍舍去，諭曰：「寧失城，無失我良將。」鄧陳常使人密告黎文悅：「除非攻富春，別無善策。」悅言于帝曰：「兵貴神速，謀尚果斷，今久頓平定，則師老而無功。進取富春，則平定不攻而自解。象棋棄車，此亦一法。」鄧德超奏言：「富春地形臣所熟悉，請分兵船二道，一攻思容，一攻塽海。光纘懦弱，而駙馬治託蔭賊褌，有何戰守方略？臣料此行定可以全取勝。」帝諭曰：「所議允協事機，念自武性歸朝，國勢增重，今爲予委身守城，而國人遇之，諒諸臣亦所不安。」乃令人齎書泅水潛入城，使性潰圍出與大兵合。

性得密書，以賊壘堅未可破，若潰圍出，死傷必多。潛表奏達御營，請置平定度外，乘機直取富春，亦一好機會。且言：「以富春抵臣一命，於臣足矣。」帝嘆息久之，乃密定進兵計。先令以事馳諭阮文仁，嚴防嘉定屬營，以戒不虞。平順、延慶巡緝界首，務遏賊兵滋蔓。留阮文誠調撥諸步兵，與賊相持。諭之曰：「成敗利鈍，在此一舉。平定以南，卿其當之。耀、勇雖非卿敵，然衆寡勢殊，卿宜謹愼，以保全功。」召阮德川詣行在，諭曰：「誠能謀，可當一面。然好矜伐，多失偏裨心，留卿匡救其失，以濟國事。」乃賜御用戎衣一領，使從誠討賊。又命阮黃德管兵領船留守施耐屯，緊防海梗中諸營軍政，頒擒賊賞格。以四月二十五日庚午，親董舟師進發。發之夜，于獨山舉火爲號，令雲山軍次及平定城中知之。性見火，即開城出戰，殺賊將數人。賊耀補兵圍之，令其黨攻雙橋，謀襲獨山。誠分道潛援，偃旗息鼓，賊疑伏引去。壬申御舟進大占海口，陳文擢進謁。帝諭曰：「有能爲我阻耀援兵旬日間，則我取富春可以萬全。」擢奏請「分委一支兵屯碧鬱、茶里，防截要路。一支由俱低海口循江北岸，防截雲關下道，一支進魯東，防截雲關中道。則僞兵不能前，必由牢敎上道而來。此道無人跡，林木叢雜難行，一月之間，可阻賊兵來援。」帝命依議施行，復令擢與宋曰福仍鎭廣南。遂進翰泳，分差范文仁與阮文張率兵船由堧海口前進，黎文悅與黎質率大兵由思容海口前進。五月丙子朔，大兵入思容，駙馬治與大都督陳文謝、潘文策據捍門山（即龜山，改名靈茶山。）文于港口竪木柵以拒。我師御舟進次美庵海口，命悅與質率兵船攻之，賊憑高放礮，自辰至酉，我軍多死傷。悅與質謀曰：「此賊據險，不可爭鋒，非襲後不可克。」乃夜率兵負戰船二十餘艘，越沙岸入河中海兒，賊以爲援至，不之備。我師分兵拔木柵而前，前後夾攻，賊衆潰走。追至澄河，俘治及都督榮，降其衆五百人。

帝時御瑞龍大船停朱買泳，令駛探阮文張已未破堧海口，有無僞兵？攻禦如何？諜報張與范文仁由別道入堧海，斷賊草龍三條，督兵船直入，擊走賊兵，耑候御道兵船進攻。帝命諸軍齊進，報入富春，僞景盛光纘悉衆拒戰，大兵乘勝而前，獲光纘之弟光春、光奠，賊將望風奔潰。其徒多順化人，交相語曰：「吾民積苦虐政幾三十年，今舊主來矣，猶從賊子作賊徒耶？」某奇、某術、某城兵、某鎮兵各各倒戈迎降，環近民庶，奔走歡呼曰：「賊纘去去，吾今不帶信令牌。」纘見民情離叛，無兵可交，怒曰：「諺言薄則民，不仁則兵，果然矣。」勢不能支，先攜寶貝棄城北走。

初三日戊寅，御舟直進富春城前江津次，諸將迎接進城。按春京以定王九年甲午爲鄭兵所奪，後十二年丙午西山占據，又十六年辛酉王師恢復。

野臣讀史時有詩云：「富春此地奠南京，堅邑何年起北平？且看龍舟今返國，不勞虎旅昔攻城。冠裳喜復威儀覩，牛酒歡同父老迎。指日炎郊恢舊業，清高山水拜香屏。」

帝既入城徧視宮闕，收穫清朝所賜偽西印敕及偽印十二顆，偽册三十副。帝命封府庫以充軍需，禁擾掠以安民堵。乃御龍閣，着舊臣民相率拜賀。有安舊社民捉解光纘之弟光緒，諭姑檻之，即差黎質率步兵追光纘，阮文張率舟師進灵江，截纘走路。張至北布政州，纘已北去，降賊卒二千餘人，獲纘弟光靖以獻。質至南布政州，追纘不及，還獻所獲偽印二，諸將或劾質追賊不力。帝諭曰：「我兵來，光纘倍道奔竄，不二日已過灵江，張乘風飽帆猶不及，況質步兵？諸將要只急防賊耀，乃命范文仁守堧海口，龍武、信威二衞守海雲關，潘文趙守左澤源。

堧海口古稱腰門，後改順安（屬富榮縣界）南思容門，北越海門，沿春江下洲朝山津轉春江中洲春楊津，抵富春城前江，歷朝置防兵，且習水師于此。海雲山（在富榮縣）下臨海際，上插雲端，乃廣德、廣南交界，歷朝設立關隘，稱為天下第一雄關。左澤源在富春城前江左，歷朝置巡步兵，與右澤源相為策應，乃上道行兵關要之處。帝以偽耀若援光纘，水師必由堧海，旱路必由雲關，行間則不能越過左澤源，著差諸將分管精兵往截。

諜報耀援兵從山險且至，帝命黎文悅與黎質將兵邀擊。先是耀聞帝攻富春，使僞都督張福鳳，司寇定率兵五千回援。至雲關爲我防兵所截，由山路行，又爲蠻民所誑。迂道絕糧，及左澤源，悅兵適至，鳳詣軍降，定走下高堆戰敗，走死蠻中，擒其黨黎文慈，餘衆悉降。捷聞，詔悅與質會宋曰福入援平定。

却說宋曰福時鎮廣南，知帝既克舊京，檄報阮文誠知捷，誠與諸將會表，委員馳賀，且言賊耀使僞都督阮文坤，參督胡文序率勁兵屯茶曲，意欲取回廣義以拒王師步援。帝命黎文悅、黎質與廣南守將宋曰福各領兵協同阮文誠會攻賊耀。悅初與誠相善，誠年長，早爲將，臨陣遲重不驟進。悅起偏裨，勇敢善戰，數立大功，常以辭氣凌誠。棋原之戰，誠於象棧上攜壺自酌，因酌送悅，悅不肯飲，誠彊之曰：「天寒，飲可增氣。」悅曰：「吾目無彊陣，何用酒爲？」由是不和。帝知其情，戒悅曰：「師克在和，不在衆。汝宜與誠平心協力，以奏膚公。」復令諭誠整備兵馬以待。因差宗室曎、陳登龍送所獲光纘之弟光春、光奐、光緒、光靖及駙馬治于雲山軍次示賊，使之奪氣。復由誠軍轉送嘉定，著榜週知。（帝以西山惠犯諸山陵，痛恨之。既復舊京，令掘僞惠與僞岳墳墓，搗棄骸骨野外，而幽其頭于獄室。）既乃頒悅號筒戰鼓，以令諸軍，促令進道悅至清霑市（廣南），遇賊都督陳文安戰破擒之。

比至廣義界首，諜報鎮將武性：「協鎮吳從周殉節于平定城。」城被圍日久，性隨方捍禦，大小數十餘戰，未嘗少挫。屬將阮文奉、（安江永安人）潘文盛、（嘉定平陽人）段文葛、（安山人）黃公誠、（符吉人）阮文發、（符吉人）范文寬、（邊和隆城人）杜文璘、（定祥建興人）及衆長校張文璘、杜文顯（俱定祥建和人）等均病死圍中。知簿潘文漢之妻阮氏好，奉性密表潛達御營，途爲賊獲，拷訊無所言，投江而死。或勸棄城出，性曰：「我奉守城，當與城存亡。委城偷生，何面目見主上？」糧盡殺象馬以食。或又勸以潰圍，性見士盡饑色，欲殊戰以出，潛約誠夜進兵富貴岡接應，約定性點將吏亡一副衞尉，密語從周曰：「機泄矣，不果出。」乃令諸軍取乾柴還積八角樓前，置火藥其上，語諸將曰：「死藥賊猶見其面，吾不忍與賊見，我死火。」乃飛書示耀曰：「將軍死綏，吾志已決。城中軍將無罪，不可加害。」次早從周就問計，性指八角樓曰：「此吾計也。」因謂從周曰：「我爲主將，義不與賊俱生，公文臣敵人必不見害，宜圖自全。」周笑曰：「忠愛一道，文武何擇？將軍能爲國死難，周獨不能爲臣死忠乎？」歸具朝服，望拜春京，口占曰：「經歲彈丸地，孤身矢石場。忠君無別策，樽酒有砒霜。」遂仰藥。時五月二十五日也。性撫然曰：「吳公先我一著矣。」即親臨視，爲之殮葬。

既乃具朝服望闕拜，端坐樓上，大會將士謂之曰：「自我奉命留守此城，賊舉傾國之力，四面攻圍，二年于茲矣。實賴諸將同心，故能嬰城拒敵，今糧盡力竭，守既不可，戰亦無益，吾死矣，毋爲諸將苦也。」將士伏地大哭，性麾退之。取坐邊雙機鳥鎗，授留守阮文盛曰：「汝持此語耀，我以官軍爲寄。」乃命副將阮文卞舉火，卞哭而走。性方吃煙，以燼著火藥，屬將阮進暄從外來，性問：「汝來何幹？」暄曰：「吾願執鞭從公地下。」語未訖，焰自焚，暄亦投火林死，則間從周一日，而後富春既捷之二十四日也。

性保孤城，絆彊賊，使富春空虛，天戈一指，克復神京，實中興第一功。野史有詩嘆云：「山自傾西水走東，冠裳孰竟死懷公。（明命封性爲懷國公）十年閫外霜花白，八角樓前火樹紅。將校有心爭義烈，頑渠無計恍英雄。堂堂大節堪千古，施耐何人占首功？」又有絕句贊暄云：「效守孤城幾歷年，丹心爭似使君賢。西渠虓落龍江渡，悔不當時早執鞭。」耀聞性既殉節，引兵入城，以禮葬之。城中將士降或不降，耀不之害。蓋性忠誠所感，有以起賊良心也。

誠以事聞，帝悼哭不已，謂羣臣曰：「性與從周如此完節，雖古之張巡、許遠亦無以過。」勅嘉定鎭臣優給其家。問侍臣范玉蘊曰：「從周有子乎？」對曰：「有遠侄從晃養爲嗣。」帝曰：「宜厚此子，以報忠臣。」問：「暄何人？履歷若何？」對曰：「暄廣義彰義人，浼僞衞尉，後效順，率子弟從軍，遷應義道欽差統兵該奇，嘗從黎文悅屯沙籠，今從驂乘以死。」帝嘉之，令廣義營臣照例外厚恤。既復飛飭誠與黎文悅攻賊，以抒平定城臣之憤。時耀既據城，分屯要害，以拒官軍。悅與黎質進至茶曲，擊破都督坤等兵，俘獲甚衆。坤退守津關，耀益兵與坤，設堡備守，自悉衆攻雲山屯。正是：

徇國臣忠輕萬死　殲仇主義詟三軍

第二十四回

鎭洞海阮文張禦賊　渡瀘江僞寶興敗軍

却說阮文誠在雲山屯，分撥諸將，伺便攻賊，適賊耀引兵來攻，而遣其屬督築雲梯橫壘，以絕施耐餉道。誠遣黃曰纘督兵象攻之，賊多死傷，竟日不成壘而去。耀復使胡文恬竊據富安，誠奏請阮黃德、阮德川攻富安，以逼三嶺，而悉撤步兵，由水道還富春，以圖進討。帝諭之曰：「耀、勇之兵，不過二萬，我兵水步已迫近地頭，彼勢分力乏，安能專攻一面？卿宜緊守屯堡，內外夾攻，以取全勝。至如富安賊黨，我另派兵會勦。」乃命宋福樑爲奮翼營都統制，將兵船往攻賊恬。

耀聞我兵入援，率兵至津關以拒。誠偵賊無備，襲攻賊堡，自郁山至營江連破二十餘堡。我軍阮文孝前爲賊虜，賊使率本分兵爲後襲奇兵，孝與其屬范文理奔歸我軍。阮文存率暹兵屯七百餘人，與前屯副統黎文念、後軍該奇武曰寶、阮文功、武文歡、梁文富、張文聲、阮進泰、黃忠傑、何文恬、吳文清等各率所屬自賊中來歸。帝令補束隊伍，隸誠調遣。誠令黎文念與黃曰纘、阮文性進米津攻胡文恬，適宋福樑兵船至，與合，攻恬于芻館、麗淵、羅臺破之。恬遁去，富安始寧。捷至富春，帝授誠欽差掌前軍營平西大將軍，爵郡公。誠辭以賊黨未除，不敢受賞。帝諭曰：「卿管南道，以攻賊耀，與阮文張管北道，以攻光纘，功各相等。經授張欽差掌中軍營平西大將軍，爵郡公矣，卿其毋辭。」

初張追纘不及而還，帝命率所部兵進守洞海堡（屬廣平）協同吏參范如登管知廣平兵民錢糧事務，蓋張進取二廣。扈帝克復舊都，故陞賞示歡勸。張在洞海，探知賊董理阮文愼鎭守河中，衆多離叛，疏請進討河中。帝令檢點兵馬，直進義安，會上道兵，掃清醜虜。又遣阮繼潤爲副調撥，與宗室晃往從張節制。

先是萬象獲光纘誘鎭寧書，遣我上道該隊宋福琬還獻。帝令劉福祥從甘露道致書萬象，會我參軍黎文春病死，祥領其軍，與昭印刻期兵下義安，爲清華義兵策應。何功泰在清華上道使人奉表密言軍事，帝諭泰率所部襲清華，以應萬象，因幷諭張知辦。

張承命準備攻賊，賊犯横山、洊市，張遣潤管諸衞兵七千餘，水陸並進，戒令凡遇敵勿驟進，須水步相接方可進攻，潤至洊市，賊退潤與宗室晃追至神投山（屬河靜）賊伏險邀擊，潤頓兵不進，晃孤軍戰死于陣，潤軍沒于賊太半。張得報驚曰：「晃宗室晥之子，征伐功勞，而爲潤所誤，又何調撥得人？」即提水兵直進瀘江分設屯守。事聞，帝以潤不用將命，致害尊臣，令張按法誅之。因諭即探上道兵有無攻破義安？

時上道兵劉福祥率所領五支兵，與萬象國將破雅區哺將蠻兵四千餘人，分下香山、羅山攻賊于三義關破之，收獲船礮甚衆。復與賊都督阮現戰于清漳六年城（城在千仭山邊，黎太祖駐此六年以拒明人，故名月澳隱士。詩有云：「六年弓劍英雄事」卽此。）現敗死，義安震動。賊焚數縣民家爲清野計，祥與萬象兵糧不給引還。張偵其狀，飛語上聞，帝令張留屬將黃文點按守清河堡，而撤兵回洞海，修築長壘自兜鍪山至沙嘴江，爲守備計。既乃以阮文雲爲中軍中屯都統制，陳公憲爲後屯都統制，兼管五屯參軍事。召鄧陳常于平定，劉福祥于義安，準竝從張戎務。張疏言：「北河蠢動，徯望王師，而義安賊衆不滿三千，請差兵象船艘與臣水步竝進，以拓疆土繫人心。且歸仁賊黨以義安爲表裏，義安既失，則耀、勇寒心，歸仁唾手可定。」緣北河有吳德俊者，京北東岸人，初南投爲左屯參軍，近以北河勢有可乘，請往諭各處豪目，討賊立功。

帝授河北招討使遣之，俊與阮廷校等糾集義兵數千人攻汴山（屬玉山縣），收賊糧船二十餘艘，俘參督性、參督冷及兵三百人。遣人報捷，帝令駐兵汴山，扼賊咽喉之地，以待王師。因諭張曰：「北河事雖可乘，今雨後陸路進兵，需餉良難，卿宜量撥兵船爲汴山聲應，而步兵則據橫山以縻絆賊徒，使各道應義，易於進取。」

時廣平雨潦，鎮寧壘多圮壞。帝令張役諸軍修築，張言：「鎮寧廣漠，防備多岐，臣親兵無幾，若待敵人深入，內防外禦，理勢兩難。請派奮翼兵船前往瀘江設守，水步相依，則洞海、鎮寧一路可保萬全。」帝乃命宋福樑管兵船，與鄧陳常率所部勝威、毅威二衞及樂從軍義勇團按守瀘江，一切軍機聽張節制。樑因風阻召還，諭常回守清河堡，爲張屯衞翼。張與范如登請募里和舊長舵各隊，立爲和海隊，以備海道差派。帝許之，敕令整備巡防，以固邊圉。諜報僞光纘將督賊兵入寇，張請增派官兵防禦山路，遏賊奇兵。帝命阮文仁率所管兼領後軍各衞，進屯站營，復差往偵光纘動息，且與賊耀有無暗通消息。

却說賊耀在平定城，令其黨都督坤與參督緒進禦黎悅道兵，而密飛書于纘，進窺廣平，以相犄角。差人與賊都督阮文春善，具告以事。春廣義彰義人，爲賊左彌道大都督，管五制奇，有機略。自爲阮文張所敗，僞光纘薄遇之，光纘奔北，欲託黎悅以降，適得耀軍事，即自詣悅報知。悅詰之曰：「君無乃舌戰中營阮文張耶？諒君義事西山，必非眞降。」春曰：「吾語阮文張乃紘上箭耳。今西山將亡，英雄擇主而事，吾故凂君投南。」悅以事聞，帝準令春隸悅差撥，悅乃委宋曰福率先鋒兵逆擊坤、緒。福素惡平定人，堅心從賊曰：「我克平定，必刈草無遺。」遂渡津關。坤與緒不戰而退，福乘勝進蝠谷。將校以谷名「蝠」，不祥，止之曰：「兵少輕進，奈遇賊何？」言未竟，賊將徐文昭伏兵猝起，福拒戰不敵，爲昭所執。昭語所屬曰：「吾降南時，承命副福，福以降賊罵我，夫降賊多矣，而獨我辱耶！天幸見俘，請以一劍行賊事。」悅聞之，謂黎質曰：「宋公貴縣世臣，追隨羈靮，累著勳勞。然勇而無謀，故卒爲昭所害。昭最反覆人，寧其身爲怙終之賊，而不忍一罵之仇。大丈夫都權勢時，毋輕罵人以府怨也。」既乃與質督軍力戰，擒坤與緒，降其兵三千餘，進屯清好，築壘自美懿海口上連山谷，與徐文昭相拒。

帝聞狀，恨福之短，而嘉悅之轉敗爲攻，賜悅與質竝郡公爵，以陳公賴爲中營都統制，代領曰福所管軍，隸屯清好。馳諭阮文張嚴備河北，不容與賊耀通。會密差該隊權自河北回奏賊情，帝問僞光纘出奔事體若何，祥對曰：「光纘爲我軍所破，與其弟太宰光紹，元帥卿，司馬賜，都督儔等乘馬望洞海壘，日夜奔馳，端午日渡瀘江，徑入義安鎭城。居數日，復乘驛赴清華，飛報其弟光垂以兵來迎，月下旬抵北城，居光垂府第。」帝問「北城嗣有災祥如何？」對曰：「光纘旣居昇龍，連旬積雨，庭前水深尺餘，忽水落地陷，深廣各數尺許，義安三層樓亦無故自倒，北人謂之不祥。」帝問「光纘有作爲如何？」對曰：「纘與其弟垂謀改元寶興，下詔引咎，陞授官吏，鎭撫軍民，甃方澤于西湖，築圜丘于椰市，臨國子，課學生，遣阮登隧如清乞援，清逐登隧回，今則欲舉兵南來也。」帝問「渠謀寇我，排撥若何？」對曰：「纘遣其弟光垂打點兵馬，先就義安鎭屯札，留其弟光紹、光卿守北城，親督四鎭兵與清義兵三萬，自將而南，賊耀妻裴氏春亦率手下五千人以從，現駐河中，其黨丁公雪與總管超進屯法偈諸路，兵勢甚盛。」

帝勞祥使退，侍臣奏言：「阮文張有密表至。」表言：「賊兵漸逼瀘江，鄧陳常權退洞海，尚侯大駕親征。」帝召諸將會籌兵機，傳諭阮文誠與黎文悅曰：「光纘憤兵，一鼓可破，賊耀竊據平定，不可使之滋蔓。雲山軍次委汝誠調度，清好軍次委汝悅調度，宜協心規措，攻守得宜，以寬予南顧之憂。」乃命國叔昇留守京城，緊令諸將扈駕進征，時辛酉十二月日也。

駕至洞海駐蹕，分設屯守，以備賊兵。召阮文張侯問戰守機宜，張奏曰：「賊今深入，我當堅壁以守，候海程風順，臣願大率水師襲擊賊船，直入瀘江，橫截賊步兵歸路，則彼片甲不還矣。」帝令分撥諸軍以待攻擊。除日僞光纘悉衆渡瀘江，壬戌春正月朔，纘遣其弟光垂與總管超犯鎮寧壘，司隸雪、都督堅犯兜鼇山，少尉騰、都督力結齊桅匪船百餘艘，列水陣于日麗海外，（日麗即古柴門，北安島海，南每錐壘，壘之西有住牙、河渠民居，李明道間，征占城，駐蹕住牙勞軍，陳簡定擒明僞官范世矜于此，黎聖宗御製詩有曰：「沙寒地老斜陽岸，霜凜風飛宿草墟。龍御久傳仙李迹，鯨封猶記後陳書。」）帝命張調撥水兵出洋禦賊，范文仁、鄧陳常分道拒戰，賊薄鎮寧壘，我軍肅直兵出門堞礮擊之，殺賊千數，賊復悉衆薄兜鼇，蟻附而登。我軍以大礮轟擊，及巨石擲下，賊死甚衆。

光纘欲即退師，裴氏春執控固請，自乘象驅衆死戰，自旦至晡未肯退。會張水軍乘東北風衝擊賊船于洋外，大破之，奪其船二十餘艘。報入纘軍，賊步兵聞之驚潰。光纘奔東皐，悉渡瀘江以走，從者十之一二，都督堅降，尚書直，都督讀，參督玩，少宰元被俘。船糧在瀘江五十艘，及其象馬礮械悉爲宋福樑與阮文雲、黃文點所獲。光垂從山道間行旬餘，始遇光纘于義安城，尾而北。

是役也，纘捲地而來，一敗塗地，王師聲勢大振。帝幸清河驛，人民爭持牛酒以獻。帝令申諭：「廣平以南，凡西賊殘卒散歸鄉里者，聽其安業，毋得驚擾，乃命阮文張仍守洞海，宋福樑、鄧陳常守瀘江，黃文點陞中軍副將，守滸海，將議班師，諸將請乘機北伐。帝曰：「北河地遠，勢難即攻，今賊黨惟僞耀與勇最黠，該等未除，豈可輕進？姑俟平定城下，然後進取河北，御駕凱還京師。」鄧陳常奏言：「吳德俊率兵船自汴山越海回瀘江。」帝令從常戎務，復諭阮文誠與黎文悅會攻平定。正是：

越報吳仇重奏凱　唐攻蔡賊四經年

第二十五回

破賊兵克復平定　經國政改元嘉隆

却說賊耀與武文勇在平定城，揀丁壯，繕甲兵，堅屯堡，峙資糧，與僞寶興遙爲聲應。寶興旣敗，帝以耀勢孤，送所獲賊尚書直、都督謨等至阮文誠軍，使之示賊。且諭誠宜密定軍機，與黎文悅會攻平定。

初，誠旣蒙封爵，與阮德川定計攻賊，適賊耀使其黨犯山茶，襲我花安諸堡，渡營江，攻我獨山諸屯，誠敕諸將勒兵縱擊，賊敗，走壁爐紙。誠遣德川引兵繞出爐紙堡後，自率兵攻拔老撫賊壘，徑趨爐紙江，與德川會攻，破賊數十餘堡。賊司隸縉僅以身免。諜報僞勇，勇怒誠惡戰，曰：「誠不思平順退兵時事耶？何屢衂我立？」將救兵至，據灰窰堡，分軍築土壘，自塔改至磓山，設守備以截官軍。誠擊破勇，進山潮江，遣別將張進寶別道擊賊都督和軍。和敗，誠麾軍進攻塔改，連拔賊堡自土山至富中二十餘所。

賊都督艷詣軍降，誠問賊情，艷言：「賊中密窺南軍歉糧，大戰一陣，由平定進富春，迎回光纘，爲南朝梗。」時我軍久與賊戰而平定歲饑，嘉定漕船阻風不至。誠慮軍糧不給，驛奏春京。帝命阮克紹管坐鳳飛、鵬飛二大船，漕糧八千五百方給之。黎文悅亦發漕兵餉一萬五千方繼至。賊黨徐文昭謀奪其糧不克，乃犯美懿堡，悅令屬將鄭玉智出戰，而自率精兵夾擊，賊昭大敗。

報入耀軍，耀令諸屯分截要害。我兩道兵未得相接，至是承命會攻。誠與德川進兵祈山，連拔七堡。耀率兵象迎戰川軍，黃曰纘引卻，前軍別將胡文惠（義安東城人）戰死。誠聞川兵不利，率兵從山後進，擊破耀兵，賊軍乏食。耀潛使軍越牙參山，掠富安，誠偵知其謀，曰：「舉子且有奪米學，無怪賊將刼糧爲口食計。」即出奇兵躡擊走之。馳報黎文悅曰：「賊米盡矣，勢將散，請約急攻平定城。」悅時與賊戰，俘賊都督朱有美，遣屬將阮文撰，與賊都督長戰于勞山。

撰與悅同縣，官威武衛，嘗從宋曰福進兵廣南，擊賊都督春於旃檀，越廣義攻拔茶曲屯，復渡津關，從潘文趙禦賊，近從清好軍，悅令戰賊勞山。

撰進軍仝株、賴陽，連敗賊兵。捷奏富春，會阮懷瓊自賊中還。

瓊定祥建和人，以三場中格遷虎威衛參論，累從征伐，陞刑部左參知，隨駕征歸仁克其城。帝令從武性留鎮，城陷被執，義不浼賊，潛逃回京。

帝問知城臣死節事，嘆曰：「死去眞忠臣，生還亦義士。」勞苦者久之，因論賊情，帝欲益兵攻賊，以速報功。命范文仁領後軍諸衛，與後營正管黎文桂領水軍往協悅兵。會誠勦賊，誠自破賊富安，復督將士攻賊，連下二十餘堡，別差阮廷得渡兵營江，破賊守祈山，進至椰園，築堡固守，以斷祈山、郁阜賊屯爲二。

諜報，賊將武文勇悉衆拒戰，誠分兵迎之，斬賊都督曠、都督辰于陣。都督示降，誠築長柵于椰園，絕賊餉道。悅聞誠據，與黎質進石津，攻破賊昭，連拔賊堡十餘，乘勝率步兵由碧鷄山進堅下堡，遣屬將潘文趙督水兵由淡水進津關海口，馳報誠軍，誠與悅會修軍狀，略言：「臣誠兵堡椰園，臣悅兵堡堅下，兩道提防，賊勢窮蹙，請敕諸營分兵扼要，以防賊兵奔逸。」帝慮城陷諸將或縱兵殺掠，諭曰：「臨陣之際，凡俘獲將士，勿可濫殺。平定自構兵以來，殘弊日甚，宜禁戢三軍，毋得虜掠。」諭至軍次，誠報黎文悅曰：「今賊耀勢衰，無須若戰，試下招降書，看他如何回答。」悅復曰：「賊耀爲武驂乘所陶鑄，必不肯降，然文誥之詞，軍事亦所不廢。」誠乃致書于耀曰：「將軍提數萬之兵，犯我平定，閱今二年不休，足知將略。然熟思西山事勢，恐萬難全，富春一戰，猛虎離山，瀘江再來，黔驢窮技。今則遨遊詩酒，無國計兵謀，而且龍城千萬里而遙，誰爲策應？夫隨世立功，士夫所以通變，投明棄暗，君子所以顯身。吾主愛惜人才，親讐無間。中營阮郡公張，後軍黎郡公質，固西臣也，待之誠而效以功，諒將軍素所聞知。且將軍盡將猛將精兵，調就平定，使神京空虛，王師不勞再戰，將軍實陰有大功于我南朝也。將軍今日改轅而南，僕與黎都統請爲之駕。」耀看其書，沈吟良久，武文勇曰：「吾嘗學詩矣！我心則降。」耀曰：「君不讀書耶？我不顧行遁。」徐文昭曰：「請聞少傅尊教。」耀曰：「阮文張與黎質降南，時正危急，楚材晉用，賴以成功，故深所倚信。君不聞南主還都事乎？毀我先陵，戮屍而梟其首，所俘西山子姓渠帥，處以凌遲重辟，蓋龍川居正之讐，（定王屯在龍川，偽惠擒之。興祖陵在居正，偽惠犯之。）宜得重報，不敢南朝疵瑕。中書陳文紀、都督黎名豐、黎文利委身從南，黎文悅表進其才，阮文誠與阮德川諫止，後恐爲西間誅之。吾與武司徒西朝四柱臣也，背弱主而面彊君，誰心腹我？今當挈衆，歸輔吾君，經理河北，畫黎朝故彊，或保偏安之勢。」阮元甲曰：「吾嘗筮易，如少傅言，則遯而亨也。請簡勁兵，從上道轉哀牢潛回義安，顧禮言軍旅思險，隱情以虞，如遇南兵防截，請歌虞殯而行。」黎文興曰：「春秋列國相爭，多用宵遁。」耀乃與武文勇率其黨徐文昭、阮文甲、黎文興、阮文緡、阮文點等八十餘人，勁兵三千人，雄象八十六匹，棄城夜遁。

誠得諜報，檄諸將追之，至則已從林徑去。乃收其降衆三千餘人，而保其城。耀以己未年十二月日攻城，至壬戌年三月日退兵，共二十八箇月，攻戰艱勞，我軍始復平定。

後海陽協鎮吳佋讀史有絕句云：「權度由來失重輕，歸仁何似富春京？笠蹄自墮南朝銜，以十三宣易一城。」「期收故壤運龍韜，畯削無辜作戰艚。浮海經年成甚事，五更燒盡萬家膏。」「戰艦千艘出海門，登壇低却韓王孫。彊鄰不比君能脅，休怪將軍匹馬奔。」

誠既走耀，即以捷聞，帝命廣德留守阮公和將兵按守廣南，復移書于暹羅、萬象，各於界首屯兵，截賊去路。留誠仍管前軍營，鎮守平定。以枚進惠爲留守，阮廷謙爲該簿，吳潮高爲記錄，各隨鎮將誠撫集居民，鈐制餘黨，詔諸將班師。

却說諸將會兵平定城，承詔各率所部回朝，范文仁、阮德川與黎文悅、黎質入見。帝賜之冠服金錢，以示慰勞。悅引所俘賊都督陳大舊等候謁。帝問：「賊耀餘黨尚衆，何故不戰而走？」對曰：「耀所以拔寨遁去，但求偷生，非別有計。」帝然之，準赦其罪。

時俘賊將甚衆，帝不忍誅，令降將黎廷正監管之，正嘗獻北河十三道承宣版圖。帝因問以北河用兵難易之勢，正言：「北人苦賊虐政，渴望王師，纘兵敗之後，勢無能爲。願假兵船百艘，必生擒寶興致于闕下。」帝燭其誠，使管諸俘，復改神策軍肅直衞爲肅直營，給新降軍將以充之。加阮文謙爲都統制，諭令悉心慰撫，以安群情。乃議差使如暹報捷。

初暹知帝既克舊京，遣屋牙茶知率兵五千從上道與萬象兵合，攻賊于羅南破之，遣解所獲將卒象械來獻。帝賜書褒美，因辭于暹羅粟五百車，又諭眞臘出粟一千車，以資軍用。眞臘屋牙目擾部兵二百餘人，在軍病疫。帝放之還，因賜高羅歆森銀錢，使率所管兵回國，仍諭萬象遣將與上道兵分擾義安，以肄西兵。

帝以用兵之要，人心爲先，而地利在所必據。即幸壞海口，閱戰船。耀水軍于思容、大占諸海口，乃幸廣平觀洞海壘，命中軍營阮文張嚴兵增守瀘江，管中水營宋福樑修理船艘，後水營陶文良左水營黎文柱、右水營阮公俄、前水營阮文政各演習水戰于塽海口。吏部陳文擢與戶部阮奇計檢閱糧儲器械之數。右軍營阮黃德閱海導船于施耐，幷揀平定戰象，以備征勦。

帝將大舉平西，因與群臣議曰：「北河是黎故國，我列聖南服肇基，用黎正朔。頃以西山僭竊，我積意用兵，惟志復讐而已。今僞渠北竄，若舉兵北伐罪人所斯得之後，於黎如何？」禮部正卿鄧德超與陳文擢進曰：「黎自昭皇奔清，一去不返。北河之地，已爲西山所有。今我滅西山，奄有其地，是取於西，非取於黎，事平自有處置。惟弔伐之舉，貴乎有名，應順之師先於革正。今我北伐而猶用黎年號，恐北人謂我藉以扶黎爲辭，莫若正位改元，聲大義於天下，則得國爲正。」帝令文武大臣會同覆議，群臣表言：「主上志圖恢復，間關二十餘年，剷平僭亂，王師所至，人皆嚮從。乃猶襲黎景興舊號，中外皇皇，莫知所向。願主上以光祖尊之烈爲重，盡子孫之念爲孝，早正尊位，下詔改元，以孚臣民推戴之忱，衍廟社無疆之業。」帝諭曰：「故疆雖復，國賊未除，登尊之事，未可驟議。惟王者易姓受命，義貴更新，改定年號爲是。」於是群臣請設壇安寧之野，合祀天地，以建元告。次日祇告列聖之靈，建元嘉隆，大赦國內，時壬戌夏五月庚午朔也。

詔略曰：「春秋大一統，所以明正始之義。我先太王肇基南服，神傳聖繼，二百餘年。頃者西山唱亂，黎祚告終，我播越偏方，深以廟社生民為念，臥薪嘗膽，思大輯寧，庚子初，在嘉定城為將士推戴，已正王位。惟舊京未復，猶因舊號，今仰皇天眷佑，列聖垂休，收復故疆，光回舊物，在庭文武百執交章，勸我卽正改元，我念餘孽未除，海宇未一，豈可遽登尊位？惟襲既往之元，布更新之命，非所以明示法度，其允建元之請，改元嘉隆，以一統紀，新視聽。」

詔下，遠近莫不欣悅。阮文誠在平定，遙奉表賀，又別疏言：「聖主誅暴除亂，必爲可繼可久之治。今自平定至布政，九府一州，雖設公堂官，而未置兵衞營。臣但司民政，猝有警急，必待朝廷別調兵來，臨機應猝，恐有不敏，茲將有事北征，請命諸營各置精兵守衞，又於大閫以大臣鎮之，兼領他營，使臂指相資，緩急有備，庶無內顧之憂。」帝善其言，準令延慶、平康、富安、平定、廣義、奠盤、升華、肇豐、廣平各置兵衞，著營臣管領以備擒防，候差撥。誠又請以潘文仁爲盤石、歸化二源守禦，分設屯堡，捍禦惡蠻。

嘉定鎮臣阮文仁奏稱：「前徵嘉定屯田寨兵及鎮城兵，從軍日久，請許回城休息，候充衞兵。」帝即厚賜遣之。因諭仁令罷嘉定峙納田租、峙買軍需諸例（年每先輸稅租，而後除其徵，謂之「峙納」。民每先買物需，而後給其直謂之「峙買」。）以舒民急。既乃議贈平定城殉義諸忠臣，又錄從援平定陣亡病故諸功臣，凡五百餘人，贈其官爵，賜之國祭。又議頒賞水步諸軍，賜黃金一千兩，白金一萬兩，錢三萬緡。陞阮文仁、阮黃德、范文仁爵並郡公。授神策軍左營都統制黎文悅欽差掌左軍營平西將軍，潘文德副之。改御林軍左屯爲後軍。授黎質欽差掌後軍營平西將軍，武廷緣副之。改舊左軍爲振武軍，阮文仁掌之，副以黎進參。改舊後軍爲神武軍，范文仁掌之，副以陳光泰。（光泰不知何所人。進參永隆新明人，初從軍隸宗室暉，歷官中支正長支。廷緣平定符吉人，御林左屯統制武廷佳族親，凂僞都督，與廷佳効順，歷陞御林左屯統制，累有征伐功勞。文德平定蓬山人，勇敢善戰，初凂僞後詣軍効順，以戰功歷官選鋒副衞尉。）諭各調習兵馬，預備從征，餘有功狀，武自都統制，文自部正卿，各賜陞秩有差。又差阮文存率所部暹兵回守鎮江斜溫堡，兼保茶榮、斌洳二府，隸永鎮營。黃永募嘉定外籍民，立清洲隊，巡哨諸海口。阮文盛、武春理守金蓬、安裕諸海口。巡海都營統兵黃忠仝管黃龍、青雀、赤鳫諸大船，漕運嘉定錢粟、鋼錫各項輸于京。分撥停當，乃議遣使如清通好。正是：

建元既降覃恩詔　事大宜歌遣使詩

第二十六回

定北征軍發清河堡　破西將駕駐義安城

却說我朝初鎮順、廣，猶臣事黎。明王時，遣黃時、興徹等如廣東求封，康熙帝詔議其事，清臣以爲廣南國雄視一方，占、臘均爲所併，其後必大，惟安南猶有黎在，未可別封，事遂寢。嗣有咨移于清，未稱國號，而農耐威聲，久聞中國。

帝旣收復嘉定，欲通好大清，以問西山，經委潘正仲齎國書方物，搭商船投遞兩廣。船至虎門，遭風覆沒。尋遣吳仁靜如廣東，探問黎皇，協乞援兵，至則昭統帝已薨于燕京。仁靜復回。歸仁之捷，該隊阮祐定乘海導船，遭風泊入廣東洋分，清帝命給糧服遣還。

帝克春京，議以國情移書兩廣，遣清商趙大仕行，仕還奏清國事體，帝諭羣臣曰：「我邦雖舊，其命維新。復讐大義，清人尚未曉得。曩者我師風難，清人厚賜遣還，未有答復。今所獲僞印，乃清敕封，所俘海匪，乃清逋寇。可先遣使送還，而以北伐之事告知。俟大定後，另尋邦交故事。」乃以鄭懷德爲戶部尚書，充如清正使。兵部參知吳仁靜、刑部參知黃玉蘊充副使，齎國書品物竝清人錫封僞西冊印，及齊桅海匪莫觀扶、梁文庚、樊文才等，乘白燕、玄鶴二船由廣東、虎門關投遞，憑總督覺羅、吉慶以事轉達。懷德拜表辭行，帝命大閱水步諸軍，諭曰：「用兵要在安集，前頒軍政各條，經嚴禁戢，今朕親督將士，直進北河，勦除西賊，所當申明軍令，以肅戎行。

（凡官軍有能擒斬賊渠，如前檄文賞格。賊黨投降或生獲，宜先訊知虛實解候，不得擅補本標，致誤軍事。大兵以火為號，宜於林藪間曠之地發火，若妄燒民家，有干軍憲。府庫圖籍，不得燒掠。倘有收獲賊文書，事屬關要，卽由統將進覽，量加給賞。大兵行要神速，有病不堪，聽扒沿途民護遞，餘毋攙擾。大兵停駐，宜炤圖次屯札，不得擅入民家。何道軍糧不給，聽權取民糧量發，仍留派跡待後炤除。地方豪目有投忱効用，均由統將轉奏，隨事差遣，不得擅給文憑。召募兵糧動致滋弊，或社民有陳乞招安，察實給憑，以免騷擾。諸軍所到地方，不得抄掠財產，奸犯婦女。）在行將士，尚各凛遵。又令飛諭河北軍民，略言：「春秋之義，莫大於復讐。王者之師，必先於誅亂。慨自西山煽變，順化以北，久罹荼毒。朕今勵志殲仇，惟以伐暴吊民爲念。曾已中嚴軍令，使之秋毫無犯。猶恐竊字之徒，驅脅平民，肆行非法，特頒六條，（豪目有能攻破賊屯及徼捕賊黨者，量功行賞。有心向順，詣軍應義者，隨才錄用。人民有能擒獲賊纉，授官一品，給田一百畝，屬兵一百人。獲纉弟，官二品，田五十畝，兵五十人。獲郡公渠帥，官三品，田三十畝，兵三十人。斬獲賞，如之容貯，及引去，覺出以軍憲論。順廣人皆朝廷赤子，為西賊迫脅，驅之北往或竄何處，所在各宜留養，引就軍前投納，量加獎賞。若追怨丙午年在富春城賊徒殺戮之慘，而擅自殺傷，及隱匿不解，俱從重治。錢糧典籍，有能收貯謹守，事定獻納，必有重賞。若敢燒掠，必干軍憲，無賴棍徒，扮作軍色，擅入民家抄掠，咱所在民社捕解，或勢力不敷，就軍陳訴，卽令擒捕究治。地方豪目，有能以城情虛實赴訴行轅，必有奬賞，若不以實告，反容隱賊黨者，以軍法從事。）嗣凡軍民，胥相報告，用命有厚賞，違命有顯戮。河北聞諭，豪目皆言：「西山取城，人飲濁水；（香江濁）南朝還都，地報清流。（香江清）西山行兵，巧計掩襲；南朝報讐，義理明白。而且聖神傳繼，與盜賊崛起不同；恩澤浹洽，與法術把持有異；英傑擇君而事，無昧所從。」由是人情踴躍，翹望官軍，閭里成爲之語云：「拜彼天兮，速許南風。令我主兮，直帆出攻。」

招討使何功泰飛語上聞，帝命廣德、廣治、廣平諸營守臣修理行宮，（廣德，上安驛、美川驛。廣治，上舍驛、安樂驛、高老驛、清河驛、安祿驛，共十二行宮。）及橋樑道路，以備駕巡。掌中軍營平西大將軍阮文張與掌水營宋福樑，正統兼五屯參軍陳公憲操演水兵，另候征勦。掌左軍營平西將軍黎文悅、掌後軍營平西將軍黎質、管神武軍范文仁領步兵前發清河堡，閑習戰陣，峕候啓程。戶部參知阮有同先運糧米于清河，預備給軍。國叔宗室昇與肅直營都統制阮文謙、刑部左參知阮登祐留守京城，（祐平順禾多人，從戎官該奇，帝以其有學，改翰林制誥，歷陞刑參。時督漕清河徵還，與謙留守。）加陳文信爲都統制，管肅直侍中十衞扈駕。五月庚寅，車駕發京師，皇四子從。

却說皇四子即我聖祖仁皇帝聖母第二妃陳氏（順天高皇后）以辛亥夏四月丁卯日生于嘉定活祿村，年三歲。帝令元妃宋氏（承天高皇后）收養，命黎文悅寫契，藏諸宮中。自是皇四子入侍大內，爲皇后子。及皇長子景、皇二子曦、皇三子晙相繼薨逝，皇四子以次當立。

時年十二帝欲使習知兵民政要，故令候駕從征，壬辰駕至安樂行宮，（廣平）神武軍有犯軍令，該簿陳文恂千（陳文和之子）劾其事，帝召副將陳光泰責以不能禁戢，痛鞭示懲。於是諸軍肅隊而行，罔敢違犯。乙未駕至洞海行宮，命廣平守臣宗室暄分兵屯諸要路，宋福樑先行偵賊虛實，回報扈軍。丙申至清河行宮部分諸將，鄧陳常率本標暗從上道襲橫山，爲奇兵以擬義安賊背。阮文張調撥水兵從海道襲賊水屯，以擣賊腹。黎文悅與黎質調撥步兵從中道直進，以衝賊面。阮德川率象軍由源頭渡灑江以備差遣。神策參軍阮致和與現布政留守阮有同檢督漕船，繼給軍餉。諭凡軍捷馳報御營，便命進駕。

時賊董理阮文愼鎭守義安，聞大駕親征，自督水步諸將分道屯禦。既而阮文張水兵抵洊海口，破賊海屯。賊都督阮文五、阮文六走竄，張進河中營克之。黎文悅步兵過橫山，與賊戰于捄營。

明威正衞尉阮光攬冒陣戰死，大軍乘之，（攬清蕉貴縣人）直抵大奈，賊走永營（義安鎮莅）。

捷聞，帝督諸軍渡瀘江進發。六月庚子朔，駕至河中營駐蹕，（河中屬奇華縣，黎朝留屯鎮城。）命左馬小侯諸隊先往修理前路。驛舍水軍報阮文張入會統海門，（會統門在，丹崖社海分亦名，丹崖，有兩山卓立海中名以雙魚山門大而深由此門入可達永營。）攻賊群木堡大敗之，獲其船礮糧械甚衆。步軍報悅與黎質進青龍江，奪麒麟倉，獲僞岳之子麟，進克永營，賊協鎮阮霑自縊。少尉鄧文騰，水軍統領阮文岱與鎮臣阮文愼走仙里，（演州府城）悅乘勝直抵仙里，愼與騰、岱走清華，賊都督意降，我軍克義安。

吳侶時有讀史詩云：「平西將士渡明靈，驪愛山河為震驚。失陣已開俘賊子，截流猶且役民丁。握籌執政先輸國，畫餅將軍再棄城。何處層樓空往蹟，可憐僞武費經營。」

帝聞報，促駕進行，癸卯至義安城駐蹕。閱船艘，揀軍實，檢糧儲，度里路。數日之間，庶務就緒，賊都督陶文虎率雄象七四降。帝令牌報前路軍進取清華，召上道贊理鄧陳常回詣行宮，候議兵事。命副將潘進黃代領上道兵象，聲應步軍，併探僞耀行走蹤跡。

先是耀與武文勇自平定攜黨奔竄，所過諸蠻册有捍禦者，力攻而過，數月之間，糧盡兵散，至歸合下香山聞義安既破，遂過清漳，渡青龍江，將取路潛回北城猝，與我左營副統武允文，前屯正統黎德定遇，將卒疲病不能戰。耀與其黨徐文昭、阮文甲、黎文興、阮文緍等擒，收其雄象七十六四，解納行在。帝命交黎文悅鎖禁，仍令上道兵及諸所在緝拿僞勇務獲。陳常自上道轉回，獻所俘僞光中之子七及賊都督阮文六、阮文五。帝命誅之，兼飭平定城臣知捷以快軍心。

帝問常與阮德川曰：「今賊將中，看無人面，勢必不能敵我諸將。大軍此行，定取河北，未審僞光纘能死或降與走如何？」德川奏曰：「光纘見事遲，且爲人無氣，辨一死難，降而我讐未答，懼不免誅，料他惟逃策爲上。然鄭晏都能逃，以有麟洋、建川爲之左右，黎昭統能逃，以有黎亶、陳案爲之先後。他無世臣，無戚族，無護衞士，無忠義民，炎甸江山，均無容足之地，計必先走京北，間道如清，仍恐行間不免阮莊之厄。」鄧陳常奏：

請密飭前道軍，係到山南，上卽派別將往截北道，纘當就俘

帝令飛報黎文悅知辨，準陳常留鎮義安，又以軍中餽餉之運水陸兩難，令陳常姑從辛酉年例，徵丁田關津物產諸稅，以充軍需。車駕將發永營，諜報慈駕已至春京。

初，帝建後殿于嘉城、定城，以奉國母，後每自將討賊，克捷輒奉書馳白。既復歸仁，道路無梗，即命黃曰纘、陳大律、鄭玉智、宗室廉往嘉定奉迎。至是慈駕及諸宮眷抵京，國叔昇率百官迎接，遣內馬副隊黎文鄧詣奏行在。帝大欣慰，遣使請安，軍諜報稱前道兵已克楊舍。正是：

風迎慈幰開皇路　電擊軍營奏武功

第二十七回

滅賊黨僞主纘就俘　設治官前軍誠受鎭

却說楊舍是清華內莅所，賊弟僞宣公光盤留鎭，司馬阮文用、阮文賜屯禦官軍，董理愼、少尉騰、統領岱輔盤留守。黎文悅步兵驟至，文用、文賜退據三疊（山在宋山界首，爲清華內鎭重關。山峙四圍，路行其中，左右顧視，形如覆盆。垂盡處兩壁屹立，中道一路往來，俗傳孔路禪師笥口，吳午峯詩有云：「魚箭天控九眞關」卽此。）光盤與董理愼爲步兵所獲，少尉騰、統領岱降。悅乘勝進三疊，文用、文賜奔山南上，悅克清華外，賊都督才降。

馳報捷奏聞，癸丑駕至清華內，歷觀山川形勢，委員詣省天尊山陵，召布衞鄉老問知黎朝故事，因問：「顯尊嫡派有與承祀何人？」鄉老奏言：「有黎維祧是維祗長子，保樂之戰祗爲僞光中所殺，維祧潛隱何處，近未之聞。」帝喟然曰：「平吳功德，雲仍乃爾衰微，朕當爲延其祀。」正浩嘆間，諜報僞勇爲午舍民所俘。旣而范玉璞、范玉瑞等解將武文勇及其黨胡文恬、阮文點奉納，帝令送交前道軍併與僞鎖禁。小侯隊長奏言：「何功泰率所部上謁。」詔侍者入奏，帝問：「招討使宋山丁達表年前請回清義山南招募義勇，俟應王師，今何沒見消息？」泰言：「表至北城，糾合義勇，遇賊力戰已死。」帝問：「參贊萬寧武伯梃前往招諭北河，何無來音？」泰言：「梃回義安，已爲賊害。」帝問：「招討使東城武元諒爲僞垂所殺，妻黃氏欣願領密旨，再往北探賊情，去何不返？」奏言：「民招募豪目事泄，僞光垂拏獲，不屈而死。」

帝令禮臣議加贈典賜之祀田，復諭泰曰：「賊山南上下鎮將，敢敵吾兵與否？」泰言：「師行勢如破竹，孰敢攖鋒？」帝乃準泰隨軍候調。召阮德川賜之郡公爵，令鎮內清華，御駕進程。陳文信督軍前導，水軍報阮文張兵船直抵山南下渭潢江津，海匪統兵楊七元、吳三仝登陸拒戰，張麾兵夾擊擒之，賊都督阮文壽舉城降。帝即飛飭聽張權留守城，宋福樑與陳公憲率所管兵船前進珥河大江爲步兵應。

步兵驛奏：「黎文悅進克珠球。」帝令駕進清華外鎮，牌報前道步兵仍駐珠球，著黎文悅飛騎轉回御營，候陳軍事。悅回領密諭機宜，復轉軍次，即與范文仁、黎質號召屬將言曰：「都督武職，臨陣當志，馬革裹尸。我朝施耐奏捷以來，降僞都督與走僞都督共若干人。西山有都督底官辱漠金革，諸將行軍，勉作眞都督，以稱上心。」遂分步軍爲三，一支由青廉轉應和進慈廉爲左翼。一支由南昌轉金洞進嘉林，爲右翼。一支由中道進纏橋、塢門爲鑾駕清道。三道兵排列，擂鼓而行，環道人民爭先觀看。只見一道兵轉南昌行，軍仗鮮明，象棚上坐一大將，容貌溫雅，曰：「此智將，必范文仁。」一道兵轉青廉行，軍容齊整，象棚上坐一大將，顏色威嚴，曰：「此勇將，必黎宗質。」一道兵由平陸官路行，隊伍分行，象馬交驟，仗中一員大將，騎象指麾，形體短小，曰：「此人帶煞，疑於無陽，當是左軍黎文悅。」「步將如此，海軍可知，吾儕小人，當於道上結彩焚香，以迎新主。」

帝時駐外清華，令掌奇吳文楚權領鎮守，駕由山南下進珠球，賊都督和、協鎮信降，諭問：「僞纘有無防截何道？」和言：「賊主勢窮將竄，前途無阻。」帝命副將阮廷得留鎮山南上，傳令三軍啓程。軍諜報稱：「阮文撰拔赤藤庫，張福鳳克玄邱堡，三道齊進，已克昇龍。」帝問：

「已未俘獲僞纘君臣？」軍諜奏稱：「官軍未到大羅城四、五十里，僞纘與其弟光垂、光維、光紹，司馬阮文用、阮文賜，都督秀，謀欲率兵相抗。光垂以將士無戰心，扶光纘先棄城走。官軍抵城，纘已渡珥河北去多時。」帝即令飛馬報左軍悅，刻急分撥大兵追拿光纘。俄而前軍報稱已獲光纘。

緣纘走過昌江，夜宿壽昌寺，村民刼之，從兵盡散。光垂縊，秀與其妻亦自縊。光纘爲鳳眼村民名禯簷所獲，光紹、光維、文用、文賜別路奔竄，亦均被擒。適我追兵猝到，檻送北城，耑候獻駕。

庚申駕進昇龍，黎文悅與諸將奉迎乘輿入城，時當清嘉慶七年，而我高皇用兵已二十五年，始克成功云。

却說北河自己酉年黎皇奔清，僞光中據有其國，至辛酉年僞寶興竄昇龍，壬戌滅，父子竊國十有四年。暴政虐條，人心厭亂，故王師所臨，兵不血刃。旬月之間，得鎭十四，府十七，縣一百五十七，州四十。

北河處士吳俶有詠史詩云：「十三宣鎭此江山，飛渡雄兵指顧間。帆檣影聯瀘珥窄，旌旗色焔斗牛寒。倒戈僞將離心易，銜璧降君忍淚難。帝伯幾同殊影響，興朝宗社莫重關。」

時帝既進城，諸將扶帝登旗臺，觀望山川形勢，久之，黎文悅與范文仁請帝御敬天殿，受文武百官朝賀。諸道管佐，以次獻俘。北城四輔及上游諸鎭，降或逃竄，次第底平。惟諒山賊守臣未肯歸降，宣興太原諸土酋，猶懷觀望。帝令都統制黎文豐率先鋒兵巡略諒山，賊鎭守黃文金，協鎭張文錬以城降。帝令禮部修文誥騰諭藩酋，開示禍福。宣興太原三鎭土酋，儂福廉麻世固世澤世而丁公旺公貞公兼阮廣照阮克張潘伯奉琴，因元黎金工相繼朝見。帝乃宣諭西山僞官，聽其出首又論北河豪目有懷忠憤，不受賊黨驅策，避聚山林。

今逆賊既除，車書共道，宜各解散義兵，投納軍器，由所在地官表聞，隨才錄用。諭下，遠近聞知，諸僞臣文武官吏各詣行宮投首。豪目黎惟達率部曲四百人，具將軍械納于清華內督鎮阮德川以聞。準達赴侯行在，部曲許回安業。既乃以北河大定，布告中外，略曰：「朕自克復京城，賊徒北走，二百年疆界，山限風移；十三省承宣，水深火熱。討罪要民，正不容緩。月前十七日，水步發京師。二十一日，大駕啓行。六月十二日，水兵進渭潢。十七日，步兵抵昇龍。二十一日，大駕進城。賊都督虎意才和信、少尉騰、統領岱降，都督五、董理慎、僞岳之子麟、僞惠之子七與僞宣公光盤獲僞主光纘及其弟大宰光維、元帥光紹，臣司馬用、司馬賜竝爲京北民捉獲。康公光垂與協鎮霑、都督秀縊。賊少傅耀、司徒勇與其黨胡文恬、徐文昭、阮文甲、黎文興、阮文縉、阮文點、前自平定逃回，均於清義界首被擒。賊黨悉平，大勳用集。所在聞誥，鼓舞太平，尋以平西事移報南關，總督遣使如暹羅，及萬象、眞臘告捷。大會諸將議置治官，鎮每鎮守一，協鎮一，參協一。

命武臣統制、掌奇、該奇；文臣參軍、僉事、翰林、侍書，分理鎮務。阮廷得前鎮山南上，著阮克寬協鎮，阮公員參協。吳文楚前鎮清華外，著黎文弼協鎮，阮名燦參協。吳文語鎮守京北；陳公憲鎮守海陽；張福鳳鎮守山西；黎廷正鎮守諒山；黎文念鎮守太原；阮文堅鎮守興化；阮有道鎮守廣安；黎文進鎮守高平；武文忠鎮守宣光。段大愼、吳德俊、黎得秦、吳文宛、阮德滋、蔡文元、阮曰機、黎文正、黃仲慕均協鎮。阮文璜、阮公功、陳國高、黎明暉、黃文堂、阮世忠、阮文金、阮文儀、武廷進均參協。山南下權鎮阮文張。清華內權鎮阮德川聽詣昇龍。陳公賴代鎮山南。宗室障代鎮清華。阮文讜、武允文均協鎮。阮登基、黎曰義均參協。昇龍爲北城重地，武功初定，民物一新，非重臣不能鎮。

帝以前軍平西大將軍誠郡公功高知書，且識治體，可鎮全城，以制群動。乃命右軍平西將軍郡公阮黃德代鎮平定，兼領富安、廣義二營。加阮文孝爲右軍副將，從鎮公務。陞管先鋒營阮文性爲掌營，行延慶按鎮，兼管平康、平順，凡關緊戎務，內從嘉定，外從歸仁，相爲策應。諭嘉定守臣阮文仁嚴飭四營守將，巡緝地方，以固南邊保障。召阮文誠緊詣昇龍，命爲北城總鎮，賜之敕印，內外十三鎮均聽節制。凡黜陟官吏，處決詞訟，事得便宜。誠奏稱：「北城事繁，請設戶兵刑三曹，分理城務。」帝從其言。召鄧陳常于義安，陞黃曰纘爲都統制代領鎮守，阮懷瓊爲協鎮，阮春淑爲參協。常既至，準授兵部正卿，阮文禮（嘉定平陽人，辛亥試中格，補翰林。）爲參知，戶部阮允謙爲正卿。

允謙承天香茶人，贈吏部阮允統之弟，宋福淡擧為翰林侍學，時為平定該簿，召詣北城，令掌戶部兼領工曹。

阮廷慶爲參知，刑部范如登爲正卿。

如登原廣南人，父徙嘉定。登為人有器識，歷從戎遷，文甲參謀，以積勞陞刑部左參知，與阮文仁清理永鎮滯獄。從征歸仁，賊以城降，登隨武性管詞章，收發糧餉。尋往平康鑾册督辦軍需，轉吏部參知，復往洞海與阮文張鎮廣平。時從駕北城，令掌刑部。

阮文蘊爲參知，準從鎮將莅事，授阮嘉吉爲勤政殿學士。

嘉吉北寧文江人，故黎進士。浼僞，歸仁督學，與僞總管清、尚書樸歸順，準陞學士。

辨北城詞章，奉天府（今懷德）輔隸北城，置按撫、宣撫使各一，命掌奇阮伯釧爲按撫使（釗初南投，官授衛尉，歷從行陣，與賊戰，為賊礮所中，折左臂。）參軍黎文明爲宣撫使，諸鎮府縣，清義與山南、海陽、山西、京北府置管府一，知府一，縣置知縣一，以該奇、參軍與故黎鄉貢及北河士子上封事中選者補之。廣安、諒山、太原、興化、宣光、高平與清義之土府縣州，仍以土官管領。諒山自南關至油村隘（屬文淵州）接夾內地，使部往來由南關，解送人犯由油村。黎舊置左右守隘二號，諒山鎭臣請以舊守隘阮廷銘、阮廷珅爲之，準授銘爲正首號，守南關，珅爲副首號，守油村。隘官吏遵旨奉職清楚，諜報齊桅海匪，擾掠萬寧，乞兵捕勦。正是：

冲霄健翮高飛鳳　翻海狂波彊吼鯨

第二十八回

修文事追定祀典　謹武備分揀額兵

却說齊桅海匪張亞祿僞稱統兵，嘗臂西賊，抗拒官軍。日麗之敗潛竄萬寧洋外，肆行抄掠。廣安鎭臣以聞，帝命宋福樑與阮文雲率舟師討之，兵至雲屯海口，遇匪船十五艘，擊破之，斬匪渠鄭七及黨夥甚衆，俘亞祿等十餘人。帝以風水晚候，詔撤兵還，著沿海諸地方嚴加防備。令廣安送俘欽州，又命北城鎭臣械送俘匪楊七元、吳三仝等于清，因移書兩廣總督，問以邦交事宜。遣吏部僉事黎正路、兵部僉事陳明義候命南關。

既乃論社民捕賊功，京北民獲僞主纘，賞田三百畝。清華民獲僞臣勇，賞田三十畝。各復其身，諭水步諸軍賞之錢二萬五千緡，放諸營衞病兵回京休息，沿途諸地方給賜日程口糧。

帝思攻戰艱勞，軍士之力，而臨陣機宜，盡忠報國，則在將臣。詔諭曰：「己未庚申間，積歲用兵，將士從朕於富安、平定，或孤守城而殉節，或臨堅陣以捐軀，一腔義氣，可對神明，倥傯之秋，未遑旌表。今戎衣大定，四海永清，崇德報功，此爲首務。」其令二營立廟祀之。平定建廟二，一在平定城中八角樓前，祀武性、吳從周，及城內陣亡病故，贈掌奇至該奇凡二百六十八人。一在施耐獨山，祀武彝巍、宋曰福，及諸廣義至施耐陣亡病故，追贈掌奇至該隊凡六百十九人。富安建廟于虬蒙、巃嶼，祀枚德議、尊壽榮，及諸柹市至富安陣亡病故，追贈掌奇至該隊凡五百二十六人。置祀田，定祭典，命留京大臣權建太廟于皇城之左。俟回鑾日，祗告武成。敕嘉定鎭臣曰：「嘉定是中興之地，經建廟宇，以奉列聖嗣。」凡一切典禮，準鎭臣代行。

天尊山陵在宋山縣，是本朝發福之地，詔揀貴鄉民三十人，奉直陵廟，上件總民充屬隸服事。孔聖廟在昇龍城外西南，黎祖廟在昇龍城中西北，帝皆親謁行禮，命禮臣設壇祭山川之神，召宣太藩臣，訪求黎後維褍。褍時潛隱太原，依土酋麻世固，聞命詣謁。

帝準封爲延祀公，給祀田一萬畝，祀民一千人，詔曰：「王者建國，推崇先代之後，黎氏自開國至中興，前後二十五君，中間雖屬綴旒，猶爲共主。西山僭干，廟宇堙廢，今朕肅將天威，混一區宇，思崇典禮，以存黎緒。維祁顯宗嫡派，而不能守國，奔播于清，爾父維祗，能於顚沛之餘，以身殉國，猶爲黎後有人，特封爾爲延祀公，世襲爵位，奉守黎廟祀事。」尙其虔修禮節，以保同庥。

又給鄭族祀田五百畝，令鄭榍監其祀，詔言：「爾鄭先祖，本是姻戚，中間南北分疆，竝屬往事。自黎祚告終，鄭祀久廢，朕思瓜葛之親，準爾監守鄭祀。」黎後各支與鄭族二百四十七人，兵徭身稅竝免。黎朝功臣子孫爲西山所夷，下同編戶，命錄故黎開國功臣三十三人，中興功臣一十五人，列爲考功第一第二，準賜後裔各一人饒蔭，以弘報功之典。於是故黎舊臣阮維洽、黎維亶等相繼朝謁。洽附翊進士，官黎侍郎，亶安豐進士，官黎督同。帝準以洽爲侍中直學士，亶爲金華殿直學士。進士青威黎輝瑨，望瀛吳暹，彰德阮廷賜爲太和殿學士。清漳阮瑝爲金華殿學士。永順武廷梓，慈廉阮輝儻爲勤政殿學士。唐安范適與良才鄉貢武楨（官黎參知）爲侍中學士。

諸學士既拜命，日候清問，因議科舉法，諭曰：「科目坦途，誠不可闕，必須教育成材，然後鄉試會試，可次第舉行。」乃置北城諸鎭督學，以諸新學士臣充領。奉天阮廷賜、京北黎輝瑨、山西吳暹、海陽武廷梓、山南上阮瑝、山南下阮儻既又議封北河土酋官爵。清華上道統領何功泰糾集土目應義有功，賜郡公爵。宣光、興化、太原諸土酋儂福廉、麻世固爲宣慰大使，侯爵。餘爲宣慰使、招討使、防禦同知、防禦僉事，量賜侯伯有差。於是黎朝舊臣及藩酋等相率上表勸進。

却說帝自進駕昇龍，分鎭治，明政刑，論功命賞，凡北城合行事宜，漸各就緒。黎族、鄭族與黎文武舊臣及諸藩酋表請早晉尊位。帝諭曰：「歷代帝王，稱號不同，而君國子民，其義則一。朕初在嘉定，先正王位以繫人心。逮收復舊京，下詔改元，亦足以明正始。今元惡就擒，戎功耆定，諸臣交章勸進，推戴之情誠爲諄切。且我國自趙武以至丁黎李陳，世稱帝號，簡册可徵。第國家締造伊始，瘡痍未起，疾苦未蘇，澆風漓俗，未盡丕變，虐政弊端，未盡釐革，一切民情國計，籌畫方殷，若遽偃然自處，非朕意也。」乃令文武諸臣條上時事。

嘉定鎭臣阮文仁上封事，請行賑貸蠲雜稅。帝以西山虐政，民瘼未蘇，而武功大定之初，需用尤廣，勢難一概蠲除。海陽、至靈殘弊爲甚，免租稅一年。義安清華外免夏徵，諸有流民，租庸盡免。諒山免關津稅。餘諸產稅，歲分四季例輸。內外諸領無彫弊實情，正供依例。關津潭礦諸稅，量徵半年稅錢，以充國用。官吏徵收，每百緡以其一爲寓祿錢，例外芙蓄錢、給憑錢（西山舊例）竝禁。又命戶部製方升盌新式，收支糧粟，俾得均平。阮文誠奏請揀北城兵，初西山揀兵，旣炤丁籍，七取其一，每有徵發，輒復盡驅爲兵，民多苦之。

帝命誠與諸鎭臣議定其制，準阮文張、黎文悅、黎質、阮德川、鄧陳常分揀京北、山西、海陽、山南上下、清華外諸鎭，炤甲寅常行簿，七丁取一，補中前左後四軍及神武軍，與奮翼營諸奇隊。范文仁揀義安、清華內諸鎭，五丁取一，補神策軍諸營衛，以軍士從征有功勞者，量授官職，使率新揀兵宣光、興化、太原、諒山、高平、廣安六鎭，準令鎭官揀點十丁取一，置爲土兵諸奇隊，以土目分管，各從鎮官差派。奉天府爲昇龍附郭，雜役繁多，免揀。

又定北城鎮給兵丁禁例九條，（揀兵宜擇多丁殭富，毋得仰使儒寓孤窮。操揀兵丁，須圖陣精熟，部伍整齊。前後社民私課及豪富子弟營求換給，以致朝補暮換，兵不精練，嗣凡充伍，毋得換易。兵逃催責不獲，卽以父子兄弟充塡，無則別擇。逃兵拿獲，初次責笞三十，黜為火頭，再犯處決。逃兵回貫，為人發告，逃兵與社長立按軍法。所告是隊內人除免兵徭，終其身別令社人擇替。若別人告覺，責收逃兵鄉貫里役錢五十緡充償。兵丁前為西賊揀補，間有投降。及官軍擒獲，現充軍伍者，各咱回貫應選，炤數批除。其已蒙朱示為該隊隊長不在此例。新塡兵丁，社民備給人每布槖一，重布戎衣一，腰袴一，及縫錢五陌，納在城臣，隨便製給。新兵已有糧餉，社民附養月錢一緡，歲給黑布巾一，黑布單衣二，布袴二。民社有公田土，炤給口分，例外和點田糧及洲土者禁。新揀兵應伍，所管官科斂營私有罪。）諭之曰：「備國不可無兵，古人寓兵於農，所以保民。朕求古爲師，兵民之政，深所注意，昨議揀兵，分立軍支校隊，隨所換戍，蓋使之服習水土，保其家鄉。因念西山取兵無制，而管領擾弊多端，小民欺詐成風，苟求濟事，朕駕北城，已丁寧訓飭，猶慮愚民頑風未革，動及刑威，不教而殺，在所不忍。茲增定禁條，當各懲戒。」

又頒諸軍營禁令五條，議置鎮及府縣吏役。山南上下、海陽、京北、山西均漢民，謂內五鎭，鎭設左丞、右丞二司，司設勾稽、該合首合各一，屬司二十二人，府設題吏一，通吏十，縣設題吏一，通吏八，皁隸各五十人。義安、清華內外諸鎭如之宣光、興化、高平、太原、諒山、廣安，儂土雜居，謂外六鎭，鎭設左右二丞司，該合、首合各一，屬司十三人，整頓一番，事有定制。乃命自昇龍至義安各建沿途行宮，（山南，河洄驛、富阮驛、洞靈驛、求珠驛、安富驛。清平，福庵驛、館貂驛。清華，屏和驛、楨山驛、泰來驛、蓮舍驛、科場驛。義安，瓊華驛、香靄驛、西壘驛、金溪驛、勇決驛、度遼驛、丹制驛、右溪驛、有樂驛、梂營驛、神投驛，共二十三行宮。）著陳文能率戰船解僞光纘及諸俘賊回京。

暹羅遣使來賀，眞臘遣屋牙書盆牙減來獻方物，帝派官往答其禮。萬象遣使奉國書賀捷，且請鎭寧之地。這鎭寧即古蠻盆，黎洪德親征，置爲鎭寧府，隸義安，（統金山、清渭景淳、光榮、明廣、光瑯、忠順七縣。）接萬象界，黎朝維禱占據三十餘年，險要足恃。帝以萬象有助兵上道之功，準從所請，著義安鎭臣割以畀之。興化鎭目奏稱：「南掌國王昭溫猛自雲南回，請詣昇龍拜謁。

正是：

龍興始創唐朝業　鹿走逴分鄭國憂

皇越龍興誌　卷之六

第二十九回

定邦交欽受中朝冊封　晉尊位追崇先帝徽號

却說南掌別名牢龍，俗稱老撾家。溫猛乃其國王昭楓之子。楓死，猛年二歲，楓兄慈乍據有其國，猛稍長，疑慈乍害己，內投雲南訴于清，清帝賜之敕印，猛招蠻兵攻慈乍，至芒弭，爲慈乍所敗，遁往芒縎、芒慮間。後懷敕印寓昭晉州，聞我既定北河，因興化鎭目詣謁行在，奏請援兵回國。

帝以天下初定，未遑處置，復令歸寓昭晉以俟。時北河舊臣表請建都昇龍，詔下廷議，南圻文武諸臣奏言：「本朝肇基順化二百餘年，今上龍興，奄有全越，正猶湯以七十里之亳邑，肇域四海，文以一百里之岐山，肇造區夏。祖尊故地，險要全關。昇龍雖歷代故都，然殘破之餘，旺氣消歇。且以今形勢言之，地無重險之固，居僅一偏之安，事出不虞，勢難遙制。請且駕還富春，光壯宸極，而於南之嘉定，北之昇龍建二大閫，鎭以重臣，使之大小相維，緩急可恃，則邊方無外顧之憂，而神京有內重之勢。」復相具表以進。帝諭曰：「所言允協予意，準議回鑾。」命武曰寶揀擇標屬，分管諸城鎗礮。黃文點陞中軍副將，張進寶仍前軍副將，阮廷得管神策衞，阮文瑞陞掌奇衞，（瑞原上道將軍，以擅回嘉定，降該隊，守清洲道。）各領所部支衞兵卒留戍北城。陞陳大律掌奇，（律籍永隆官制誥改武職，有征伐功。）代阮廷得領山南上鎭守。召總鎭阮文誠諭曰：「北城之事悉以委卿。」誠拜領命，乃令范文仁、阮文張、阮德川、黎文悅、黎質率諸屬將扈駕，秋九月凱還。鄧德超製回鑾九曲歌，令清義歌工行奏御前侑駕。既抵京師，命禮臣錙吉，大告武成，獻俘太廟。僞主纘與僞弟光盤及僞臣耀、勇等盡法懲治。改西山邑曰安西邑，以識武功。

朝臣或有言曰：「光中雖得罪于本朝，然亦英雄之主。觀其以棘矜起兵，而取富春易於睥郡。躬將以駕昇龍，則戕鄭主；驅兵以誅阮整，則走黎皇。摧大清援北之師，玉洄戰而吳人挫屻。破萬象扶南之旅，鄭皐滅而牢長焚巢。稱王稱帝，人莫誰何。若武若文，臣胥畏服。占天文者有衆星朝南之懼，考地鈐者有入帝中國之憂。使非天警驕恣，而空中之雷三奪其虓，神厭淫亂，而夢中之棒再擊其頭。將三層之樓，可作永都之勝，雙魚之山，不來淺水之譏矣。光纘以孱弱之資，襲崇高之位。委其國于奸舅，而不能有爲，失其馭于權臣，而弗克自立。歸仁圍而施耐撤其重屯，澄河戰而春京亡其僭座。東皐之奔，衄賊鋒于瀘水。壽昌之刼，鎖囚檻于濃山。不以自己之鳩孝公者裁其身，而以其父之尸鵬忠者罹其酷。古有江東犬子，河北豚兒，當不如是之無恥。」黎質曰：「西事休題，今國朝新創，京城未稱雅觀，宜議營築。」於是奏請大發軍士營建京城。

帝命黎質與范文仁、阮文謙等董其役。黎文悅奏言：「前約將士以克復京師，立即改回休息。今京城既復，北河既定，或轉戍城鎭，或留築京城，連年積歲，未有還期，如朝廷信令何？」帝諭曰：「根本重地，必須一勞，乃期久逸。」悅固執不可。會廣義、石壁蠻擾邊，命悅提兵進討，悅軍既發，詔諸將議請封于清，召黎光定于嘉定，陞兵部尚書充正使，禮部右參知黎正路、勤政殿學士阮嘉吉爲甲乙副使，如清請封。且言：「我朝奄有安南越裳之地，請改安南舊號，稱越國。」

時我前部使臣鄭懷德奉清帝命，準其取路前往廣西進京。適黎光定使部由南關發程。清帝詔令懷德仍留桂省俟發。癸亥四月，兩部使臣自廣西開船抵湖北漢陽縣漢江口起陸，歷萬里長城，逾古北口，八月至滿洲之熱河行在拜覲。清帝嘉悅，準稱國號越南。命廣西按察使齊布森來錫封，著我使部同錫封使，由南關回國。廣西太平府王正堂以事咨移北城鎮臣阮文誠知會，誠馳驛奏聞，帝將幸昇龍，令往石壁軍次，召黎文悅回京聽候。悅時既破惡蠻，按兵茶曲，承命引還。詔與范文仁、阮文謙從國叔昇留守京城。阮文張、阮德川、黎質等率軍扈從。

秋九月大駕北巡，至清華，令阮德川領步兵先赴北城。鎮臣阮文誠報稱：「海匪抄掠廣安，時齊桅匪黨烏石二掠廣安白藤，侵入海陽古法。事聞行在，帝命阮文張與黎質領水兵前往，與海陽鎮臣陳公憲、北城守將阮廷得、兵部正卿鄧陳常督兵會勦。匪船不支，望洋東走。張以捷聞，時御駕已抵昇龍，即命阮文誠經略海陽、廣安，規措戎務。相形勢，設莅堡，著阮文張權領城務。飛諭諒山鎮臣，準備頓使儀物。鎮臣黎廷正奏稱：「清使漸抵南關。」帝命張進寶與兵部鄧陳常、參知阮文禮充關上候迎命使。范如登與副將陳光義、參知黎曰義往京北界首，刑部左參知阮登祐與都統制潘進黃往嘉橘公館，都統制潘文趙與戶部阮允謙、參知阮廷德往珥河津次，各備接使禮儀。既而齊布森抵城，我二部使臣亦至復命。帝令宗室暐護欵布森，蠲吉行宣封禮。鄭懷德充通譯使，阮文誠充受敕使，范文仁自京蒙召赴城充受印使。

嘉隆三年甲子春正月，邦交禮成齊布森北歸，詔阮文誠擇可使者，誠以黎伯品對。品嘉定平陽人，翰林制誥，黎伯評之子，起家國子監侍學，遷翰林，出爲鎮定記錄。時現廣南該簿，爲人博涉文史有專對之能。帝以誠聲題，準陞刑部右參知充如清正使，與甲乙副使陳明義、阮登第兼遞謝恩，進貢二禮。伯品既出關，帝諭阮文誠以經理鎭務，要使盜息民安。乃命范文仁、阮文張、阮德川、黎質等扈回京師。

却說大駕回至清華，帝率從官謁拜天尊山陵，命鎭臣督造原廟以崇肇跡初基。至義安，渡瀘江，帝喟然嘆曰：「壯哉山河！天限南北。」（北為北布政，屬義安。南為南布政，屬廣平。）阮德川奏稱：「昔我賢王，進破鄭兵。今我御駕，進滅西山。雖威嚴有赫，亦瀆神効靈。望賜懷柔之典。」帝命設壇諭祭而行。抵京，國叔昇扈帝謁長樂宮，乃議修理山陵，規造郊廟，營建宮殿，砌築皇城。黎文悅、黎質與范文仁、阮文謙、阮文張諸大臣分董其役。尋命諸臣分揀南兵，平順、延慶、富安、平定三丁取一，補五軍五保及水軍象軍。廣義補六道奇兵。廣南補神策五營水軍各衞。廣德、廣治、廣平補侍中十衞竝侍內各衞。廣定四營八丁取一，補邊雄、藩平、定威、永保各奇。留戍城鎭，以壯藩翰。出阮文張爲嘉定總督召。阮文仁來京，令會文班參考條例。仁言於國叔昇與廷臣文武百官，上表勸進再三。帝俯狥輿情奏知王太后，命禮臣備禮祇告郊廟，即皇帝位。時嘉隆五年丙寅春三月日，當清嘉慶十一年也。

帝既晉尊御正殿，受百官朝賀，議尊列聖徽號。諭曰：「敬尊愛親，孝所以爲大。報功崇德，禮所以爲厚。朕受命於危難之間，頓而復起，維天維祖宗實篤光眷于朕，故能再造社稷，恢拓封疆。追思列先王積德累仁，二百年勤施，於朕食報。而廟禮未加其盛，興言孝思，何以對越？」其令文武臣僚議上列先聖王，列先王妃尊號廟號。群臣議上，靖王爲肇祖靖皇帝，廟號肇祖，陵名長原。妃阮氏爲靖皇后。（陵與肇祖合葬。）仙王爲太祖裕皇帝，廟號太祖，陵名長基。妃阮氏爲裕皇后，陵名永基。佛王爲孝文皇帝，廟號熙尊，陵名長衍。妃阮氏爲孝文皇后，陵名永衍。昭王爲孝昭皇帝，廟號神尊，陵名長延。妃段氏爲孝昭皇后，陵名永延。賢王爲孝哲皇帝，廟號太宗，陵名長興。妃朱氏爲孝哲皇后，陵名永興。次妃宋氏爲孝哲皇后，陵名光興。義王爲孝義皇帝，廟號英宗，陵名長茂。妃宋氏爲孝義皇后，陵名永茂。明王爲孝明皇帝，廟號顯宗，陵名長清。妃宋氏爲孝明皇后，陵名永清。寧王爲孝寧皇帝，廟號肅宗，陵名長豐。妃張氏爲孝寧皇后，陵名永豐。武王爲孝武皇帝，廟號世宗，陵名長泰。妃張氏爲孝武皇后，陵名永泰。定王爲孝定皇帝，廟號睿宗，陵名長紹。封武王世子是爲宣王，立祠于龍湖。新政王爲穆王，建山墳于龍湖合祀。宣王園廟議上皇考尊號，群臣表言：

生成之謂罔極，故孝重顯揚。愛慤之謂不忘，故禮先論譔。惟我皇考，啓聖發祥，在九重為至親，於四海為獨尊。雖潛陽未顯，雷聲積於淵嘿，而德厚流光，豐水裕其燕貽。無憂惟文，為子以武，故子有天下。尊歸于父，誠宜視列祖而製鴻名，聯九廟而崇別號，庶幾上慰靈爽，仰瀉孝思。」

帝準廷議，奉尊興祖爲孝康皇帝，廟號興祖，陵名基聖。命鄧德超纂輯天南世系，起自肇祖至于睿宗，又上追澄國公，以明肇祖之所自。後紀孝康帝，以明帝躬之所自。上下二百餘年，凡世次功業，至誕辰忌辰，陵寢方向，準各備載，以示後人。

又奉金冊金寶尊王太后爲皇太后：

冊文略曰：「孝莫先於立愛，禮莫大於尊親。王太后化式庭闈，利施社稷，福貽子姓，澤被臣民，積功累仁，以有今日。臣惟發育之功，與天無極，恭上尊號為皇太后。名惟德稱，長侔兩曜之輝；福自天申，益衍九如之壽。」

命謙郡公范文仁與戶部阮奇計奉冊寶，封王后宋氏爲皇后。

冊文略曰：「純坤之體，配乎乾元。王化之始，基於內治。王后宋氏司朕壼職，曩在播越。

朕焦勞于外，后勤相于內。夷險備嘗，甘旨盡孝，珩瑀之懿，式範庭闈，關雎之風，化成天下。朕念后位于內，與朕同治宮中之職，必本諸朝，晉封為皇后。后其勖修內政，祗勤于德，每思義而有光，克篤其慶，永承庥于無數。」

諸大禮告成，追贈太后祖福兼爵郡公，父福忠爵綿國公，立祠于富春，名毓德祠。后高祖宋福德侯爵，曾祖宋福揚、祖宋福誠爵竝郡公，父宋福匡爵國公，立祠于富春，名宋公祠。命禮部設壇賜祭陣亡將士，追贈從難中興諸功臣祖父母，一品三代，二品二代，三品一代。準在京師建立開國從難中興三等功臣廟宇。定功載，置祀田，歲以春秋享祭，登秩百神。宣詔覃恩，大赦天下，在朝紳冑及諸鎭臣相率朝賀，奉表謝恩。阮文誠在北河上表陳謝，幷具重修昇龍城事以聞。

正是：

平南事業光前代　鎮北都城廣勝朝

第三十回

北河故疆訂版圖　南圻邊地重經畫

却說昇龍自李朝建都始名，陳黎相因，歲久頹圮。西山因其門闕旋而城之，制度大率簡陋。我朝都于富春，是城爲北河巨鎭，阮文誠欲壯大其城以備巡幸，乃與副將及在城文武議請營築。甲子秋末城成，復析舊三端門與東之東華，南之大興二門，取其磚石，按東西南北方位營起五門。乙丑秋工竣，具事題奏，欽旨賜名昇隆，誠勒諸石而銘之：

曰相維龍肚，形勝斯在傘圓，是維富良為帶，歷代有作宅斯塽塏，雲物遞遷，山河不改，赫赫明命，用眷我王。義旅西平，天聲北揚，六飛進蹕，覲風省方。乃命臣誠職此封疆，遙伏宸畫，修厥城役。載量事期，重新矩矱，五闍峩峩，百堞奕奕，皇威靜鎮，王度增廓保障之雄。永奠交封，蕩平遵路，輻輳同風，城以名顯，地以德隆，濃山、珥水長銘聖功。」

既乃摺奏遞覽，會諒山土酋莫粲常糾黨竊發，僞號景春。協鎭黎維亶發兵擒獲，檻送北城，誠奏誅之。詔誠入覲，候質北河經理之宜。原北河是南國故疆。乂安古越裳國（府九、德光府統縣六，天祿、眞祿、羅山、香山、淸漳、宜春。演州府統縣二，東城、瓊瑠。英山府統縣二，興元、南塘。河華府統縣二，石河、奇華。茶麟府統縣四，新山、襄陽、永慶、富寧。葵州府統縣二，中山、翠雲。玉麻府管鄭阜州、臨安府管歸合州。布政別為一州，又鎮寧府七縣，已畀萬象，源委見上隸之。明命改河華為河清府，統奇英、石河，增置錦川一縣隸之。改德光為德壽府，統羅山、香山、宜春、天祿，增置甘吉、甘門、甘靈三縣隸之。設為河靜省，屬于乂安英山府，增置梁山縣隸以清漳、眞祿，後又取還鎮寧府。）南界廣平，北達清華，哀牢在其西，大海處其東，山高水高深，風土重厚，號爲南州勝地。清華古象郡地，（隸府四。紹天府統縣八：瑞原、永祿、東山、雷陽、安定、錦水、石城、廣地。河中府統縣四：弘化、豐祿、峩山、宋山。靜嘉府統縣三：農貢、玉山、廣昌。清都府統縣一：壽春，州三：開榔、良政、岑洲。）滄海在其東，哀牢夾其西，南界義安，北接清平。山奇水秀，旺氣鍾英，是黎朝本原之地。

清平舊爲清華外，原屬清華，（隸府二。長安府統縣三。嘉遠、安謨、安慶。天關府統縣三：奉化、安華、樂土。）南界三疊山，北接山南下。

山南下古貉龍國，（隸府五。天長府統縣四：南眞、膠水、美祿、上元。義興府統縣四：大安，望瀛、後改豐盈天本、懿安。太平府統縣四：瑞英、瓊瑰、附翼、東關。先興府統縣四：興仁、延河、神溪、青關。建昌府統縣三：舒池、武仙、眞定。）南接清平，北夾南上，東畔臨海，西界沿山。山南上，（隸府四。常信府統縣三：青池、上福、富川。應天府統縣四：青威、彰德、山明、懷安。里仁府統縣五：南昌、青廉、金榜、維先、平陸。快州府統縣五：東安、金洞、天施、芙蓉、仙侶。）東南接海陽，南下西北接京北山西。（明命以屬奉天府之壽昌、永順二縣，與屬山西鎮之慈廉一縣置懷德府幷常信、應天、里仁所管十二縣，設為河內省，統以寧平，置眞寧縣隸之。天長四縣又置錢海縣與摘先興府之青關縣隸之。建昌三縣幷太平、義興二府所管八縣，設為南定省，以屬山南上之快州府所管五縣與屬山南下之先興府所管三縣，設為興安省，統於南定。）

山西古文郎國（隸府六。國威府統縣五：慈廉、安山、丹鳳、美良、石室。永祥府統縣五：安朗、安樂、白鶴、立石、扶寧。臨洮府統縣五：山圍、青波、夏華、華溪、三農。端雄府統縣五：東關、西關、山陽、登道、三陽。廣威府統縣四：先豐、明義、不拔、福壽。）南界清華，北接太原，京北在其東，宣興處其西。

海陽古交阯郡，（隸府四。平江府統縣三：唐豪、唐安、錦江。寧江府統縣四：嘉祿、四岐、青沔、永賴。南策府統縣四：青河、青林、先明、至靈。荊門府統縣七：宜陽、炭山、東潮、安老、金城、安陽、水棠。）南夾山南，北接廣安，東臨大海，西接京北。京北古武寧部，（隸府四。慈山府統縣五：東岸、桂陽、武江、仙遊、安豐。北河府統縣四：越安、天富、金華、協和。諒江府統縣六：鳳眼、右隴、安勇、安生、保祿、陸岸。順安府統縣五：嘉林、良才、超類、文江、嘉平。）南夾山南，北界太原，西連山西，東接諒山。該五鎭爲昇龍城直隸。

廣安古交阯郡，（隸府一：海東。縣四、橫蒲、堯封、安興、新平。州三：萬寧、雲屯、永安。）東臨大海，西達重山，南界海陽，北接雲南。

興化古文郎國（隸府三。興化府統縣三：鎭安、安立、文振。州二：文盤、水尾。嘉興府統縣一：青州。州三：枚越、符華。西安府統州十：萊州、倫州、潭州、瓊崖、昭晉、合淝、綏阜、黃岩、醴泉、嵩陵。）東連山西，西界雲南，北夾宣光，南接清華。

宣光古貉龍國，（隸府一：安州。縣一：福安。州五：枚陽、陸安、大蠻、渭川、保樂。）西夾雲南，東界山西，北連太原，南接興化。

太原古甌貉國，（隸府二。富平府統縣六：平泉、普安、洞喜、大慈、司農、文郎。州二：定化、武崖。通化府統縣一：感化。州一：白通。）南接山西，北界京北，西連宣光，東夾諒山。高平舊屬太原，（隸州四：石林、廣淵、上琅、下琅。）在鎭城之西，與宣光、山西夾界。

諒山古貉龍地（隸府一：長慶。州七：七泉、文關、脫朗、祿平、安博、文淵、溫州。）南夾廣安，北夾險關，京北接其西，高平連其東。該六鎭爲昇龍城外屏。奉天府（管永順、壽昌二縣。）隸昇隆城，誠鎮昇隆、北河均所統領。嘗稽辨興化疆事，奏請移咨清督詳核。昭晉、萊州及賴猛、剌猛、丁猛、校猛、蚌猛、弄猛疆界故事，祈委員會同，經畫地界。帝以未遑邊務，寢其事，至是回京陛見。後以內外十一鎮，及諸府州縣地圖一百六十四本進覽，且言：「本朝拓地廣於前黎，請飭文臣會修輿志，以示一統。」

却說國朝既復富春，西臣黎廷正獻十三道承宣版圖，關中險塞之處，天下郡縣之衆，帝經閱過，近差官度四至官路及諸鎮通路，經交兵部黎光定檢修大越輿地志。光定奏言：「南圻邊地，沿革所繇，與形勝所在，前志未明，乞飭鎮臣，緝究遞部，得使就編。」初帝嘗閱諸營地圖，以肇豐府香茶、富榮、廣田置廣德營，是神京所在之地。（明命改廣德為承天，分三縣為六：香茶、香水、富榮、富祿、廣田、豐田。）肇豐府登昌、海陵二縣與廣平府明靈一縣置廣治營。廣平府豐祿、麗水二縣與布政（內外）二州置廣平營，謂北直隸。北夾義安，南界廣義，東海際西牢、象山蠻。升華府灘川、醴陽、河東三縣，與奠盤府延福、和榮二縣仍為廣南營。思義府彰義、平山、慕華三縣仍為廣義營，謂南直隸。北夾廣治，南夾平定，東西與平治同。平定營陞為平定鎮，府仍歸仁，管綏遠、符離、蓬山三縣，北接廣義，南界富安，西控山蠻，東臨大海。（明命分綏遠為綏遠、綏福二縣，設安仁府，分符離為符吉、符美二縣與蓬山縣，設懷仁府，統以富安。）富安營陞為富安鎮，府置綏安，管同春、綏和二縣，北接平定，南界平和，東西與平定同。平康府改為寧和府，管廣福、新定二縣。延慶府管福田、華洲、永昌三縣，置為平和鎮。北接富安，南界平順，西東與富安同。（明命改平和為慶和，併福田、華洲二縣為福田一縣，統於平順。）平順營陞為平順鎮，置咸順府，管安福、禾多二縣，以順城鎮隸之。北接平和，南界邊和，東西與平和同。（明命改順城鎮為寧順府，分設綏定、綏豐二縣，仍隸平順省。）

廣德四營與平定是古占城地，爲我肇祖出鎭初基。富安與平和、平順亦占城地，爲我列聖開地新界。嘉定城兼理藩鎭營，改爲藩安鎭鎭轄。新平縣陞爲府，府轄平陽、新隆、福祿、順安四總，陞爲四縣。北接邊和，南界定祥，西夾高綿山巒，東際海。（明命摘取定祥之建和縣，盛會、盛睦、和樂、和同四總設新和縣，隸藩安省，仍以新和與福祿順安等縣，設新安府平陽、新隆二縣，仍為新平府，尋改藩安鎭為嘉定省，統以邊和）鎭邊營改爲邊和鎭鎭轄。福隆縣陞爲府，府轄福正、平安、隆城、福安四總，陞爲四縣。北接平順，南界藩安，東臨海際，西夾山巒。永鎭營改爲永清鎭（後避陵號，改為永隆。）鎭轄。定遠州改爲府，府轄永平、永安、永定、新安四總，陞爲四縣，隸以威遠屯。（明命分威遠屯為遵義、茶榮二縣，設樂化府隸之永隆。）東北接定祥，南接朱篤，西接高綿，東南臨海。（明命以定祥統永隆）鎭定營改爲定祥鎭鎭轄。建安縣陞爲府，府轄建登、建興、建和三總，陞爲三縣。北接藩安，南界永清、東西與藩安同。河仙鎭原轄五十餘社村耨屬置，爲河仙縣。（仙後改洲）龍川、堅江二道改爲二縣，設安邊府管之。（安邊後設開邊）南接朱篤，北夾高綿，西界暹羅，東南傍海。朱篤屯與後江所墾荒地設立邑里，號爲朱篤新疆。東北接永清，南接河仙，西界高綿（明命改朱篤屯為安江省，以定遠府之永安、永定二縣置為新城府。後江之東，朱篤屯原立社村與摘永、定縣二總為東川縣。後江之西，摘取永安縣四總為西川縣。這二縣設綏邊府，統以河仙。）

嘉定五營是眞臘地，歷朝開拓，帝中興根本所由，境土饒沃，人物繁昌，爲南邊重鎭，一番經畫，疆界星羅。光定時修地志，自京師以南極于河仙，北至于諒山，凡山川之險易，里路之遠近，疆域之界限，江河之源委，及橋樑市店風物土產無不備載。

表進其書，略曰：「我南越爲國，自涇貉迄丁李陳黎千餘載，天書猶限於橫山。我先聖建都，惟占臘與歸懷順廣數四州，地域尚分於瀘水，曰：肆上蒼之孚佑本朝，由東浦而嗣興南服。幅幀合此疆彼界，爲一家，爲一人。聲教通北徼南陲，有其民，有其地。版章孔厚，經理尤詳。曰：以所載類兩漢風俗，通名其編曰：『一統輿地志。』土宇疆域之廣，起自嘉定，至于諒山。道路里數之詳，始于都城，達于邊郡。曰：紙上雄州巨鎭，旋星森拱於宸居。眼前繡水錦山，直矢昭回於砥道。曰：備觀覽於本朝本國，四方知王道之蕩平，示艱難於文子文孫，萬代覩聖功之開拓。」

帝覽而悅之，改授光定吏部，尋思阮文張遠鎭嘉定日久，準許還京。復出阮文仁爲嘉定鎭守。

正是：

霧列雄州隆保障　霓懸旌節重英能

第三十一回

北鎮誠安居靖地方　後軍質經略平山寇

却說阮文張以嘉隆四年入鎮嘉定，安民戢暴，積有邊功。帝軫其宣力封疆，欲許回供京職，而難其代。廷臣奏言：「阮文仁前鎮嘉定，經五年餘，治兵勤農，克修民政，至於邊情吏弊，尤所諳詳。可再自京師出以憂國，乃以仁總鎮嘉定，兼領平順、河仙二鎮機務。令鄭懷德協總鎮，著阮文孝權領平定，徵阮黃德還，令與黎質督築廣南至平和諸官路。

黃德進言：「臣聞人言北河姦有異謀，請飭阮文誠巡緝地方，制於未動。緣北河大定之初，揀兵徵稅，重於平時，近築龍城及修理諸鎮，徭役浩繁，兼以官吏滋擾百端，民不堪命，閭里爲之語曰：『我心相渴笠子鷄毛，官事加重，三似西朝。』」清平土匪阮廷價因結上進土酋騷擾清華，黃誠檄報鎮臣陳公賴言：「部民行彊，恐辜守土。」即以事飛奏。帝差掌奇黎福興按守河中堡，黃曰纘管侍內勝威九隊，復往乂安代公賴領鎮。著公賴率兵進討。賴襲破賊巢，價與群盜潰散。旨令捄營守將阮文撰管龍武衞兵，移戍清平，以防餘黨。於是黎後黎團、鄭後鄭榡，因清平之變，招誘彰德鄧陳超、山音郭必叔與山南下武廷卿、武廷六，驅群不逞之徒，起兵爲亂。南上、平陸、懷安、金榜、南下、南眞、天長、義興、與海陽、廣安、京北、山西處處蜂起。誠譯其事以聞，帝怒誠馭民無狀，姑聽隨方勦辨，以安邊民。誠遣屬將分往京北、山西協與鎮臣，各攻所轄匪徒。

山南鎮臣阮廷得率所部益以北城鎮兵，往勦三縣。正統黎公理與衞尉張公覽率南下鎮兵巡勦南眞、大長、義興等轄。清華鎮臣宗室璋與衞尉范文春進攻山音。前軍副將張進寶與海陽鎮臣陳公憲率城兵竝廣安守將分道追捕匪黨，官兵進勦，大小凡三十六戰，匪渠各竄奔山林，黨夥擒或投首，餘均逃散。

張公覽與天長管府鄧文貞、知府阮亮，南上協鎮阮克寬與快州管府黎德繼俱戰死陣上。初，群盜多假尊黎爲名，以惑愚民，誠令陳宥作點迷曲曉之，民間有作訴屈曲歸之冗吏致盜。誠令所在地方官廣行開諭，人情始安。誠册上諸將功狀。帝賞錢二萬緡，仍諭誠蹤跡賊渠到案，以絕亂荄。何功泰奏請委人出境探捕郭必叔、鄭檦等。

帝欲另諭萬象陰緝，不之許。適萬象國王昭印之子阿弩遣使來貢，並送我逃兵三十人還。帝諭侍臣曰：「萬象既輸歲貢，又送逃兵，足見誠欵。倘土匪黎團、鄭檦來投，彼必縛獻。萬象是我上道藩屏，宜加褒獎，以期後功。」北城刑曹范如登回朝，疏言：「北河去京師稍遠，德化未孚，疾苦未達。願以時巡幸，廉防民情，興利除害，俾知聖朝一視同仁，無間內外，自然樂於歸向，不生異心。」

又請給北城揀兵糧田，以厚養兵。帝嘉納之，著陞刑部尙書，令復還莅。登出北城。阮文誠適丁母憂，請解鎮務扶襯歸葬。帝準誠請，著副將張進寶權領北城事務。黎文悅奏言：「北河盜賊滋起，事必有因，請差黎質經略北河，詳察官吏阿枉不平之狀，彙案候裁以清亂本。」會參論阮文載告質與黎文悅陰謀逆狀，原黎文悅治軍嚴切，將吏莫敢仰視，勳舊諸臣亦嚴憚之，質自以新附，事悅甚謹，凡行兵機略，立朝議論，數與悅商議。

阮文載是左軍標屬，苦悅鷙悍，因軍事爲悅所責，告悅設立堡庫，陰使人往北城諭豪傑，又嘗與黎質往來密語，疑有反謀。下刑部鞫問，載坐誣。帝曰：「載言似有緣故，須窮究以絕後疑。」復命廷臣鞫問，載果辭塞，論死。帝乃令質與阮黃德出鎮北城，時張進寶在北城，會齊桅海匪寇白藤寶，攻破之。復遣裴文泰擊走匪夥于先明摭江。

事聞，帝以北河事繁，寶難獨理，出阮黃德為北城總鎮，加范如登為參協，而以黎質為協總鎮，諭之曰：「北城重鎮，宜加心鎮撫，禦衆牧民，以稱朕意。」因召鄧陳常回京。

却說陳常自北河入覲，帝準留京奉職。常與部臣言：「北河土渠，常倚齊桅外援，以率制城兵。齊桅素憚阮中軍張，宜奏請差張與宋福樑提兵出征，海梗既除，土匪自懾不敢動。」張時臥病在京，部臣未及保舉而卒。帝以張屢建大功，又能愼守法度，賜之錢帽，命副將黃文點與參知吳仁靜治其喪。既而嘉定鎮臣阮文仁奏言：「匿螉禛報言暹兵志圖高綿，請賜方略。」初眞臘國王匿印之子匿禛襲位，（按太宗時臘主匿螉禛為宗室燕所今匿印之子，亦名禛。蓋蠻人有名無姓，凡王之子孫皆稱匿螉，名則命以美字，雖祖孫同名，亦不諱避。）遣其臣屋牙奔灦來請封。帝準改國名高綿，鑄國印，令吳仁靜與陳公檀奉敕印往羅碧、板城，封匿禛為國王，禛弟匿原投暹，暹王以原為臘二王。原弟俺為三王，禛不肯從。暹使丕雅、隆茫等下兵北尋奔，匿禛懼報嘉定仁聞于帝，帝召群臣會議暹、臘事宜，阮文誠與黎文悅以為暹與我結好，兵端一開，利害不細，請檄邊帥一人巡邊，覘其虛實，然後隨機處置。

帝善其議，飛諭仁率兵行邊，著張進寶署理總鎮印務，黎文豐督神策左營。兵入戍嘉定既而暹兵進據羅碧，禛奔新州，挈眷內投，仁使阮文瑞率兵護回嘉定，具事奏知。詔仁厚給錢米，居之藩邸。鄭懷德言於仁曰：「藩王事緜，另候規措，鄉科廟期，宜奏請開嘉定場以孚士望。」仁表言：「開科取士，國朝成規，前科只試河北人才，亦以嘉定經兵興餘，筆硯荒廢，今海宇清平，學者得成其業。」天詔一聞，正多士承休之日，請置南圻試場，以廣取才恩典。

初，嘉隆六年丁卯，詔開鄉試，仍前黎，義安、清華、山南、京北、海陽山、山西六場，場官外場設提調監試，內場設監考初覆。試法第一場經傳制義各一題。第二場詔表制各一道。第三場唐律詩一首，八韻體賦一篇。第四場策問一道。各按期出榜。前場中方入次場，中三場爲生徒，四場爲鄉貢，賜冠服，鹿鳴宴，準每六年一試。是年癸酉，例復設科，帝與阮文誠議科舉事，正欲增設試場，因文仁言，準于京師置廣德場，（廣平、廣治、廣南、廣義、平定、富安、平和合試）南圻還嘉定場，（藩安、邊和、永清、定祥、河仙、平順合試，試以七月）義安、清華仍各一場。（清平合試，清華試以三月，）山南、海陽併爲山南一場，（廣安合試）山西、京北併爲昇隆一場，（太原、諒山、宣光、興化、高平與山西、京北、奉天合試，試以十月。）

令既具，準交阮文仁與廣德守臣各于鎮城外設立場所各一，併飭北河鎮臣阮黃德通咨各鎮知遵。黎質謂黃德曰：「熙朝修飭平規，以文衡求天下士。然人亦何擇於文哉？重其氣節，武卒可檄弄臣；取其智謀，鬪將可緯王國。儒生多欲少剛，而以之臨民莅政，不幾閣東吾武臣耶！請且奏格其事。」黃德止之曰：「場屋只論文章雖非古制，人才必聚科目多出名卿。況朝歌驅車代州張幟，書生豈無武略出人？吾與將軍叨司鎖鑰，苟潢池有弄兵，而冀水衡莫施功於渤海；綠林多落草，而高太尉徒貽誚於東京。恐從容裘帶者，將長短我鎗劍也。今北河餘匪，想多礙冠妨步底人，一旦乘虛抵隙，動我征鼙，將何復命朝廷哉！」既而清華守臣宗室曈飛報鄧陳超再聚黨爲亂。超初爲阮文誠所破，與黎團、鄭標相失，各潛躲山嵛間，聞黃德新莅，而副以黎質，謂郭必叔曰：「今建節吾北者，乃仝宣降魔耶？南臣而降西，復騙西壻而歸南。參駕吾北者，乃茶仝死鬼耶？西臣而降南，復躡南壻，而驅西。天下反覆，殆若而人，安能制吾死命？」乃同必叔謀與丁世隊、阮廷價、武廷六等糾聚數千餘人，屯于敬老，（屬美良縣）乘間剽掠，鬧動北河。

質知賊黨稱兵始服黃德先見之智，自請發兵捕之。黃德飛報于朝，詔諭質勦撫隨宜，要藏厥事。質既出軍，遣該隊吳文進等爲前遊，軍至燕毛，遇超伏兵。進先走，質斬以徇復遣山南下鎮守阮文春進兵式穀擊破之。超與必叔收衆走聚山音，抄掠宋山、奉化，謀襲天關。宗室暐與義安守臣鄭玉智分兵守要，以待質兵會勦。必叔謂超曰：「兵少無糧，奈何？」超曰：「北河人必多思黎朝鄭主之恩，豪傑亦未盡忘，吾以義動，即制挺而兵，仰屋而食，亦可驚亂全關。倘勢力不敷，吾其退避山林，別圖他策。」俄而質至清平，超引軍四散，質屯兵枚圍招集土目，宣示朝廷威德，令諸軍據要害，設屯堡，嚴爲之備。又增設芝泥堡以扼匪黨往來之路。遂馳捷聞，帝以質無頓兵之勞，而賊望風以遁，賜詔慰勞，準質專鎮北城，召阮黃德來京恭候。

皇太后寧陵大禮。正是：

功就除凶欽勒石　秋悽長樂慟聞鐘

第三十二回

謹邊防經理石壁　排鄰難保護高綿

却說皇太后以嘉隆十年辛未秋九月己丑崩，壽七十有四，奉安梓宮于長壽宮，議奉尊謚爲孝康皇后。册文曰：「易稱成物，詩美生民，惟厚德體于至元，故徽音垂諸永世。欽惟大行皇太后，慈仁得乎天性，弘大配乎坤儀，艱難居貞，勷相仁考，近遭國步，曁臣于艱，躬健順之儀型，勖憂勤之機略，俾臣得以再造邦家，一統海宇，自非惠訓，曷克臻此。美成之化，洽于群方，大壽之年，逾宇七袠，遽棄天下之養上爲帝鄉之遊。謂天蓋高，欲酬恩而罔極，如地之載，宜述德於無疆。謹率郡臣，請命尊廟，恭上金册，尊爲『懿靜惠恭安貞慈獻孝康皇后』，伏惟懋昭靈爽，光受大名，陟配禰宮，萃歆萬禩。」乃命營陵于定門山。黎光定充山陵使，陵成，奉名瑞聖陵，以阮文誠與范文仁、阮黃德充山陵總護正副使，黎文悅與阮文謙充扶輦使，陳公賴充守護京城，阮德川提督兵象左右扈從。壬申夏四月癸丑，寧陵禮成，乃改授阮文誠欽差掌中軍留領京職，阮黃德欽差掌前軍，仍出北城。改神武軍爲右軍，授范文仁欽差掌右軍兼監神策軍。著左軍黎文悅復往廣義，經理石壁惡蠻。

那石壁屬廣義，山石峭立如壁，蠻獠巢穴其中，數爲邊患。國初籍其民，置中堅、前堅、左堅、右堅、後堅、內堅六道奇兵，分番屯守，民賴以寧。

定王時，惡蠻逆命，以該簿陳福成調遣六道將士兵民及歸仁、富安兵討平之。西山僭據春京，累番爲梗，帝既還都，留意邊務，令廣義營臣阮文纘因舊兵額補束隊伍，以備蠻寇。嘉隆初，騷擾邊氓，悅經與右軍副將阮文孝進破于紫溪、饒水。大駕北巡，惡蠻煽動，悅承命進攻，蠻人逃遁，悅收兵還，惡蠻復背叛如初。帝命悅率兵進討，營臣阮文纘管五堅兵從悅戎務。諭曰：「兵非佳器，惡蠻爲患，遂及於兵。今將士踰涉險阻，易生疾病，可隨機招討，以寧民居。縱不得已而戰，亦當先以狀奏，不可急攻。」悅兵至東陽，蠻酋率服。悅令招諭荒蠻，各安其業。疏聞，詔令張福鳳管各奇兵，留守廣義，防禦惡蠻，召悅還軍。

帝令平蠻之役，閱月勞苦，頒賞將士及降酋錢緡有差，時有副管奇黎國輝刻剝蠻民，惡蠻復相率擾邊，帝仍命悅率兵討之，著平定權宜留守阮文孝從悅戎務。諭曰：「惡蠻屢動，不得不討，然道路險峻，未易猝破，要善爲區處，以服其心，不戰屈人，爲策之善。」悅既至，密遣衞尉慈與副衞尉讓詐爲僞西餘黨，潛入蠻柵與之居，因問其狀，蠻人與慈言：「他無反意，但苦黎國輝苛索不已，故相謀反，以求偸生。」慈以告悅，悅執國輝詰得實狀，坐以軍法，奏斬之，蠻衆多降。

捷至京，帝召悅還，著與侍中都統制阮文謙、禮部尚書鄧德超留守京城。駕幸廣南，令范文仁與陳文擢、黎光定先往受人民控單閱奏，以悉幽隱。

帝駐蹕廣南，召廣義營臣張福鳳候問惡蠻現情，鳳言：「蠻人憑險爲梗，官軍至則逃散，去復叫聚，較與廣德之甘露蠻，順城之巴撫蠻頑梗爲甚。且地勢廣漠，營兵防截不敷，不一措置，恐難永保戢寧。」帝命悅仍往廣義捕務，惡蠻素懾悅威鋒，聞至輒遁。悅欲相度險要，廣爲防備之計，奏言：「六奇兵防禦多岐，難制蠻獠。請以平山、彰義、慕華三縣沿邊諸社村隨地聯絡，設爲二十七鄰，鄰置一堡或二堡，堡設該都副鄰管之協，與六道奇兵分屯按禦。」帝以悅熟悉邊情，準其隨便措置，因召阮文誠面諭制馭邊陲之術。

却說阮文誠時克國史總裁，嘗條兵事，一請置農兵以備徵發，二請束從兵以閑操練。又進武備志書，適承清問，誠因上封事六條，其六請制版鄰國，以靖邊塵。帝諭曰：「高綿匿禛倚我爲援，而我與暹結義，今將如何處置，令禛復國，而無啓隙於暹？」

時匿禛寓嘉定城，辭與鎭臣阮文仁乞兵歸國，仁譯獻其書。帝以問誠，誠請先馳國書責以大義。初暹王昭六書是佛王之子，以高綿輔臣高羅歆、茫茶知卞經受暹封，爲禛所殺，意欲攻禛。因遣丕雅、肥伐來獻方物，且言匿禛擅殺罪狀。帝令誠折之曰：「羅歆、知卞陰謀背逆，禛以國君誅之，亦猶疆臣誅不法之吏，何可見罪？況暹封錫無章，釀成禍釁，豈可專責匿禛？」肥伐辭屈，至是因禛請兵。帝令誠以書責暹，暹人自知理曲，致書謝云：「此來本欲爲禛兄弟講和，禛不自知，棄國而去，暹兵封府庫，修城堡以待其歸。今禛內投嘉定，憑仗寵靈，處置機宜，惟朝廷所制。」帝令答書，約以會兵歸禛。又送暹書諭禛曰：「王歸國，非暹人意，所以要暹必會，乃朕欲王與暹不失和氣。儻暹人失信，構起釁端，則其曲在暹，朕自有算。」既欲簡定大將，引兵前往，會納匿禛，即召阮文仁回京，命黎文悅出領嘉定總鎭，張進寶爲副總鎭，吳仁靜爲協總鎭，陞阮文春爲左軍副將。遣督清乂神策之軍與北城五軍象軍三千餘人從悅留戍。

悅既至，暹亦遣使丕雅、魔訶阿默前抵嘉定，悅驛之來京，詔悅與仁靜大發舟師一萬三千餘人，送匿禛回國，魔訶阿默率其使部以從，時嘉隆十二年春二月日也。

師至龍澳，暹將丕雅、肥差甫連沓等詣轅門拜詔書，匿禛遂入羅碧城，悅令其臣高羅森以兵五百衞之。先是暹土以我師遠涉，兵必不多，外爲和好，內則繕修戰具，陰欲來虛襲之。及悅至，聲勢震薄，暹人懾不敢動。悅明號令，禁擄掠，臘民賴以安堵。暹兵駐龍澳久不還，約歸匿禛之弟匿原又不果，悅具狀言：「暹人欲得眞臘，必以匿原爲奇貨。我欲屏蔽嘉定，必以匿禛爲藩臣。我之納禛，暹人不利多矣。暹王未必無興圖，藩王未必無後憂。今我兵久駐，則老師而費財，引還則藩王單弱而無備。且羅碧城陋不可以守，請城南榮以居藩王，城廬淹以宿輜重，城既成，然後留兵保護其國，而大兵撤回嘉定，徐觀其動，則勞逸形異，而得算在我。」

帝然之，命悅以水師據蛇能江步兵屯諸要地，而飛書責暹，暹乃退兵北尋奔，令原爲昆弟言，以謝匿禛，尋引兵去。我軍築南榮、廬淹二城，城內建安邊臺，臺上建柔遠堂，以爲藩王望拜之所。匿禛畏暹，請官保護，悅馳驛聞，詔悅班師，還嘉定經理城務。留阮文瑞以兵一千按守南榮城。陞陳公檀兵部左參知，協同保護。匿禛獻象八十四，悅以藩國再造，倉庫尙虛，請出庫銀還其直，詔報可。文瑞在高綿，事多專決，匿禛疑懼。事聞，召公卿議，阮文誠以爲「眞臘爲我屬國，累世珙球，今其國微弱，朝廷命保護之，誠義舉也。然保護之設，以固其存，非以監其國，請令瑞等別駐羅碧，令藩王得以有爲，則人心自安。」帝然其策，諭保護官嗣凡國事聽國王處分，惟章疏公文始詳閱參酌，以合事體。著黎文悅飛報文瑞欽遵。悅奏委阮文春督築朱篤堡以嚴邊防。帝許以之。尋命阮文誠護駕進幸廣南，因議海防事。令誠董築奠海、安海二臺，又以誠言設寶貨局于北城，以張文銘爲大使，令北城副總鎭黎質董監其事。質與總鎭阮黃德疏言：「陳公憲鎭海陽，政有卓異之效，乞賜獎錄。正是：

存邢偉烈優齊伯　治蜀能聲媲宋賢

第三十三回

清和殿儲位凝禧　武公署重臣對獄

却說陳公憲鎭海陽，適轄下颶風民饑，憲立賑濟堂於鎭門，貧民就食，計口給之，全活甚衆，被害甚者，貸之秧粟，秋成完納。永賴四岐二縣近海，鹹水溢，難於耕稼。憲督民築塞東橋內丹涇澼諸溪口，又設堰外障海水，得夏田八千餘畝。民多便之，號陳公堰。

帝得其狀，賜詔褒獎。會清華盜起，鎭守陳公賴發兵捕之。盜走上道，何功泰緝捕，俘獲三十人餘。帝嘉其功，遣阮佑儀齎金帛賜之。因飭嘉定城臣黎文悅考覈屬鎭官吏，以清郡治。時張福教鎭河仙，整軍寨，招流民，設學舍，墾荒田，經畫街市，區處漢人、清人、臘人、闍人，使以類聚，河仙復為南陲一大都會。悅奏其事，帝嘉之，使悅移會福教。悅聞皇后喪，表請入臨，帝以城務尚多，優詔不許。

初，我承天高皇后在播越時，奉皇太后，嘗備艱險，常親自紡績，手裁戎衣服，以給軍士。又嘗隨軍，舟行遇賊，帝督軍力戰，后亦援桴鼓之，士卒爭奮，卒敗賊。帝如暹時，賜金鎰為信。天下既定，從容呈進。帝曰：「艱難信金，當留以示子孫，近晉王后。」吳位奉撰敕文：

略言：「曁遭屯運，樂得坤朋。艱關湯沛武旄，共朕八九世先王之讐恥。迢遞蜀城秦棧，隨朕三十年鄰國之風塵。坎坷愈篤堅貞，婉娩夙閑世德。助孝思於長樂，親調御膳之珍甘，分苦節於會稽，自織同袍之絺綌。永巷脫簪，多資補袞，明庭望燎，屢贊求衣。朕思九廟之蒸嘗，香襪同懷於履露。朕念六軍之勞苦，翠娥共燮於聞鼙。飽殷憂而淵塞秉心，遵晦養而和柔著德。當熊衞漢，不愧馮姬。走馬興周，有光姜女。」

帝謂所言無矯辭，年五十有四，以嘉隆十三年甲戌春二月乙未崩，安梓宮于坤元殿。

帝命廷臣議晉尊謚，遣欽差掌右軍兼監神策軍謙郡公范文仁、禮部尚書興讓侯范登興捧金冊金寶，晉謚爲簡恭齊孝翼正順元皇后」。陳登龍充山陵使，奉建壽陵于定門社授山，用古合葬之制，名天授陵。阮文誠與阮文仁充山陵總護正副使，阮德川充扶輦使。副都統制阮文智、侍中右統制張福鄧充守護京城。乙亥春三月壬寅，葬天授陵玄宮之右。乙巳安神主于皇仁殿，皇四子奉主祀事。

時帝在位春秋高，儲嗣未定，朝問阮文誠曰：「孫旦尚幼，諸子中誰可立者？」對曰：「嫡孫承重，禮之正也。今陛下欲別擇，知子莫若父，非臣所敢預知。」既而會朝臣于其家，言曰：「皇孫旦當立，吾當奏請立之。」鄭懷德阻之曰：「此朝廷大事，必須斷自聖心，若私圖別策，貪天之功，則其罪大。」誠乃止。後每以建儲爲請，帝默然，及遇皇后喪，群臣或請以皇孫旦奉饋奠。帝諭之曰：「皇四子爲皇后子，有契在，皇后以信金賜皇四子，固將子之，宜令主祀。國家大計，不可槩泥家人禮。」阮文誠以祝文稱謂爲難，帝曰：「子承父命，以祭其母，名正言順，有何不可？」議乃定。

后喪既禫，帝令召黎文悅回侯，冊立皇太子大禮。初，悅自嘉定蒙召回京，適廣義惡蠻擾邊，鎭守潘進黃與戰不利。帝命阮文併管左保衞兵，阮文宣管右保衞兵，從悅進勦。軍至，蠻人遁去，悅築沿邊長壘，以六奇兵戍守，名平蠻道。捷聞，召回，悅知帝意屬皇四子，因奏言：「國有長君，社稷之福，皇四子當立。」皇四子時年二十六，鄧德超爲之輔導，養正聖功，多所裨益。賢明仁孝，夙孚聞聽，大臣心欲之。

帝命禮部備禮祭告郊廟，令吏部參知范光澈充捧詔官，戶部尚書阮廷德充宣詔官，以嘉隆十五年夏六月十一日立皇四子爲皇太子，居之清和殿。以阮懷瓊充輔導官，命凡軍國大事必先關白太子處決，然後奏御。暹羅、高蠻遣使來賀憑嘉定權鎭臣張進寶奏聞，寶題其事，因請派員出管鎭務。帝以阮黃德爲嘉定總鎭，黃德近自北城請假還，因病現留平定調養，聞命即行，尋復奏言：「臣忝不木，處繁劇之地，事多委積，不堪猶辨，請擇人副之。」詔令鄭懷德復自吏部再出嘉定，爲協總鎭。懷德辭行，部臣奏稱：「北城鎭臣黎質疏彈鄧陳常不法事。」

却說陳常與黎質素有隙，質陞郡公，常語人曰：「質而郡公，吾輩當十郡公。」質授平西將軍，常曰：「質而平西，誰平質？」質聞而啣之。及鎭北城，聞常前在城修開神敕，隱匿黃五福南侵之罪，混列祀典，又以所親奸開爲福神。禮部參知阮嘉吉扶同冒給封敕遂以事發，常上疏請罪，下廷議。阮文誠以爲常固有罪然以功準過，則有八議在。帝以誠左袒罪人。賜詔責罰。廷議陳常罪當革，嘉吉罪當死。參辨刑部事務，黎伯品言常與吉同罪異罰，非刑也，俱問死。帝曰：「品當是，常與吉坐斬監候。」帝軫常有効義功，開釋其罪，留居于京。質又疏言：「常多抑占潭池，隱沒丁田稅例，請逮治，復當死罪。」常在獄縱酒妄古，作王孫賦，以韓信自況。詔涉怨望，廷審以爲可誅，常坐絞籍其家，阮嘉吉削籍爲民。吉語人曰：「常欺君法當死，吾罪爲常所誤，憑君之恩，得全首領，銜環結草，或他待生。」可憐阮文誠遭子不孝，重以大臣嗛怨，法難萬全。

誠子詮癸酉科舉人，好以詩文交通賓客，聞清華人阮文奎、阮德潤有文名，作詩使門下阮張效往招之，詩有曰：「此回若得山中宰，佐我經綸轉化機。」詞涉悖逆，效出以示阮佑儀，儀嗾效以告黎文悅，悅與誠積不相協，遂以詮逆詞獻。帝以事狀未顯，置之而還其詞。效執為左劵，屢向詮求厚賄，復邀誠於道，牽其衣，索以償賂。誠不得已，執詮與效送廣德獄，自趨於朝。以事聞，下廷臣鞫問。詮與效辨言無確證。帝以誠於國有大功，準其按班朝侍復命釋詮寧家。廣治記錄阮維和素啣誠，因入覲乃袖彈書劾誠，略言：「詮潛謀不軌，事機洩露，誠不能詣闕待罪，而朝衣朝冠，倖倖立於朝廷之上，如體統何？況誠舉陳宥匪人，而匿其彊奸人妻之罪，陰結朋黨，罔上行私，營建母墳，踰制犯分，律以臣道，罪莫大焉。陛下若哀其有功，亦付之公議，以法正之，然後以恩全之，則國法伸而奸臣知所懼。」章下，誠均辨焉。時有事南郊，部臣言誠不當預。帝曰：「誠為重臣，其子縱有悖逆，事在暗昧，豈可聽一偏之說，遽疎勳舊之臣？」仍令預分獻。

一日罷朝。帝入內，及門，誠牽帝衣止之，泣訴曰：「臣少長追隨，以至今日，自本無罪，今乃為所構陷，陛下忍視衆人殺臣，不少垂解究乎？」阮德川大聲曰：「卿罪無罪，自有公議，朝廷之上，安得無禮！」叱之退，自是禁誠朝參。帝謂侍臣曰，詮無逆心，何詩之悖？」武楨是詮業師，意欲袒詮，奏言：「此詩固鄙悖，然其中有幽谷生香千里遠之句，香字當作上草下東包門的字，因避國諱，改作香，似非眞心悖逆。」帝怒其朋黨，褫楨職下之獄，因命黎文悅鞫詮，一訊果服。誠惶恐請罪。

帝以表示群臣，范登興奏言：「誠語隱躍，欲以小智欺朝廷，請罪似非眞心，群臣請下誠獄。」帝曰：「誠固有罪，然待大臣之禮，亦宜有以處之。」遂命收誠印綬，遣歸私第。命阮文仁兼署誠所掌中軍印務。案上，群臣言誠父子法當死。

吏部參知陳文恂以詮案是黎文悅所使，語悅曰：「中軍左軍同功一體之人，中軍今日如此，公他日何？」悅意解，恂乃疏言：「誠不能教子罪輕，維和劾大臣罪大。」帝曰：「是鉗人口也，非朋黨耶。」乃令廷臣覆議。會黎嗣延嗣公維禐謀反，北城臣查擬獄成送京，復命刑部鞫問。維禐乃言：「詮致書教之反。」刑部以聞，廷臣請均逮治。

帝命捕誠及衆子拘之侍中軍舍，廷臣會鞫誠于武公署，問誠：「反乎？」曰：「無。」問：「預知乎？」曰：「無。」對獄而出。歸軍舍語侍中統制黃公理曰：「獄成矣。君使臣以死，臣不死非忠也。」就寢良久，仰藥而死（時年六十）。

俄而軍吏得誠遺表，黃公理以進。表有曰：「朝鍛夕鍊，織成臣父子極惡，叩訴無由，有死而已。」帝持表哭之慟，顧謂范登興曰：「誠死葬以何禮？」對曰：「以庶人。」帝命中軍該隊一人兵三十人治其喪，賜錢五百緡，給還冠服，加賜宋錦三枝，布帛各十胥，衆子在禁者悉釋之，詮案成坐誅，陞阮維和刑部右參知，奬其敢劾阮文誠也。

帝嘗諭侍臣曰：「阮文誠從朕艱難，有大勳勞，朕不能保全，是朕德薄也。」侍臣因請議定望閣廕例。帝兩次如暹，凡扈從諸臣，官銜上均冠以「望閣」二字，以表其勞。又修望閣功，自宗室暉以下三百餘人。其後附而功業彪炳，如阮文張、何喜文方得與列。掌奇以上厚加俸例一倍，正衞正支以下分爲三項，優給錢米。陣亡病故諸臣，定爲五等，量給墓夫，妻子量給錢米，亦準五等之列。至是定廕授品級，一輕車都尉（秩從二品）二驍騎都尉（秩從三品）三騎都尉，（秩從四品）四飛騎尉，（秩從五品）五恩騎尉（秩從六品）六奉恩尉，（秩從七品）七承恩尉，（秩從八品）凡七等，以功大小爲差。議上，帝令準議施行。永清鎭臣以劉福祥贜案奏聞，嘉定總鎭阮黃德請罷祥保護改差阮文春權戍高綿。正是：

奬勞既定周功載　扶弱猶勤鄭戍兵

第三十四回

平土匪大將行邊　建山陵嗣皇襄禮

却說阮文瑞保護高綿，已經三載，帝軫其勞，召來京陛。劉福祥統制，令往高綿給保護銅印，以重其權；賜錢五十緡，聽募立屬差一隊以從。仍出阮文瑞爲永清鎮守。會福祥前在永清與該簿阮得秦記錄阮伯保因公科歛，贓至數萬，事發，阮文瑞以聞。帝令嘉定城臣按治，著阮文春權掌保護高緡國印。文瑞董浚東川港成，賜名瑞河，以表勞績。授文瑞欽差統制，再出保護高綿；陳文恂協同戎務，許阮文春回鎮永清，董築戰差新洲諸堡。阮文瑞奏稱：「匿禛晚年事多姑息，政歸藩僚，不樂保護。」

帝召文瑞回鎮永清，令與統制管威遠屯。阮文存右軍御尉，阮文宣率兵民會濬永清河。召阮文春回京，候問高綿事體，春對曰：「匿禛懦弱，政在昭錘，今昭錘未得其人，屋牙不能統攝，故致相猜。請令藩王擇一人爲昭錘俾事有統紀，則其國自定。」帝然之。

既而黎文悅疏請別簡京官出鎮義安，因令阮文春出鎮義安鎮守，時義安與清華二鎮歲饑，流民多聚爲盜，所在官不能制，清平天關土匪又多叫聚，山音土酋郭必叔等亦負固，累招不出。帝令黎文悅經理清義等處地方，以副都統阮文智，衞尉宗室暉隸從捕務。參知阮伯品參理軍機，參陪阮佑儀究辨詞翰，凡一切擒制機宜，調度軍情民瘼，有利可興，有害可除，與夫官吏貪墨，小民寃屈，小事竝聽隨宜處斷，大事然後奏聞。諭悅曰：「清華乃國家之湯沐邑，義安亦朕之股肱郡，此行要在平定安集，歸命者待以不死，効順者勸之用休。務期勞來直匡，以歸於生養安全之地而已。」

悅至義安，宣示朝廷威德，問民疾苦，群盜聞風潰散，或詣軍門投首，或爲官軍擒戮，境內肅然。悅上言：「義安之民，彫耗爲甚，究所以致此，其端有二：官無撫治之才，吏肆貪殘之虐。民之爲盜，是乃其所，請別簡鎮臣以綏輯之。蠲租已責，停止工投，則民自安。」帝從之。令阮文春出鎮義安，黎伯品權領協鎮，詔蠲義安是年租稅，及上年逋負，凡在鎮不急工役，一切竝罷。悅宣示詔文，民情大悅。留春在鎮理務，原鎮守陳文能從悅進兵清華，傳檄鎮道諸府縣，凡盜賊逋逃竝聽首免。又使阮文奎、阮德潤等持書曉諭上道諸土酋，示以禍福，使之歸降。

悅在鎮按兵不動，鎮守陳公賴不能禁戢，部屬索取民財，爲民所控。悅劾之，詔逮京獄，悅令所在官條民利病。奏聞，帝以悅能體勤恤至意，諭令：「清華清平自戊寅以前田租物產逋欠，一切蠲免；流民還復者，竝克租庸兵徭三年。」詔下，積年逋犯，十百爲群，亦各束械投降，不煩官兵勦捕。北城諸轄軍民及罪犯，亦有聞風，自來投首効用者。

上道土酋阮廷價、郭必叔、丁世隊等聞檄到，惶恐竄伏，先遣其子功等就軍降服，悅戒之曰：「歸告汝父，不能戰即來。不然吾且夕且至。」功等還報，必叔等乃各率其妻子素服拜降。悅疏言：「山蠻惡地，人跡罕到，逋逃者以此爲歸。欲大舉勦除，則官軍所至，彼均亡匿。欲戍守其地，則山溪嵐隆，不可久留。故歷朝以偷荒賜隔。今天威震疊，彼自束身歸命，請因其革面，綏之以德，使革其心。又降匪諸名均願効用贖罪，請命分隸屬軍，差撥戎務。有功則錄之，稔惡則誅之，亦權宜制馭之一術。」

帝覽表稱善，今赦廷價等罪，詔曰：「爾等久違聲教，本宜膺懲，念爾蠻醜不即董威，寬爾自新，俾陶竝育。近命大臣經略，專爲撫集黎元，似爾小酋，初非是問。今既悔罪投降，情亦可恕，特準洗雪前過，勉圖後善，以保有終。」復授廷價爲防禦使，必叔爲防禦同知，世隊等九人爲防禦僉事，賞給衣錢有差於是群盜止息，民居乃安。岑佩州十峝舊屬萬象，聞悅經略，其蠻酋肥齒于歆亦詣軍納款求內附。悅以事聞，帝準列爲貢蠻。會嘉定協總鎭鄭懷德奏稱：「總鎭阮黃德病終。」却說黃德以嘉隆十五年入鎭嘉定，政令嚴明，盜賊屛息。

帝方倚重南藩，及聞其喪，諭侍臣曰：「黃德不肯降賊，崎嶇萬險，從朕于艱，高出尋常遠甚。近爲朕莅三大閫，德業勳望堪銘旂常。」厚賜錦緞錢緡，又命定祥鎭臣諭祭。因遣阮文仁復領嘉定總鎭務。

初，帝欲大發高綿軍民開濬朱篤河道，阮文仁以爲浚河之役，工程重大，今藩國之民初附，若土木頻興，恐將驚動，事或難成。帝以問阮德川，川請從仁議。因言：「天下雖安，不可忘戰。請令諸城營鎭以正月七日操演象陣各三日，以閑武備。」川時管象政，故奏及之。帝準所請尋以清義事平，召黎文悅來京貼候，悅既回朝，帝適不豫，召范登興令草遺詔，命黎文悅兼監神策軍五營，與登興同受顧命。既而駕崩于中和殿。

帝以壬午年（清乾隆二十七年黎景興二十三年）生，甲午從睿宗南幸，戊戌攝國政，庚子正王位，辛酉還舊都，壬戌大定宇內，丙寅晉位皇帝，通計在位四十年，（王位二十六年，帝位一十四年），壽五十有八。

帝時上賓，親勳國叔昇，貴戚陳興達、胡文盃，勳舊范文仁、阮文謙先已次第終事。阮文仁在嘉定，質在昇隆，於是黎文悅、范登興與阮德川率文武百官備禮告廟，以庚辰正月朔旦翊皇太子即位，改元明命，是為聖祖仁皇帝。

聖祖既晉尊，率群臣議上皇考尊謚：「開天弘道，立紀垂統，聖文神武，峻德豐功，至仁大孝高皇帝，廟號世祖。」

黎質、阮文仁表請入臨優詔留質于北城，著鄭懷德權領嘉定鎮務，許仁回候，準與廷臣經紀喪事。召清華協鎮阮春淑充山陵使，尋飭北城戶曹阮祥雲與副總鎮黎文豐幫辦城務。準黎質來京，令與黎文悅充山陡總護使，阮文仁與阮德川充扶輦使，張進寶提督步兵扈從，張福鄧守護京城。著禮部蠲吉，奉寧天授陵，命吏部右參知吳位奉撰神功聖德碑，文曰：「嘉隆十三年甲戌，敕建天授山陵，其右奉皇妣高皇后寶衣之藏，左則壽陵也。異隧而同塋，蓋取乾坤合德之義。越十八年己卯十二月十九日丁未陟方，遺詔臣嗣皇帝位，臣諒陰翼室，躬執通喪祖襲之禮，一遵治命，極錦繡之美，無珠玉之飾。至於經紀大事，雖殫四海之富，而未敢以為泰也。今年庚辰四月辛丑，山陵禮成，對松楸之曷鬱，顧山河之綢繆。仰惟聖德神功，顯揚恢拓，窮高極厚，參天兩地。而黃顓靡金石之質，華勛畬喬松之紀，眞遊縹緲，攀號莫逮。惟有述前徽，鋪景鑠，詔來世而垂無窮。庶乎瀉罔極之悲，伸不匱之孝。

恭惟我太祖嘉裕皇帝，肇基王迹，列聖相承，垂三百載。墉而未茨，樸而未丹。肆上蒼監于有德，篤生我皇考世祖高皇帝，稟睿聰之質，濟英雄之志，妙齡遘閔，圖存於亡。誓三矢以殲仇，奮一戎以定亂。方其翠華南狩，皇路險傾，順逆雖殊，寡罪非敵。間關百戰，乍輸乍贏；輾轉一隅，旋失旋得。乃通質浪沙，棲光望閣。玄豹隱乎濛霧，神龍蟄乎潘淵，而執羈僕臣，每懷晉社，覲儀父老。日望漢官，則又糾合忠良。旋歸師再駕，投醪均惠，負石先勞。賊狐裘之蒙戎，而三軍同澤；經麥飯之倉卒，而百折不挫。蓋其仁足以被物，孝足以感神，文足以附衆，武足以威暴，人謀既臧，天助者順。新平江有浹旬之清流，芹滁海有崇朝之甘水，神武徵應，不一而足。三靈叶眷，六坎成夷，故能邁油雲，躍沉川，駸駸乎有不可禦之勢。天聲所至，廷鞫飈馳，覆彼鴟巢，盡取其轂，殲不共之讐虜，補既紊之穹圖。既爽舊邦，遂恢全越，功成治定，振古有光。遡自甲午至壬戌，歷年二十有九，北抵諒山，南極河仙，闢地二十有七。逮夫潤澤洪業，躬致隆平，禮樂刑政之施，典章法度之備，長壽承歡，因親教愛，坤元起化，由家及國。通西北之鄰，而友邦之好永固；恤黎鄭之後，而勝國之祀不廢。其用兵之久，明效之大，守成之盡善盡美，殆非簡冊所能殫述。

嗚呼！盛哉。我皇考之功若德表，表在人，如日月之不可掩。臣奉纂其大略，勒爲聖德神功碑，示文子文孫，世世仰瞻，咸知締造之不易，思負荷之維艱，於以憑藉持循，庶答揚我皇考之光，訓而衍宗社億萬年無疆之業。時明命元年七月丙辰也。謹稽首拜手而爲之銘曰：『於穆維天，敷佑下民。於皇維聖，極溺亨屯。紫色蠅聲，豈命之運？帝謂聖人，用殄厥慍。王師所至，如雷如霆，罪人既得，大告武成。一十八年，凝圖保治，功德兼隆，終始全美。聖人違世，典則尚貽；羹牆在夢，鈞石與思。顧瞻景山，緬想豐水，敬勒崇鴻，永昭來裔。保之享之，有熚其光，奠我皇越，與天無疆。』

文上，聖祖嘉悅，命鐫碑豎尊陵前。既乃差吳位與黃隆煥奉使如清告哀，且求封云。

驪州記

陳義 校點

驩州記 出版說明

驩州記（或稱天南列傳阮景氏驩州記）是一本章回小說，描述義靜（即古驩州）地區阮景家族前八世的事，其中突出的有阮景曜（第五代）、阮景堅（第六代）、阮景河（第七代）和阮景桂（第八代）的事，他們在「扶黎滅莫」建立黎朝中興時代中起了重要作用。

書中沒有注明編撰年代。但跋中寫道：「右傳起自越胡朝丙戌歲，至本朝永治戊午年凡二百七十三年。」永治丙午年是一六七八年，屬黎熙宗時代。因此，該書不可能在這時間之前完成。至於「本朝」二字是指成書於黎朝，而不是西山朝（一七九八～一八〇二）或阮朝（一八〇二～一九四五）。跋中還有一段說：「愚於少時覽於朋幾，所得常國南征記、潘氏長編兩傳，僅數十張，紙蠹字漏，存者三分之一。迨丙子年冬，得於都粱所藏驩州阮景記，文拙字舛，抄寫失眞，不能無憾。仍此，於閒日，憑取三藁兼綴爲一。」這裏提及的丙子年可能是一六九六年，也可能是一七五六年，兩者相差一個花甲。跋中指出作品問世的理由：一是補寫黎中興時期功臣們的事迹，而這些事迹在「國史」中或被遺漏，或記載不詳；二是訂正一些在「國史」中記載不完全正確的事件。跋中所說的「國史」首先是大越史記全書中黎玄宗（一六六三～一六七一）和黎熙宗（一六七六～一七〇五）時期寫的本紀續編；其次是胡士揚等奉旨合編的中興實錄。本紀續編對阮姓家族的功臣們只是輕描淡寫地提了一下，而在中興實錄中却根本沒有說到。如果確實是這個原因促使阮姓家族撰寫驩州記的話，那麼作品編寫年代應該接近上述兩部史書的編寫年代。中興實錄刊行於一六七六年，本紀續編和大越史記全書的其它部份刊行於一六九七年。因此，驩州記很可能成書於第一個丙子年卽一六九六年以後不久，與中興實錄和大越史記全書發表的年份相近，而不是第二個丙子年（一七五六年），因那時阮景家族對「國史」的不平已經淡化了。

驩州記沒註明作者姓名。但通過對它與其它一二部家譜所記載世系次序的比較，我們可以得到一些解答，這些現仍收藏在義安的家譜不用章回小說體裁來描述阮姓家族的事迹。驩州記和上述各類家譜都詳細記述了義靜阮景家族的前六世情況，從景侶、景律、景灝到景暉、景曤、景堅。但從第七第八世起，驩州記也和別的尙存的家譜一樣，都有不盡相同的記載。如第七世，驩州記寫的是阮景河，而另一本家譜却寫阮景乙；第八世在驩州記中寫的是阮景桂，而另一本家譜却寫阮景榼……等等。在包括驩州記在內的各種家譜中，所記載世系次序的不同，成爲區別阮景家族中這個支系與那個支系的自然標誌。記載阮景家族第七世的家譜從阮景乙起就作了不同的記載，這無疑就是阮景乙支系的家譜。有關阮氏第八世的記載從景榼起也有所不同，這正是阮景榼支系的家譜。驩州記中有關第八世的記載却是阮景桂，說明這是阮景桂支系的家譜。

驩州記是阮景桂支系的家譜，這意味着驩州記作者是一個與這個支系有關聯的人。當驩州記於一六九七年成書不久，僚郡公阮景桂已去世約三十年左右（根據阮景榼支系家譜）。我們可以想像驩州記的撰寫人如果不是阮景桂的同輩，也是他緊接着的後輩。

值得注意的是，似乎驩州記的作者並不喜歡出頭露面。作者只想把自己的作品作爲義靜阮景家族奉獻給全國的一份禮物。換句話說，驩州記的作者就是義安阮景家族中的一員。

在一六九七年之後不久寫成的驩州記的版本至今尙未找到。漢喃研究所現存兩本驩州記，一本的書號是 VHV 4199，另一本是 VHV 4200，是重抄本。

VHV 4199 的這個本子共有一五六頁，雙疊棉紙，紙已發黃，尺寸爲 23 cm × 14 cm。半葉七行，每行平均二十個字，短的十七個字，長的二十三個字，間有夾注，比書中字體小一半。書是用毛筆寫的，字迹灑脫，正楷與草書並用，有些字的書法奇特。全書中殘缺頁不少，具體如下：

1. 第一回，第一節，缺第一、二、三頁。
2. 第二回，第三節，缺第六九頁。
3. 第四回，第一節和第二節，缺第一二一～一三三頁。

有關抄本的時間，儘管沒有寫清，但我們可以從抄本中的避諱判斷出來。

首先是「提」字，寫成「[illegible]」，這個字出現在第二七頁a面第一行「加升[illegible]督」的句子中和在第一五、一六頁第三行「官至[illegible]督」的句子中，這是黎朝的諱字。到永盛十年（一七一四）「提」字就不再被列入公佈的三四個諱字中了（見斷詞體式，漢喃研究所藏書，編號A一九八三，一九頁）。

其次是種、踵這兩個字都被寫成「重」，書寫時略去了「禾」、「足」等偏旁。在第四六頁第一行中出現在「老翁曰此重人心」的句子中，另在第四頁第三行出現在「耕重立業」、第四六頁第四行「有一小童重后」的句子中等等。這是嘉隆皇帝的諱名，約從一八〇七年開始施行（見大南會典事例卷二六一，禁條部份）。再看「膽」字（紹治皇帝的名字），「任」（嗣德皇帝的名字），還有一些從嗣德年代起就成爲諱字的，如「宗」（寫成「尊」），「時」（寫成「辰」）等，但書中却都照一般寫法書寫。

從上述各種現象，以及版本的陳舊程度，可以判斷這個本子是在阮初時抄寫的。「提」字仍按諱字來寫，說明作者是忠於原版本的，卽所謂黎朝時期一六九七年問世的版本。

VHV 4200 的本子有以下特點：全書共一九四頁，是用雙面疊折棉紙抄寫。紙色發黃，尺寸爲 25 cm × 17 cm。半葉六行，每行平均十七個字，短的十五個字，長的十八個字。間有夾注，比書中字體小一半，毛筆書寫，正楷寫成，易讀，字體與 VHV 4199 本的字體完全不同。

書的第一頁a面注有「成泰六年八月初九日阮景昇奉抄家譜大全一卷」的字樣。接着是正文。書尾一九四頁的a面注有「共壹百玖拾貳張」（其實應是壹佰玖拾肆張），第一九四頁b面注有「成泰甲午年七月十九日耳孫阮景昇謹述」的字樣。

這個本子的諱字有「宗」（寫成「尊」），「實」（寫成「寔」），「任」（寫成「壬」或任），再一次說明這是十九世紀的抄本。問題是VHV 4200 是根據哪一個本子抄成的？對照正文，可以看出抄本忠實地摹仿了 VHV 4199 本，甚至連特殊的標誌，錯別字也都照抄了。當然，VHV 4200 本在抄寫過程中也曾發現 VHV 4199 本的遺漏和錯誤並予以訂正，但也無法避免三抄失本的現象。

儘管如此，VHV 4200 這個本子仍是現存的最完善的本子；從這個本子裏我們不難想像出 VHV 4199 底本的原貌。一般認爲它就是 VHV 4200 抄錄和摹仿的藍本。

在這次出版校勘中，阮氏討女士用 VHV 4199 作爲底本。底本中有些地方紙張損壞，缺字少句的，則用 VHV 4200 來補正。

上述兩個本子原來是不分章節的。爲了方便閱讀起見，阮氏討女士根據跋的精神把它分成四回，十六節，「回」與「節」的字樣是由校勘人增加的。

作為一本剛被發現的越南最早的章回小說，驩州記已很快地被譯成現代越語並於一九八八年在河內出版發行了。

陳義

書影

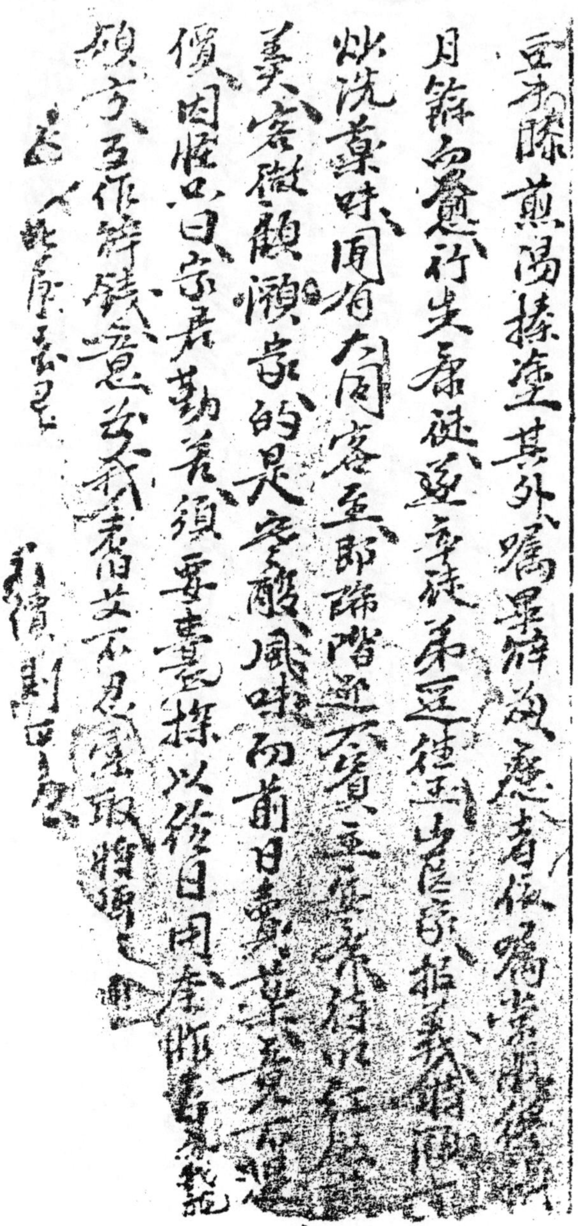

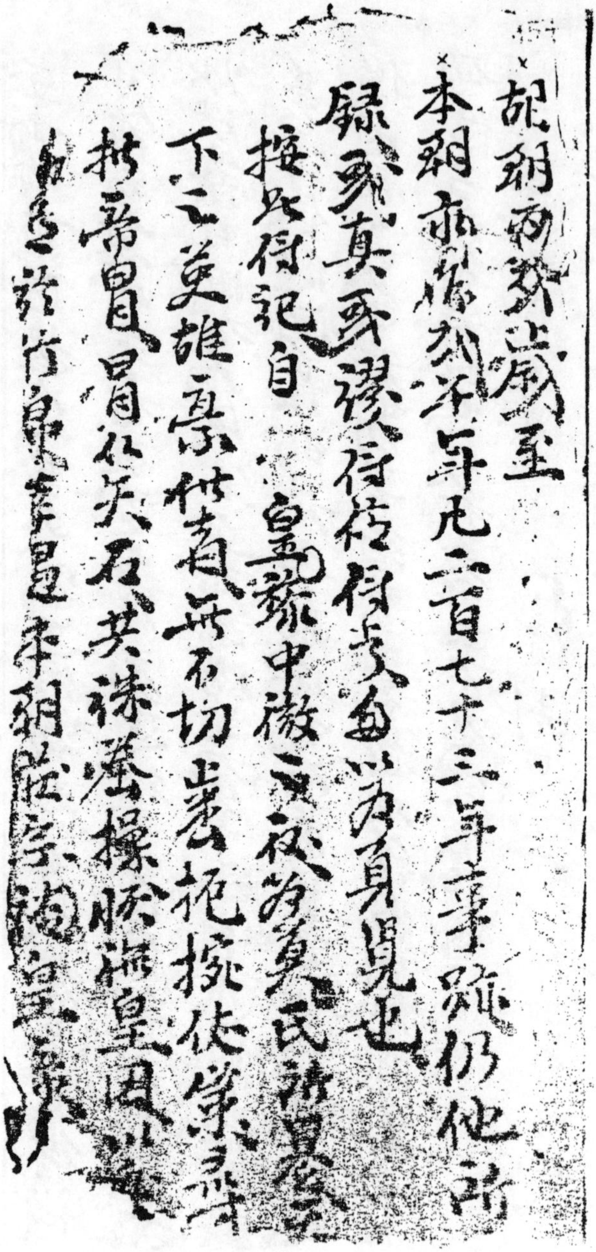

驩州記

第一回

第一節 天之轉也 地之振也

天地生我祖享。玉嶺之山高，藍江之水秀，眞名相將所出。才大有爲，芳流書劔，輔佐黎皇，洪圖大定。後世子孫，享國恩長，萬代不易。

厥初鼻祖諱呂，東潮、千里人也。胡末，吳人南侵，祖避亂入淸花之嘉遠。後流入驩州、香山、循理社。辰（時）兵革肆擾，遷徙無常。幸遇黎太祖起兵藍山，剪除吳賊，天下大定。祖始達岸，寓南塘縣長閣、花林、東烈等社，就在玉山津下，以橫渡舟，濟人爲業。順天庚戌年（一四三〇），攢造戶籍，因着入玉山村人。晚年不記，墓處不詳。

其生子名律。律從父居玉山村。其父終，律遂以瓢灸血針爲業。其性和賢，人多愛之。因結屋居於山下。但晦亂之後，尚有凶荒，方民飢饉，千里之途，逈無開墾。律居玉山下五載餘，一日肩掛簞瓢，望東烈社乍粱村而行攬者。纔到犬生❶處，仰見林叢岑欝，道路荒蕪。行未數步，忽聞呃哮聲起，山精跨出，而阮律影墜。虎不忍食，以爪封墓。終年不記。至後，子孫有大功於本朝，加贈封律為開國推忠揚義輔國功臣，管領鐵突忠聖翊將演福侯。弘定間（一六〇一～一六一九）復加贈亞郡公。

所生得長男諱灝。見父不返，求卜於市。卜者善推易理，捧擲錢問，「己巳日辰，得震之二」，具以墓處語之。灝謝畢，拭淚而歸。直到乍溧審問，忽逢村中老叟曰：「昨有炙工不幸為老翁（乂安上道呼虎為老翁）❷所害，棄其瓢篋，人共知矣。」遂引灝入狂甦處指之曰：「此原先人得非化身於此處耶。」灝見其封墳如人工築成一樣，自謂天予，不敢擅移。因傳示子孫，認為祖墳。

灝體貌寬和，其性樂善。學得醫才，每好生度物，施藥療病，一方長幼咸受賴焉。種德滿心，入山採藥，常就南峰取厚朴、五加皮、草蘚、土茯苓。一日，踰櫳椌處取牡丹、霍香、陳皮、香附而歸，途經大同社，入宿朋家。鄰接有一富叟，子孫衆多，年踰耳順；偶遭患疾，已經一載。聞灝乃名醫，即遣人延請。既到，坐定，富者令具酒殽欵待，已而出錢五陌請看病施藥。灝止取藥錢一陌，許以木瓜散，令和酒均飲之。又令以黑豆牛膝煎湯，擦塗其外。囑畢，辭歸。漶（患）者依囑常服，纔得月餘而愈（癒），行步康健，遂率徒弟逕往玉山醫家報義。時灝方炒洗藥味，聞有大同客至，即降階迎入。賓主安席，待以紅飯藜羹。客微顧灝家，的是寒酸風味。而前日賣藥，竟不濫取價，因怪問曰：「家居勤苦，須要探囊以給日用。奈昨者為我施頒方，又作辭錢意；為我耆艾，不忍索取耶？將陋嗇節，姑少待耶？」灝答曰：「此藥雖是療方，而價則平易，不到那錢，豈可欺人濫取！」

老翁曰：「此種善人心，天必有報之。」

語畢，辭回。數日復使親孫牽沙牢一隻，往玉山權以謝醫者。阮灝既得黃牢，因開墾山下隴田，耕種立業。

却說大同有一姓朱，因遠遊山水間，見一老翁眉髮盡白，面如紅棗；後有一小童，後掛羅經，而徧攬乾坤世界，無所不到焉，遂以爲術家大拳。因與他結友，潛心迎請，營求吉地。老翁以他阻期趣，限以冬來再會於大同，不負其約，仍各餞別。

後老翁依期，循途而往方到沙南市，但見：

魚鮮呈酒店，
龍粉肆脯亭。
喚客美姝招手接，
長途遊子適情寧！

「適情寧」者匪特壯遊，抑亦老情有所歆慕。遂蹇裳入館，以爲大同亦遠，盡括袖中府庫，一時翫飲。及酒蘭茶歇，杖棹童從。纔顧影間，子午已作縫針矣，猶不以爲晚。足雖程途，眼迷風水，貴人之步尚且寬遲，不覺始到花林。擡頭一望，日已啣山。遂於江沿長進一遭。俄就玉山腳下，望於隴旁，忽見一耕夫甚偉，向前問曰：「耕者何人也？」

耕者曰：「吾鄉人也。」

老人曰：「今往大同，餘有幾曲里路？天色尚晞，蹩步其可及否？」

耕者曰：「程尚遐，天（色）將暮，況山林多有惡獸害人，處處驚患，多有關防相驚。倘着何不覓問人家投宿，尙在淹留野路耶？」

老翁聽罷，心重憂，考慮難進退，却有呻吟徘徊狀，終顰眉謂耕者曰：「卿家何在，頗得帶回，使吾父子依此一夕，庶免路居之患？」

耕者曰：「本以卑狹爲居，恐不安歟。公若肯來，何惜延納。」

老人曰：「夜到山窮，蒙君厚意，寄得安息，何暇乎飯白床清。」遂從入耕人廬舍。及至，只見兩間草蓋，一榻竹（床）。耕者確讓老人上坐。良久，謂曰：「有作飯者，命童人向灶？」

老翁曰：「原往沙南，經過安全，欲往大同憲朗訪尋舊義，不想到此，故行間有忽於齊備。」耕者喚家人謂曰：「夫子在陳返，過范丹塵甑。今客既無糧，我家瓶裏尚有米否？」時歲旱米貴，家用不足。家人曰：「本尙有雄鷄一隻，糯米一匀，黑豆二斗，自可烹煮。但明旦先人諱日，何以計之。」

其人曰：「無慮，自有方便。當殺鷄做飯，以半分預先告祭，一得以先爲孝，二得助老翁父子千里飢勞。」

時老翁父子雖居廬外，假作行勞酣睡，以窺其意思。只聽得家主傳餐，令以糯米半匀，黑豆一斗煮飯。又烹割鷄嘴一半既熟，盛以竹編盤，拜告祖先嘗。禮畢，後捧出請客。店外間撫起老翁父子，始以進食。須臾，茶蘭芙接，老翁請家主吐實姓名、世業。

主人曰：「吾姓阮，名灝，祖父本東潮千里人也。方胡末大亂，北寇來侵，山賊海賊多所攪擾，方民搖動，故先人提携相保，離貫上程，流落於此，不知幾星霜。小人遇時飢饉，至親早亡，存權殯於濃寺處。因此，心不忍離，憑守先人舊宅，蓋築卑狹以居家小。冬之夜寒，秋之露霧不免侵染。我常專醫，賣藥以給家小。但人口繁，厨資不足，故朝夕之間尙有告匱。今蒙及慰問，敢不吐盡眞情。」

老翁暗知灝意，且言語非出於尋常。

及天將明，阮灝扛薪柴一擔入鄉中，易得剛米二斗，灰酒一樽，帶回仍命家人煮飯，並前糯米半勻，黑豆一斗合蒸，及鷄半隻，一時煮熟具設，煎（焚）香拜禮。禮畢，復敬捧酒饌欵待老翁父子，一時勸勉，甚敬重焉。老翁料想荒歉時節，人心厚待，不可捐忽。及辭去，謝曰：「鷄黍厚意，我何時復能報答！」

灝曰：「飢饉之間，薄湯非饌未敷本意，豈敢望報。」因送老翁逕出門外上程。

忽有安樂村人求灝看病。灝本不知老翁有山水才妙，遂分袂入安樂村救病，而放了老翁，逕過同倫馳去。

老翁速入夢山，望地勢祖宗❸而來因「辭樓下殿」脫到花林社，見一坐玉山，頂帳高大有氣，搞得：「辛龍轉巽入左脚，水星結穴」，前後分合可辨，左右龍虎狀如張旗。向前，大江橫過，來水碧清的是「三公武將」上格龍脈也。那老翁相得此地，堅置一隅心裏，不復漏洩，遂向大同、憲朗等社。放入朱家，事跡不在話下。

却說阮灝自安樂救濟，回到玉山，得三四日後，因垂掛疎簾，間看醫旨。忽聽見路上有人馳驢到門前。下來。來者不是別人，便爲昨夜投宿老翁者也。灝輙起出迎入。從老翁後者，又有一擔白米當面價六七鉢，雄鷄二嘴，北酒一盂，清蕉一房，銅錢二貫，〔於〕舍隅安置。老翁喚從者曰：「整設酒饌。」

是夜，主客暢飲，說仁義美處，情好愈密。老翁曰：「昨者，禮非曰少，敬也有餘。（視）家君之貌，恭肅不僞。究其心則仁厚，重具順，得天命。予今搜得玉山一穴，便是『王公上格』，家君願見之乎？」

灝曰：「野民肉眼，罕識仙長，不能追赴。今幸惠然肯來，我家尙有福矣。」

明日，老翁引灝到穴場所，指畫形勢爲立山向，擬成福址，遂留槀云：

袖帳高碧，
巽辛出脈，
公侯上格，
代代不易。
但嫌沙衛曠飛移，
累世公卿居貫客。

又曰：

前三峰，後三峰，
子孫世世出英雄。
但嫌水破艮寅宮，
女主空房獨宿中。

囑畢辭去。灝謝情益切，送老翁到東烈社安全村而還。灝依囑留心半載，始營塋窕。後作成家業，實自此始。其娶妻清漳中林社阮氏，乃是總知軍民事務阮公之女也。夫妻偕老，鶴算龜齡。及其晚年，不記。公卒，墓花林玉山福地。婆阮氏卒，墓濃邦福地。公謚讜正府君。婆號慈孝孺人。至後世子孫，有功於黎朝，加贈爲揚武威勇贊治功臣，行下父安道都總兵使司僉事，管知民事務永慶侯。

所生得七男二女。長男諱道，次男諱迪，三男曰宗列，四曰伯芩，五曰暉，六曰喧，七曰昨；其女長曰玉軫，次曰玉奴；凡九人焉。

正是：

七男二女斯為盛，

振起家聲竟是誰？

河圖七〔十〕二，居南爲連珠，欲識誰爲熊羆梟將，須看下文便見。

【校勘記】

❶「犬生」，原作喃字「狂⿸鹿生」，今譯作漢字。

❷凡在括號裏面的都是原注。以下皆然。

❸宗原卷避諱作「尊」。

第二節　弘休避亂渡清江　安清起兵立帝冑

第五男阮暉既長，才智勇略，預有勳績，陞爲萬安衞總知兵民事務，行下乂安道，祇受弘休子爵。後，回居濃館，耕種立業。初娶憲朗女，生暖。後到都梁，娶蔡氏女諱細也，年十三（戊辰年生）。因結屋於都梁。

明年辛巳應熊羆之兆，蔡氏懷胎。冬十二月，卽生下孩兒。時當昭宗光紹六年。後來，取諱名驩，是爲晉國公，加封雄毅匡濟澤民大王。景暉既生驩，自是開墾耕作，寓樂於田園之趣。其饑食渴飲，居處常事，不在話下。

且說統元間海陽古齊人莫登庸簒位，改元明德。黎朝舊臣宿將咸憤莫氏無君，各自雄長爭鋒。方民擾亂，四方盜賊從茲益起。是時，南塘山路間有名盜竊起烽火者：如東烈則有名美積、名繩弼❶；同倫社則有名衙泊、名鶴林；及大同之伯高者；一時蜂蟻，窮里聚謀，擾亂方土。弘休子阮暉聞此消息，回守濃邦寨，修設壕塹以備不虞。因通報總屬各社村莊長者共會議曰：「方今黎祚中移，莫朝甫創，故人心不定，馴到亂階。吾等以一方頭目，要當糾率人衆，防禦奸非，以保安方民，如漢朝平原故事，豈不快於前日乎！」

語畢，衆遂推暉爲長，係有指畫者，必俱聽從。暉卽具牛酒祭告鬼神，歃血共爲盟誓。是日，會選丁壯，得數百餘人，俱備器械，設屯所以防禦之。

辰（時）鑒（監）伏者漫山。有渠盜美積者，自負勇健，潛心詐作刺客，喚將手下，猖鯁者三十餘人，陰議到募選所與丁壯雜處，以亂內軍。又報他賊俱爲救應，以成內攻外擊之勢。因此，遂與其黨奔入總屯寨所不提。

却說阮暉方以牛酒犒軍，一時快飲，不暇他顧，各向飽醉。日晡，忽見鄉中紅燄起，路上塵飛。弘休子急喚子弟帶甲入衙。忽聞路外有鬪聲「來鬪者」。猥見一聚鋒刃。暉麾衆迎敵，大聲曰：「誰擒得此賊，自有重賞。」

忽左邊有一人迭出，認得美積，乃大盜也，卽捧刃一下，刺美積死之。衆盜者奔散。那斬獲此盜者何人？總人望視慰勞之，乃是濃邦人富係伯姓名阮福祺也。弘休子以手招來，酌酒慰勞甚有言語。福祺報曰：「玆盜者猶熾，勢未可盡拿。要宜引回本寨，以養威銳。」

暉從之，遂收兵回濃村，賞了阮福祺。是夕，堅寨安軍。

明日，望見寨外有賊兵圍侯。暉卽備兵，開寨。出戰，未至數合，賊佯敗，走入大回至大同，忽有兵來抗拒於路上。暉使人偵問，其渠卽阮伯高也。遂令招誘之。伯高不肯服。暉進兵攻之。伯高迎戰數合，衆散於前，勢不能敵，退入村屋。暉兵環遶圍之，悉選其壯勇者，一時唐突剿拿。

伯高聞之，以荆棘閉寨門路，避入豬圈。暉軍放火燒之，賊被焚而死。

暉會諸軍議曰：「方今總內未安，閭舍蕭條，財粟空盡，何以爲依？不如閒尋勝地，耕稼屯田，收貯糧穀，以收趙將軍之功也。」

衆皆曰：「諾」。

遂移清漳，到中林社，掃衙莊地界。只見隴源膏潤，榔圃青芩；人家稠密滿山林，花穀碩稀光朧鄰，一景田園終可愛也。從者曰：「依靠此地，自可畜養？」

弘休子托輌衣而攬曰：「那地乃吾老母之貫塢也。」因入鄉中，與父老接見，乃吐實以本貫却被盜賊攔破事由，故擧邑跋涉程途，俱往親鄉倚據，乞父同。暉督衆追之。纔到同倫社，聞邑中有一響聲鳴鑼鼓出。暉向左望，見一夥強大（盜）❷踴出，其旗號曰：「衙泊兵。」暉卽轉兵大破衙泊賊黨，拿得賊淚渠殺之，梟首於辣市。遂收軍進攻大同。

纔得一段道，忽聞前軍呼曰：「有賊阻攔。」其勢難測，卽令鳴鉦止旅，遣人偵探❸。知賊帥乃東烈人，名繩弼，及大同人阮伯高輩也。卽日，令結寨柵以防禦之。

明旦，賊率東烈人及安樂村人，每挑戰於渡蜂處。暉引兵攻之，到十八合不分勝負。日旣暮，各還屯駐所。

是夕，暉會諸弟子設謀，遣親孫扶安侯等，設兵埋伏要路各處。衆各領命奔去，止留守屯駐者纔數十人。

至明旦，弘休子自引衆佯回濃寨。賊衆探至，果見屯駐所空疎，遂出衆剽掠。伏兵四面忽起，將賊衆圍了陣中，擒得首僞殺之。餘衆奔散。弘休子收振兵旅，老廣念恤及崎嶇提携之旅。

鄉耆同邑皆慰之曰：「子之德澤感人，方此離亂之時，人心愛戴隨從不忍舍忽者，此必是非常人也。今日到此，則遼東之地，豈忍不納浮海之客乎？」

卽日具設酒殺欵待南塘濃客，仍度以荒土未盡墾者許之耕作。弘休子因此分遣衆人開耕隴田種穀。經一載餘，收斂益富，其儲蓄飲食已安厥居矣。豈意：

胡馬嘶北風，

越鳥巢南枝。

而歲花荏苒，辰（時）更再冬，人心懷土之思，遽形嘆想。弘休子雖知舊貫未靖，但勉循衆志，收括囊橐，運回濃村。濃人歸邑，只見草莽極目，蓬蓽盈門，舊址已荒蕪矣。弘休子乃命匠修理棟宇。

宅舍旣成，人民息肩有旬餘日。豈意同倫之地有賊名曰鶴林，於衙泊旣敗之後，復嘯聚其黨，據此地方。聞弘休子復歸厥邑，鶴林遂率衆來攻打，包圍寨外。弘休子呼兵旅整器械出寨外，見鶴林問曰：「汝名何賊敢就吾寨，欲來求死耶？」

鶴林曰：「我撫安人衆，土地寧靜，幾已有年。汝老賊旣廢巢穴，遠竄江邊，今復再❹來，將擾一方民乎？」

弘休子曰：「吾以仁義自處，不意強賊辯說欺人，以求困我耶？」

遂確兵大鬪。纔得數合，將賊黨圍在陣中，斬獲鶴林，以首梟於石竹處。

此時，弘休子與衆子驩、昕等，起兵於招寡村，掃除凶醜，自是地方稍平，人民復業。一向耕種常事不提。

却說宋山嘉苗人阮淦，訪得光紹帝之子黎寧，立於哀牢，改元元和，是爲莊宗裕皇帝。西土豪傑聞之，率多歸附，太師阮淦悉皆收納。

丙申歲，阮暉父子俱詣岑州行在，來謁於太師，由是升聞於朝。帝召見之，賜暉爲平陽侯，其子曤爲揚堂侯，各掌兵權，以防差撥各事，記者不提。

後暉卒。卒年不記，享齡六十四歲，葬於濃邦社（今避英宗諱維邦，乃改曰濃山社也）濃村寺處，謚惠日府君。（順平元年春，正月二十六日中宗武皇帝以初卽位，追贈舊勳臣，加封阮暉爲揚武翊運贊治功臣行下乂安道都總兵使司都總兵使僉事，管知兵民事務平陽侯，贈福慶郡公）。生五男一女。

其長男諱暖（憲朗妻所生）；其次男諱驩，封晉郡公（都粱妻蔡氏所生）；三曰昕，封忠郡公（清漳模機村所生）；四曰晚，封強郡公（大同隨據甲妻所生拗），五曰昭，封立郡公（清漳高田社妻所生），其女曰玉宏（與立郡公同母，嫁堂郡公）。

維次男阮驩之生也，體貌奇秀，剛明智勇，專心韜略，博覽兵書，通天地要機，崇道法驗籙，奇才秘術，鍾藏於手段，擬欲寅緣遭聖主，以展匡時之志焉。

少從父暉起兵於招寡村，殄滅醜惡。及長，歸附莊宗於岑州行在，得拜揚堂侯，聽隨興國公阮淦號令差撥（揚堂侯今是陽郡公阮有僚舊號）。

及興國公遇毒卒，兒子汪、潢尚幼。其女婿翼郡公鄭檢，是爲明康太王，昔常受委專征，甚得軍情愛慕；莊宗乃授以節制重權，改封諒郡公。

明年，太王相得萬賴冊可以營立行在所，因命工匠構作宮殿，修築壕塹，內而棟宇基址，外而重門擊柝，制度一切務令堅固。

明年，丁未萬賴行在營牆完整。太王率文武臣僚備法駕往哀牢以迎莊宗。

正是：

西迎本是歸安邑，
北挾非他幸許都。
欲知上駕起發如何，須看下文分解可見。

【校勘記】

❶ 喃字名。
❷ 「盜」原作「大」，據文義改。
❸ 原衍一「它」字，據文義刪。
❹ 「再」原作「有」，據文義改。

第三節 阮子牙兵馬遮乘輿 黎莊宗君臣破阮敬

却說莊宗在岑州日久，會有哀牢國王來聘。方交接宴賀，忽聞洞外小卒飛報，朝廷官軍同來本寨。帝卽命延入。百官具獻奉迎表文。帝許之，命擇日發行。乃分遣將校，各督本部兵前進，按制邊幅。

其間有近臣，太保春郡公阮子牙，亦應此差撥，領命東下。到河中地界，聞莫將西郡公阮敬領兵萬餘，壓屯境外。子牙引兵迎敵。望見莫兵銃旗棊布，鐘鼓漏鳴，營駐之勢甚是嚴密，遂對壘而立。

翌日，阮敬遣人賫書誘子牙，其略曰：

「西征大将軍西道将西郡公阮某致書阮太保春郡公：手奉廟等,領大将印，亟擊岑州逆命，水步强壯，其旅如林，一舉之間，黎氏巢穴自可掃蕩。汝若明順天命，引兵向道，則功成捷奏之後，自有隆爵貴女之頒，世世赫榮。若執迷處暗，則玉石将見俱焚，悔之何及。言未盡辭，難宜致意。 永定元年（一五四七）…月…日。」

書致，子牙折而讀之；意欲投莫，因詣莫兵屯所請見。阮敬差人延入，慰撫甚厚。因語之曰：「鳳凰靈鳥，不棲於亂棘。英雄智力，豈宜屈於陷籠？昔吾師陳鐵山伯有大成功於黎朝，而為陀陽王所厭薄。今公復事陀陽王子，雖有勞苦功高，而猜忌之心，彼果能悛前人惡否？誰等執迷不辨，只恐韓、彭之辱又將見矣。今望本朝厚待將校，寸功不負，卿欲致意功名，曷若投明爲重。」子牙曰：「蒙君指教，既沐深恩。倘功成身顯，不背厥德。」

二人飲罷，敬屏人與子牙畫計曰：「公若能如此……如此……則黎寧自可擒也。」

語畢，子牙受敬指揮，謝恩而出。回到本軍駐所，托言莫兵勢盛，要且退合定謀。

是夕，令軍中備器械，啣枚靜去入清花去了。

却說莊宗駕至西城安孫洞（在永福，胡氏因築西都城在此），望見路前有一夥兵旅。帝命鳴鉦蟠作陣勢，使人高叫曰：「駐前路者是何軍馬，不避乘輿？」

探聲始竟，遙見一大將，介冑甚嚴，持兵應曰：「小臣春郡公奉巡關外，運見賊鋒近接，暫且退合，與衆人以定思謀。」

莊宗聞之，卽令召見。阮子牙乃率力戰手下者數十人，倶備鎗刃，入謁御前。時帝方騎白龍駒（馬名）問曰：「汝料賊勢其能抵敵乎？」

子牙曰：「臣才雖鄙猥，若得陛下委之迎敵，自能成功。只恐鳥盡弓藏，鐵山伯反蒙厭薄。」

帝曰：「不然。昔陳眞（陳眞卽鐵山伯姓名者也）爲將，聲勢赫奕，放縱部下，狂行不法，或殺名臣於畿內，或飲御酒於六清。其得罪於國家也如此，故先朝之法，從一而無赦。今卿忠心貫日，若能卓立寇、鄧奇功，則東漢保全之道，朕終無少忽也。」

語畢，遂撥劍截髮，與子牙約誓。子牙見帝意已親信，因徐徐移步近於御駒。帝遂驚疑，親抱皇子舍駒乘象，令左右具啓兵器以備不虞。子牙見帝嚴謹，自覺驚駭，遂稽首嵩呼萬歲。拜畢，帝以手麾之，令子牙出屯別所，以防差扒。子牙領命去了。

是日，車駕入西都城。大軍嚴駐直宿，經閱月間，境內安息。

一日，莊宗正與諸將謀議出師，忽有巡兵飛報，言莫將西郡公阮敬屯兵於雲床，數遣兵攻打關外。帝與朝臣卽議決戰。

次日，將兵十萬，整象馬，具糧草，振鼓嚴旅，大進至壩丕處，排營安頓，籌議分兵進討。時子牙聞大軍既發，亦提舟師從水進，屯西雷港。遂修白書潛差人就雲床報與阮敬。差人領書，陰至莫兵屯所。阮敬見書，拆而讀之。其詞曰：

「清華河中府效順將春郡公阮子牙書奉西道將西郡公帳下：昨者蒙受密傳，作伏襲計。茲而元和❶君將盡括兵馬糧草，已進駐里仁安慶地方，而安尊都城，疎（漏）不密。今乞將公潛入藍山道，進至西都城嘴後，截其歸路，小將願為翼擊，不旬日間，彼之君將自可擒矣。秘機既逢，功成旦夕，願納忠忱，不可緩忽。　茲書　永定元年　月　日。」

阮敬看了，謂賫書者曰：「若此役克濟，捷奏之後，吾當致力保舉汝帥爲優等功跡。」因撥約子牙以起伏號令各事。差人卽受指示辭去。

阮敬下令水步諸軍，整飾器（仗），從間路入清華，遮截岑州兵馬，絕其餉道。

莊宗皇帝聞此消息，遂喚太師鄭檢謂曰：「方今莫兵遮截歸路，更兼子牙多行反覆，太師籌算如何？」

鄭檢曰：「事已逼矣，要當還守根本，養威蓄銳，更圖後舉。」語畢，卽下命諸將收兵，待夜，盡拔寨，望哀牢去了。

平旦，子牙將兵打探見村民語曰：「黎兵於前夜已西歸矣。」遂轉兵至西都，與阮敬相見。敬延入坐定，謂子牙曰：「大計已熟，復使猛虎歸林，長鯨脫網，終爲可恨。」子牙曰：「無慮。今乘大勝，可以威揚。若分道一入則彼巢穴自可掃蕩，何足留恨！」語畢，因請推引諸土人來，有能指畫形勢，使爲嚮導。

二人正與籌議進兵，會有莫主福源遣使賫詔書來。阮敬捧詔書讀之。其詞曰：

「朕以先帝嫡嗣，新御洪圖。念方寨弄兵，深存燕慮。故特命汝西郡公提兵進討，務使蕩平阿境。豈意奸臣泗陽侯范子儀謀立弘王正中，以作內亂，方據在御天、華陽地界，搖動人情，不能安息。茲者，黎兵既退，卿可令人按壘，自當轉甲回兵，與謙親王協力定謀，以靖內難。詔書旣至，卿當整旅，不可稽遲。永定元年　月　日。」

阮敬讀畢，卽日整備兵馬水步，望山南新興進發。及會，與謙王莫敬典，進攻弘王正中泗陽侯，范子議等事，不提。

却說莊宗在翠闈日久，聞莫兵已退，復下清華道，立行殿於隆崇册居之，令諸將安集兵衆。十二月，消息入昇龍城，莫主以正中子儀已走出安邦，復命阮敬領三道鎭兵入寇清華。敬引兵三日至瀛河所，聲勢迫近。

帝退軍渡河，往雷陽山脚，屯於高源處，令內外嚴蹕。

明日，阮敬督軍各除橋路，分道襲擊。北鎭兵進攻雷陽上畔，西、南二鎭兵進攻城西嵩後，兩路旣發，鼓砲響震。

莊宗卽召鄭太師語曰：「賊氣驕悍，料我勢怯惰不敢與戰，故分道奮擊，以怯我軍。我可逡巡退守，不能分道以抗彼耶？今朕引兵進雷陽地界，太師引兵進瑞原沿河，如有進賊軍屯所，便當報信，發砲令合戰。」

太師領命，從瑞原進了；帝始督諸將兵馬進至雷陽社。賊列陣以待。帝命人飛報於太師。俄聞砲擊遠響，帝親御白龍駒列兵衝擊，已到三合，賊堅守不動。帝問雄國公丁公曰：「我可戰乎？」

雄國公曰：「今宜戰，不可緩，失也。」

帝復列象排兵，發令砲聲，大推衝擊。賊始擺開軍勢，與之交攻。忽聞陣後有大噉一聲遠響，不覺太師督諸軍將兵已渡河矣。二道夾攻，阮敬腹背受敵，乃引兵退去。我軍乘勝追擊之，驅象踏破賊人舳蓋營船。莫兵大敗，爭渡江，溺死者無算。

時阮敬旣脫此陣，適遇天寒日暮，欲收兵回舊駐營。敬妻曰：「今吾軍始敗，素已震駭，不宜進屯舊處。可急還關外，養威蓄銳，以圖後進。」

敬從之，引兵入鄉村，暫歇餐飽。旣畢，夜時卽傳軍中啣枚出寨。

是夕，莊宗召太師及諸將議曰：「今僞莫兵馬亡失，器械抛去，大軍一陣傷折太多，其決不敢遲留境內。果然當夜必潛退出關，吾若遣兵埋伏，襲擊破之，則吾之兵勢威望可張。而彼不敢窺同關寨之內矣。」

語畢，太師卽命軍校楊堂侯阮驩等設伏諸要路。莫兵不意，果然是夜退出關隘。阮驩悉起伏兵斬伐，得萬餘級。莫兵大敗，棄甲而走。大將阮敬抱妻上馬，而奔，脫出關外，望回東京去了。是時莊宗聞奏捷，分遣將校各守要衝，即下詔班師還西都城。

正是：

一戰莫朝俱破膽，
軍中樂與凱歌回。

帝既回萬賴行在，乃定功行賞。以楊堂侯功優於衆，即加陞𨓃（提）❷督晉郡公。驩等謝恩而出。

時帝親征衝冒霜雪，戎務繁多，感疾不豫。值明年戊申，正月帝崩。臣民咸痛惜之。太師哀感殊甚，乃尊立皇太子暄即皇帝位，以明年改元順平，是爲中宗武皇帝。

太師鄭檢以國君新喪，嗣主幼冲，只念保境安民，以守社稷，不敢負才動衆，妄激邊情。而莫朝以老成阮將猶見敗衂，未敢窺乘，釁隙不起。由是南北之間，兵革稍靖，方民帖席，已經數年。

東西正是無他顧，
何事昇龍復起爭？

爭霸圖王如何，引目下文便見。

【校勘記】

❶ 黎莊宗年號。

② 因避諱而改作「[illegible]」。

第四節　鄭太師尊立峻皇帝❶

却說莫南道將奉國公黎伯驪見莫主福源偏聽范瓊父子讒言，數疑忌大臣，伯驪陰與狀元舒郡公阮倩（山南青威耕穫人），共舉家奔入清華歸命，得召拜謁行在。朝廷撫慰納用之。

明年，辛亥春三月，四鎭外盜賊蜂起。時伯驪旣蒙優待，猶念本貫在清潭盛烈社舊基祖墓恐或未安，劇動心腹，懷土愈甚，因上表乞和聖駕進取京城，以正大統。其略曰：

「盍聞：周讐當復，不共戴天；夏業旣屯，更圖還舊。大綱要舉，小將竊惟；京師者，天下之根，而奸偽簒乘外三十載。聖人乃帝室之胄，而國家遷創幾二十年，豈宜若此淹滯偏安？急要當今張皇致討，撞海陽極腥之魚跡，直入神京；光如益相親之虎祥，庶乎人望。一隅江左優游，不類宋朝；正統東都振起，重光漢祚。其中興之功烈從此而成，億萬年無疆之休也。小臣謹具愚忱，惟伏俟聖旨。謹表　順平三年　月　日。」

中宗覽表畢，付下廷議。鄭太師見之，卽下令出師。先差黎伯驪、武文密等，領兵分道前進。後太師提統水步諸營繼發，略定西南地界。

時大將軍黎伯驪從山南下道長驅兵馬，直迫昇龍城下。莫景歷主大驚，夜命推轉御舟於江峰，引軍渡河，駐蹕菩提行殿，命謙王敬典留守都內。

壬子年正月，太師進兵過西北道。二十九日，遇莊宗忌，晨喚起厨人，具牲醴之奠，親率百官禮拜，展盡哀敬。

二月上旬，兵渡洮江，分遣埋伏各處後大軍進屯熙山。

方民震恐，消息入昇龍城。謙王聞之，卽發兵迎敵。始進到春耕市，忽見伏兵四起，鼓砲雷轟，聲勢迫近。纔一刻餘，謙王引兵退走。大軍長驅追之，本日殺到菩提營，勢如破竹。次日，進攻東北界，易如摧枯。二處人民率多降服。大軍乘勝，直抵荆門府，列營駐札。秋七月，太師與諸將以爲莫主在金城，壕壘堅密，警策甚嚴，勢難攻急。又慮秋水漲溢，象馬難留。今乘捷後，便可回據京城，休兵蓄銳，以圖後舉。議決，遂下令班師。十四日，大軍過月老江，渡入昇龍城，大開宴筵慰勞將士，一時歡飮。

正是：

沿河洗甲舒兵力，
滿几提盃唱捷歌。

此日論功行賞，太師以晉郡公多有戰功，加陞都督級。餘皆受職有差。八月中秋日，太師傳諸將入內燃燈宴樂，按衞嚴排，侍厨供饌几，歌子奠瓊觴。正是軍中逸樂慶賀之秋也。忽聞左席演國公黎伯驪語曰：「今方僞朝遠徙，城牖內清，我等主將徒爲喜樂，獨不念上皇在方寨間，何不備法駕以迎之？」

太師既聞此言，即命修表以獻文。中宗覽畢，謂曰：「自古眞主創立，既正位號，何地不正統？今中都雖曰國本，自可進取。但僞莫未平，畿外未得安靜。故朕不能舍兵餉之地，而妄據空虛之城也。今勉諸將奮力摧破海陽之壘，斬獲僞黨，以雪先朝之憤，孤之願也。其如發回舊都，須待關河平定後。」語畢，復令馳報諸將；差人發京，具以御旨徧告之。

太師既達上意，每稱嘆：「上明見萬里外，慨有人君之度。」卽日，下令諸營具糧草器械，望海陽進擊之。

十二月，莫主聞此消息，命慶國公以舟師進入天健山，以爲襲後之計。太師聞之，下令大軍轉甲進攻於天健山，莫軍大敗。

明年正月，太師兵慈廉縣驅除惡黨。時經兵燹，人民飄散，道途寂寞。太師命諸將分守各處，遂振旅回西都，列定諸將戰功，經致朝廷簽議，頒行封賞。時晉國公多有勳望，如陞太保。鄭太師見晉郡公阮驩有智謀勇略，一戰一勝，眞有良將才，甚敬愛之，因賜姓名曰鄭模，爲親屬臣子。添給兵民，權知內外軍國重事。

阮驩謝拜恩命，旋歸私第，間歇觀花，偶見夢熊之兆。其妻阮氏，乃天祿杜僚奮武侯之子也，顏色秀麗，頗有賢行，公深愛之，至是懷胎。

正值順平癸丑年秋八月二十一日，生得男子，天庭廣濶，兩眼藏神，鰲頭龜背，的是虎將，狀非常人。後來取名景堅，是爲舒郡公也。是歲，中宗武皇帝移行在於安場。

明年甲寅，鄭世祖太王移行營於汴上。官軍築作，一時頓整。乙卯歲，聞賊將壽國公萬屯侯，進侵永福縣，太師親督諸將兵擊，大破之。時晉國公鄭模預有生擒賊將，獻納軍門。太師令斬其僞渠，餘皆放回故土。

丙辰順平八年中宗武皇帝崩。時帝未有嗣。太師遂令人徧求太祖、聖宗苗裔，未能卽得，遂會諸大臣語曰：「國家不可一日無君。今本朝宗室尙有梅山侯黎維邦，乃是太祖高皇帝第二兄藍國公之五世孫也。其性高明剛斷，可推爲君長。」於是率百官迎梅山侯黎維邦卽皇帝位，以明年改元天祐，是爲英宗峻皇帝也。

却說莫朝以中宗旣喪，欲乘其釁，分道入寇清華、乂安。太師聞之，亦命將卒分道禦之。莫兵不能敵，復走回京邑。太師命下回兵休息。

忽有訃聞，降臣阮倩卒。朝廷念其效順，加頒恩贈，復錄用其子阮倦，使將兵出鎭天長府。倦既就鎭，莫氏使人以厚幣招諭之。倦與弟俛復歸於莫。莫賜倦爵文派侯，俛扶興侯，約配以金枝貴女。

季秋節，聞鄭太師發兵擊山南中路，擒慶國公於鳳翅江，直進下件膠水縣，莫氏命阮倦率舟師捍於膠水江。官軍敗績。此陣大折太半。太師撥壘回清華，安集軍人，選丁壯以補入隊伍，教習精練，更圖後舉。

是歲，英宗以大兵敗績，洪水溺禾，遂改元曰正治。

己未年，太師命諸將留守行在，及屯禦各關隘，以備不虞，自督大軍由天關出山西上路，直通於京北、海陽，攻破莫兵。二處爲之騷動。莫光寶主惶懼，棄昇龍城，移居於城南門外。鄭太師居外討賊已越有三年矣。値辛酉年三月，莫謙王入寇清華，兵勢甚盛。清華諸海門守將退守安場。太師聞之，引兵回清華。莫謙王以攻安場不克，復回京邑。季秋節，太師兵回安場，拜謁行在，而出駐兵高密，大賞戰功。

冬十二月，莫光寶主福源卒，子茂合立，改明年壬戌爲淳福元年。至丙寅年改號曰崇康，移居菩提館，不提。

却說鄭太師於丁卯年方有疾寢，亦乘轎出征，略定西南地界。戊辰年四月，太師復強疾出攻長安府，令獲稻而還。己巳年仲春節，英宗進封太師爲上相太國公，尊爲尚父。仲春節，太國公病篤，有流星長五丈墜地，聲如巨雷。

明年庚午春二月十八日丙辰，太國公薨。時英宗深感悼之，贈明康太王，賜謚忠勳，命以周公之禮葬之。

三月，詔太王長子浚德侯鄭檜代領兵權討賊。浚德侯旣秉國政，自喜酒色。其弟福良侯鄭松及諸將端武侯黎及第、文鋒侯鄭永紹、衞陽侯鄭栢、良郡公（史失其姓名）晉郡公鄭模、萊郡公潘公績、義郡公鄧訓奔入安場行在。此話，阮氏舊記不提，不知〔爲〕何？姑略其說。

却說莫氏聞太王已賓天，欲乘其釁，遂遣敬典出傾城兵馬入寇清華。刻日並進，分道入各海門，直到河中駐營。

黎朝屯守諸將皆率兵引入安場關，閉關拒守。英宗敕封太王子福良侯鄭松爲長郡公，制節水步諸營，統兵討賊。是日，節制長郡公大開宴筵，與諸武將榮郡公黃廷愛、晉郡公鄭模、良郡公（史失姓名）、端武侯黎及第、衞陽侯鄭栢、文鋒侯鄭永紹、義郡公鄧訓、萊郡公潘公績、渭郡公黎克愼、陽郡公阮有僚、雄（桑）侯范文快、西興侯何壽祿、及將校三十員，文臣吏部尙書慈郡公阮珽等十二員，皆指天而誓。誓畢，各分兵守壘門，鑿壕樹柵，以防莫兵。

莫兵進攻安場壘，日夜不息。官軍固守之。莫謙王以攻城不克，復退守河中，令禁鹹鹽，不得販賣，搬上源頭與官軍所買。

英宗會諸將議大進兵，以復境土。是日，加長郡公爲左相，節制各處軍民水步諸營將士。乃分差安郡公賴世卿、端武侯黎及第、文鋒侯鄭永紹、晉郡公鄭模等領兵出左路取安定，逾永福攻略宋山。榮郡公黃廷愛、義郡公鄧訓、萊郡公潘公績、衞陽侯鄭栢等，領兵出右路，取雷陽，逾農貢攻略廣昌。帝自爲都將，與長郡公總督大軍出中路，復瑞源、安定，直至東山駐營。時三路兵發，聲勢大振。莫兵不敢進，退守筆剛江。

英宗命造浮橋於安烈江，與左相統大兵渡江，進至金紫，徑逾淳祐，以武師鑠爲先鋒，挑戰於雷津。其左右兩路諸將進攻之，多至克捷。

十二月，莫謙王見累戰不克，兵勢懈怠，遂令撤寨回了。

英宗復分命將校屯諸關要，乃回安場。

明年二月，英宗論功行賞，加封左相長國公鄭松爲太尉長國公。其次端武侯黎及第等，陞秩有差。時晉國公鄭模功在第六，得預陞少傅。諸將各各謝拜恩命，回家寧歇。

值秋七月，莫謙王督諸將從海道入寇乂安，守將不能禦。

九月，差少傅晉郡公鄭模、萊郡公潘公績將兵往救之。莫兵稍退還，乂安復定。

壬申年七月，莫兵復入寇乂安。左相又差賴世卿、鄭模、潘公績等領兵救之。莫兵復退還京城。

十一月，英宗命潘公績經略順花，慰安將士。及至境內，多致意於阮潢。

十二月二十六日戊寅夕，英宗出外南巡，駐蹕乂安。己卯旦，百官始覺帝已外幸。左相以爲天下不可一日無君，聞皇幼子維潭育在瑞原廣施，乃使人迎之，尊立爲帝。

視昔對今，便有聯句曰：

昭宗西幸恭皇立，

洪福南遷世廟迎。

以賓襯主，遙遙相對，不知英宗遷播何如，須看下回分解。

【校勘記】

❶ 原缺一小聯。

第二回

第一節　萊郡公死節關中　晉鄭模大破阮倦

癸酉洪福二年春正月壬子朔，皇子黎維潭卽位，年七歲，改元嘉泰，是爲世宗毅皇帝。是日，頒「大誥赦」，凡有六事，其第五條曰：「凡文武官有功者，許陞秩一次。」吏部衙門欽遵誥命，其行制勅。晉封太尉長國公鄭松爲都將，節制各處水步諸營，兼總內外平章軍國重事。國家事務，皆自裁決，然後奏聞。其次，以太傅仁國公武公紀爲右相，榮郡公黃廷愛各受秩有差。

時郡公鄭模舊居將位，超振武班。哲王見有才辯，欲改陞文部，遂封爲協謀功臣，特進金紫榮祿大夫，兵部尚書太傅職，兼行將事。鄭模謝恩去了。

翌日，阮有僚奉接洪福皇帝歸清華。

二十二日癸卯，駕駐雷陽。榜郡公宋德信入侍。帝崩，不提。

却說莫氏以侵安場不克，欲撓乂安，以分官軍之勢，乃於崇康九年，遣南道將石郡公阮倦領兵艦越入驩州，侵略乂安。守將宏郡公以軍怯逃亡，不能抵敵，乃棄艦陸走，至市政州，爲倦所獲。

秋七月，消息至安場。節制長國公召文武兩班謀議，擇將入救乂安。朝臣咸舉萊郡公潘公績、晉郡公鄭模二將可以迎敵。長國公從之，遂下令差二將領兵入救乂安。

二將受旨傳，卽日進兵，望乂安征進。二將提兵至乂安，與阮倦相持數月。倦以攻不克，將兵回城。二將亦收兵回清華。

越明年乙亥，莫將石郡公阮倦復入寇驩州。節制長國公聞此消息，復差太傅安郡公賴世卿、晉郡公鄭模、萊郡公潘公績等領兵防禦之。世卿等至乂安，分屯各所。晉郡公親督屬將世郡公吳景祐、清郡公鄧璥、禎郡公、榜郡公、勝郡公（記者昧姓名）、忠郡公阮昕、強郡公阮晚、立郡公阮昭（三人者皆晉郡公弟）、扶郡公（公之養子）、奮武侯、奮郡公、豪良侯、岩嶺侯（一云次男景堅名也）等戰將凡三十員，精兵號一萬，就營清水道處，開作寨舍。又頓築土壘在葘山社以駐象馬糧草。廨宇營築既成，乃延會謀賓，招募義士，輕財好施。自是，衆多趨附，而兵勢益強。

正是：

一條軍旅嚴屯所，

萬賴江山總帖聲。

豈意海浮北艦，馬駐東城，莫兵復進迫矣。其渠將阮倦頗有才略，天文地理，無不周知。常夜出觀象，忽一夕見一流星落下，正在西南地界，卽入帳中喚衆將謂曰：「今夜吾見一落斗，其色光芒可駭，兆應黎氏折一大將。我當議進討之，自有成功。」因陳攻拔之勢，衆將領命去了。明日，倦引兵從海際，直進上路。

時萊郡公屯在關中，忽見安郡公賴世卿令小卒持書，報以伏兵夾擊之計。萊郡公卽依批如約，刻日點起兵馬，望東進伏。阮倦引兵至，忽遇伏兵起，遂退左，從山脚路去。萊郡公追賊至雲岫社。時日將暮，遂回關中。以兩肩山四傍泥淖，只有一路出入可爲險據，乃引兵入據其山。因差小卒星夜飛報晉、安二郡營，並約以夾兵襲擊機密事。小卒各領命去了。

是時莫兵巡哨者聽得萊郡駐兵在某處所，回報與大將阮倦。倦既聞其形勢指畫者，卽訝之曰：「萊郡不知兵。安有舍敵不對守，自反將兵入死地，以爲險據耶？今吾當急擊之，以收全勝，勿使他援兵所來及也。」語畢，卽令傳餐，被甲。是夜漏下正四鼓，令諸軍啣枚靜進，團團圍了兩肩山外。

平旦，倦望見其勢自可乘勝，喜謂其衆曰：「萊郡駐兵之地，名曰『兩肩山』，兩肩則無首，要可擒也。」卽推官軍索戰，驟向萊郡公中軍屯所大發砲箭。

萊郡公覺得處非善地。事機旣迫，旣被甲登象。望見莫兵猥目，乃督水步鏖戰一場。左衝右突，勢不能出。復喚衆將聚兵一面，期以死戰殺發。衆皆激烈輻輳驅進，敵兵將退。

忽陣旁阮倦驅入一條旗銃，折入萊郡公軍中，步所截了倦望見萊公，謂曰：「敢煩降象，歸附皇朝，此萊兄之上計。」

萊郡公大怒，謂阮倦曰：「忠臣不事二君。天下之君惟黎皇爾。彼莫氏者，莽、操之流，而汝不辨清濁，背眞從僞，吾恨不能斬汝，而誤機到此，只有一死耳，豈甘受制於降賊乎？」語畢，卽以腰刀割腹剝取其腸示於倦曰：「此吾腸也，汝宜看識。」言終而死。

衆屬將皆曰：「大將軍旣刎絕，吾輩豈可生降，今當冒刃突出，生則圖報國家，死則不失爲忠義鬼。」言畢，各自驅兵衝出，或脫或亡，無一降者。

却說安郡公賴世卿屯兵瓊瑠外，聞萊郡公小卒報援，卽具戎服鎧杖，督兵進入橋炤江。聞關中已破，卽鳴鉦安頓。忽望見右前岸上有一象何來，號鳴可哀，賴公謂衆人曰：「吾目中遙見此象，似亦萊公所乘象。萊郡公不離此象，今象到此，得非投至難乎？」語畢，卽令人押引象來。賴安公看此象眼淚形傷，象忽然銼跪。公命解其鞹鎖，給以青草。軍人聞命，臨象舉鞹，忽見一尸介冑。公令啓之，卽爲萊郡公也。賴老公哀泣殊甚，軍中皆驚。是日，具棺材封歛，使載殯密處，遞書訃告安場。事畢（此段正史云：阮倦爲奇兵設伏，擒獲公績而回。此書只許阮倦一撮腸曲），乃分道載擊莫兵，一面渡江攻於右，一面潛進下件橫擊於後，左邊報與晉郡公救應。計設已定，官軍一時進撥。阮倦聞三路夾攻，關中之地勢難久留，退不可得，卽望上流頭進了。賴公按兵分據其地，以防守之。

却說晉郡公聞萊郡公報援之日，卽整兵進出梶處。忽見鋼江曲一時認得萊公戰船數十隻，令軍人收拽到白河津，疑東城已破，未敢輕進，暫頓兵潛探。俄有小將三人，從後者數十餘人，慌忙詣於屯所，稱謂顯郡、通郡、渭郡，俱爲萊公屬將，因具以敗衂事告。晉公令延入，賜以宴食，許以衣糧。使人持奏書詣安場，乞領給三將屬隨本營。後數日，忽聞賴安公小卒持書來告，謂賊勢已迫，南塘宜愼守嚴密，應攻於左，晉公卽遣義武侯練習水戰於鋼江，設伏以待之。

是時阮倦進至上流頭，兵頓哮嘯江。畏東城舊道有賴老控制，勢難抵敵，不敢班下；因從正蓋江轉出。晉郡公聞此消息，大督象馬水步諸軍進至左鍾塔社厨洪處，列兵以待之。莫兵不意到此，兩下交攻，不分勝負，因對壘相持，已經三日。晉郡公憤志激烈，平旦大督兵馬開陣大戰。其先鋒將貞郡公突出本部，衝鋤籤册，擊斬賊得百餘級。莫兵不能敵，退駐壩柳處。大將復督軍長驅索戰。阮倦卽擺開兵勢，與之交攻。南軍先鋒列陣而進。有一屬將縱馬舞刀，奮衝賊陣，斬得十餘級。莫兵退脚。阮倦高叫問南軍曰：「汝先鋒將者何也，獨敢輕戰若此？」

南軍應曰：「我將軍男子岩嶺侯也，北軍將校其肯較麼？」

倦謂其軍曰：「此人刀馬諳熟，汝等係出陣遇之，須當防愼，不可輕忽。」語畢，卽收兵入山路，轉到華園市駐營。

時人民奔散，里舍空虛，無從取辦。其賊將奇郡公、西郡公發兵哨掠於和狼社，索取粟米蓄產。良民數被侵擾，奔走趕告。晉郡公親督大軍應援。進至白河社駐定。聞白河有古廟盤江上，輒祈輒應，極其靈異。公就具體就廟告曰：「晉郡公賜國姓鄭模，今奉國家之命，屯撫本道，以寧民居。茲莫賊犯境，侵掠人物財貨，方土不靜。吾乞憑仗神威，幽明協力，以助皇家，使掩伏襲擊，斬破賊黨。以收大功者，吾當祇奏國家，加封愈顯，不敢食言。」禮畢，即日分兵襲擊各道。

盜賊脫漏，終不能獲。公以求白河神不能即應，發憤厲聲曰：「彼何神者？儼居江上，名為靈驗，是何更助逆也？意者謂我無黜彼之法耶？」語畢，因就白河神廟所，畫符逐印，壓禁益嚴。其間有厲聲咒曰：

古有靈神號白河，
一區城廟在沿河，
不能幽助三軍勝，
我奏皇天降白河。

白河廟神自此不復靈應。

次日，晉郡公布率屬將提兵列冊阻截莫兵歸路。南塘一帶控制益密。阮倦班下不達，却移兵南岸，順流而下，水陸啣枚夜進。纔到綾江，忽見冊壘嚴密，列於江上；及大江之下，橫置拋木。水陸兩路復不得達。倦又從小江沿途而上。望南軍壘勢，欲伺其境弱者，為撥壘之計焉。但始築堅厚，勢未可乘。遂引兵到羅幕津上。日晚駐紮，嚴守以待之。

日曉，倦令擺開陣伍，催象揮旗。引目見南軍屬將榜郡公對壘，即以手招之曰：「汝非吾故人耶？顯顧疇昔恩義若在，何事反面相稽於鋒鏑間？」

榜郡兩手相執曰：「蒙君指示舊契甚明，但大勢已分，何端復合。今日到此，惟有戰耳。若前交信，姑且慚負。」

倦曰：「故人執迷甚矣。君欲達變識時，不當疎於舊好。竊問君，今留此，權行委用其震班乎？兵戎管領其克籍乎？」

榜郡顰眉對曰：「屬從大營，兵不滿旅，吾爲執轡望麾而已。」

倦曰：「吾意，汝有此才略，當自撥出一營，管一方面，豈意汝爲人聽令衝霜冒雪，爲亡軀之將乎！當今聖朝歆暮武客，若子能向明，與我大立奇功，必有貴分。何必姑守小節，而蒲伏自屈如此。」

榜郡見此言語，其鐵石之心從斯賴轉，乃始開壘迎莫兵，與阮倦相會，歃血爲誓。畢，倦問曰：「吾欲襲擊晉郡公兵馬，從何處來？」

榜郡公曰：「大將當今從清漳險路，出其不意，北渡南塘玉山津下攻之。正是破彼心腹，彼則傍徨救本不暇，吾以逸待之，曷有不勝？」

阮倦從之，以榜郡爲嚮導前鋒大將。卽引莫兵從山路襲破武烈社，頓草糧食以觀動靜。

却說晉郡公鄭模聞阮倦已撥壘脫去。卽日，喚來衆將，謂曰：「阮倦出兵日久糧盡，今幸脫出下道，只恐侵掠村民益甚。爲今之計，得不重於救急。」乃分差屬將岩領侯往清漳高田，協與忠郡公阮昕、立郡公阮昭、青郡公鄧敬進救武烈，禎郡公協與強郡公阮晚、世郡公吳景祐、奮郡公從南塘下道排伏於花林等社。諸將各領命而去。晉郡公始督諸兵馬一時繼進。

正是：

兩岸長驅嚴雁陣，
三軍敵愾振熊威。

不知二道並進如何，姑看下文都能分解。

第二節　阮倦伏兵從帽臘　節制黃金贖晉公

時諸將進兵清漳，或以本縣人，或爲外貫，仍連夜驟進，團團圍伏，自平吳市下轉入黃舍、武烈山路，環遶至渡青櫓市江下，聲勢響動。

阮倦聞此消息，恐生背水勢，欲爲急擊，謀以應變，奪機權事，卽引兵向南塘江岸。望見玉山彎頂，問從者曰：「噫，何此嶺，覆覆如死尸土蚓？」

從者曰：「晉郡貫邑發跡之由也。」

倦乃督兵渡江，攬山望氣曰：「此山麓大青秀，有血食奇格，但彎直硬，晉郡乃爲死大王，不免其爲我擒。南塘玉山亦類東城兩眉頂耳。晉亦如萊，其在日夕。」語畢，忽聞小卒飛報晉郡兵已到同倫地界，倦卽收兵轉作陣勢，乘其高險以待防之。

屯駐嚴整，因題詩句以挑。遺晉公之意曰：

驪州着脚路崔嵬，
萬里行征酒凋疊；
將識以何封致晉，
南無兩字晉如萊。

此詩托以遠攻驪州，日久糧匱。途中蕭然，無以何物致遺晉公。只今垂意慈悲，念南無佛法，以晉如萊福於晉公。然大意嘲謔，欲使晉公亦如萊公殞身決腹，南陲無此二公也。

晉公見此詩句，益增怒氣曰：「猾賊詛我，我不能破彼殘卒耶？」因報與清漳道兵同時襲擊，聲勢驟急。

阮倦退兵數里以待之。晉公親督大軍進據花林。卽日，具禮復密禱華林、華塢二神廟，約以護得官軍破敵成功，捷奏之後，願乞加封顯號高秩。禱畢，是夜，晉公於軍中三更末，夢見二人排門告：「大將軍欲破大敵，今敵兵已入危地，我當分兵伏截守要路，使彼進退不得，衝冒而出。我以勢乘之，果必收大勝。」語畢，辭去。

公忽寤起，卽喚諸將來，具告以神人應夢畫計事。衆皆曰：「神助其謀，吾軍必成功也。」由是，公差屬將禎郡公領銳銃隊勁兵設伏要路，禎郡卽領兵去了。

明日，大將軍晉公大帥兵馬旗鼓，督令進戰。阮倦聞之，卽令軍中擺開陣勢，麾督屬將奇郡公列兵大鬪。已經二陣，未分勝負。二軍相持三日間。阮倦喚衆將謂曰：「清漳南岸兵壘益密，勢未可拔。若使安郡援兵重來，晉郡乘機，正發攻之，吾軍腹背受敵，豈宜久駐。」

於是倦因清夜收兵，欲潛出沙南安頓。行未幾里，忽聞山上伏銃連發，莫兵死者數百餘人。阮倦以爲中計，卽推兵奔至蔡老社，差奇郡公燒破民家，聲言欲轉出東城爲襲擊勢，而倦自偃甲引兵從水道修備船糧，密作退兵之計。

明日，晉公早起。厨人方進珍饌，忽見民人奔來告急。卽發令摧兵大奮擊，斬得奇郡公死於馬下。莫兵爭走赴水。晉公督兵乘勝追殺之。莫兵損傷甚衆。石郡公及其弟扶輿佹收兵下船，順流而走。晉公兵兩岸鼓譟，發銃射之，幷督水兵，一時放逐。倦等日夜急令撐棹，直赴海門，越回京貫。

晉郡公旣退殺莫兵，遂收兵回寨卽差人具獻捷書，並奏乞褒封華林、華塢二神，有擁護官軍，保安方境事。差人領命望安場去了。公乃開宴筵，報祭二神，慰勞官軍。各各受恩滿願。驩州之內，征夫息肩，村民復業。

正是：

偏境頓無狂寇擾，
困營惟聽漏聲寬。

制閫之居，惟望朝廷命令而已。

却說安場聞乂安官軍捷報，節制長國公嘉之曰：「晉郡爲將垂三十載，屢有功幹，名揚朝廷。今有奉救乂安，摧破莫兵，直驅阮倦，自三岐江至丹涯海門，境內案堵，國家重任多資於此。茲若有機會自可與之參議。」

丙子年，莫朝復議侵擾愛州，分遣謙王敬典進擊瑞源藍江；岸郡公玉瑋進擊安定銅鼓江，兩道兵馬增培強壯。

消息傳入安場，百姓駭愕。節制長國公分命諸將，悉赴關隘，與之防禦。遂差人奉旨傳往乂安，宣召晉郡公入朝商議國事。

差人領旨卽入乂安道。秋八月十三日癸丑，晉郡公始聞朝命至，卽出迎入。聞見宣召之意，卽日命諸將固守營寨；親督本奇兵及屬將三十員名，以通郡公、渭郡公爲先鋒，開營進發。

豈意國音不密，漏洩機會。其屬將林郡潛心不軌，聞此消息，恰遇莫朝將阮倦潛入頓兵海際，林郡遂奔莫兵，陰告阮倦曰：「某本是黎氏小將，深恨督領大將，有不平事，故冒身至此。若得官軍撫用及之，自有一言以獻，諒可成功。」

倦曰：「吾欽領廟算，納叛招亡。汝若效順，協謀成功，吾當致力推轂以進。海神在此，豈敢食言。」

林郡曰：「方今安場主將聞官軍分道襲擊愛州，深恐勢分力薄，頑（守）本原由是宣召晉郡於驩州，以協謀慮。今驩州兵屯不過一萬，而留守者已八千餘人。今晉郡自將所該之兵，以赴命者不滿千人矣。公若因其不意，設兵伏之，彼必成擒矣。」

倦曰：「誠若卿言，當今可用。」

是日夜中，因月朗秋水，篙舟靜筌而進到玉山縣，水駐在自橋官至帽臘，設伏兩傍，靜寂不聞聲臭。

時晉國公奉見宣旨詞急，遂以為王命不可待駕，因五更間，戴月以進。豈意天色復作冥昧，雨下如注。官軍冒沐催行，曉間進至樣疱、獨號等處。水流滿溢山脚。官軍衣甲浸濕。忽聞兩傍喊聲大起。晉公傍徨，卽麾兵發刃與賊軍夾戰，自卯至酉不分勝負。天氣將暮，道路傾昃洨漓，且戰且行，不復顧接。阮倦見之，謂衆將曰：「鄭模戰敗而走，軍回無令，吾必擒之。」卽督軍驅其後。

官軍造次爭走，而晉郡公所乘之象，迫履深泥。莫兵共爭前圍了。俄有男子林郡詣象前曰：「時事既迫，敢乞伯公羞煩舍象，以免須與砲箭。」

晉郡公長聲嘆曰：「模自十有六歲從黎皇、鄭主，於矢石之間，與賊爭鋒，凡五十餘陣，未見挫衂。不意今日有誤中叛情陰通賊信，乘機至此，迫窘殆甚，乃自取也，敢咎天乎。」語畢，下象。林郡男子乃接出北朝軍去了。

時諸軍大散者，始聚集一處。遙望見大將軍已被執，各對感激。始密遣將軍家奴名林老爹，名阿寵，名老頭❶往北軍探問，隨候以通消息。

三人卽備用去，就莫兵屯所。適於路上，見南將都粱人勝山侯（昧姓名）躬爲卒服。三人問曰：「公從何到此，果知得大人消息如何？」

勝山曰：「於官軍散敗之後，因避居小妾名侯釧家。忽聞北兵駐紮閭內，時予方燎衣於竈。飯食既畢，臨席休息。至一更末，忽聞鄰傍有大人聲，與莫阮倦鬪語，吾始覺主將已休囚矣。明日，假體爲村夫館子定省問候，備獻朝夕之飧。今出買供器，適遇卿等。卿等何之？」

三人曰：「某等從官軍劄遣探問大人。今日遇侯得便媒入。」

時三人與勝山偕行通得晉公居所，只見北軍更守，繩杖嚴排。望透得公雖在監所，神色不移。三人卽皆拜伏。公遂與之通語。是時公雖被脅，而志且益堅，欲致芳名於後世。卽撥筆爲讚詞曰：

人中稟剛毅，
世上篤忠貞。
天地光正氣，
日月照臨情。
淩淩青不朽，
凜凜死猶生。
殺伐諸魑鬼，
捉縛衆邪精。
縱有真心禱，

來臨似律令。

又讚曰：

世授韜鈐，
壇登將帥。
堅持勁節清，
留守丹心死。
身尚知黎、鄭朝，
面肯慚忠義鬼。
顏唐、文宋並前賢，
烈日秋霜垂後世。

皇朝嘉泰四年八月中秋日。晉郡公題。

手筆適了，卽將此詩讚幷藥性國語一傳及文書、田記付與布林、吒不、繩寵等（遞）回家貫。因謂三人曰：「晉老以忠事君，期以剪滅僭僞，恢復皇家爲公念。豈意誤中奸計至此，惟死而已。汝等歸報吾家兒曹，悉皆致力勉輔黎鄭成事，以踵吾志，勿以晉老故而滅了事君之道。」語畢，三人拜謝，感泣而出，歸報南塘諸寨。

時晉公諸子及屬將諸軍聞報，卽駭愕相會，感激酬甚，議欲追擊莫兵，爭援晉公回寨。遂慷慨俱誓，分水步二道，日夜啣枚進發。至玉山海際，探問人民，俱謂莫兵艘艦已撤去回京矣。時晉公次子阮景堅茹痛酬甚，乃於軍中設香哀號望拜。自是懊恨激切，重以君親復讐爲念。本日，景堅與同列衆將告語分袂。卽日自將本部兵馬詣節制行營，訴知前事，並錄親父詞讚以獻。節制長國公召入，扣問其事，卽長聲號曰：「不圖今日機事至此，果然失吾名將者。非晉老之不幸，乃松之不幸也。」語畢，淚下如雨注，胸中懊恨，不食二日。

是時長國公思惜鄭模，欲作「覓沉珠之計。」因喚乂安商賈人就行營謂曰：「吾思晉公日夜不忽，汝等當爲我領黃金二百餘兩，並將二十餘通舟，越海赴昇龍城江下，托爲販賣，因陰謀投石郡家，密遣黃金乞贖晉公生命，幸得載回，汝等功績不吝封賞。」商人領命拜謝而去。節制長國公具本奏，乞加給晉國公次子景堅兵權，屬從陽郡公阮有僚號令，以防差撥。公子領命而出，開營頓駐兵馬。

正當：

馬汗尚宣忠主念，

鰲頭添慮報親讐。

不知侯命如何，須看下文分解。

【校勘記】

❶ 以上三句原作喃字布林，繩寵，吒不，今譯作漢字。

第三節　阮景堅大破石倦兵　莫崇康命還晉公柩

却說阮倦於既獲晉公之後，回京獻捷，威望益振，莫朝慰勞酬甚。江東雄將俱以爲不及。時莫朝見晉公寬毅可人，欲以厚意待雲長，黃金邀敬德，爲招納之媒。因數遣閣部大臣往省誘之，終不能屈。阮倦由是以手筆一通，書遺晉公曰：

「南道將掌扶南衞石郡公阮手筆，致書驩州晉公。」曰：

大哉家兄，忠義一心，固無慚負。但背暗投明之理，尚未留心。今我念同時將種，為具良倪。

昔吾先公與演國公同是國家名臣，恩遇已厚。但為讒言所間，不免掛冠脫履，遨遊閑寨間，效他伏波將軍故事。因與黎氏子孫馳驅，惟以恢復前朝為念。豈意後君宴駕，二子乘舟，而鄭氏輕視皇宗，別尊遠屬，何以報藍山平吳之功德？詭情不密，誰不疑之！古云：「亂邦不居。」此倦所以脫履而去耳。矧今以顛沛迍邅，尚陰有雷陽見迫，縱後遇循環亨利，豈真無「晉馬必將」。君子見機如此，復附會之，寧非為羿羽翼，流臭聲於千載乎。曷若本朝掃蕩攙搶，道法舜、禹，比於北朝趙宋，其亦無忝於文明之象也。

晉公若能欽順天命，去虞之秦，則吾當解李左車之縛，推轂當朝，而公得以收百里奚之功，流慶後代。此正得時行道，豈不快哉！却乃區區小節，為楚囚對泣者，誰復知之？

辱愛管見如此，姑略陳之。晉兄既見，慎勿輕棄其策。茲詞崇康十一年　月　日。

晉公拆而讀之，怒曰：「倦雖世家儒業，而頗違道理。今欲以詞困我，迫壞忠忱。吾豈無辭以折彼耶？」即喚備紙墨，手筆一詞，復遺之曰：

「正統黎朝太傅晉老阮筆，致書石公。」曰：

凡人生天地之中，當具天地之理。而理之所繫，綱常為重。大丈夫立身，捨此不念，却乃易心反面，改事二主，則此冠裳而禽犢，尚得與人語流芳乎？

黎朝順天應人，平吳復國，功德有在，內外皆臣，綱常已立矣。傾者莫氏毒肆莽流，妄干天位，而汝遽以宋祖方齊，殊不知宋祖為六軍所迫還汴之日，有攬轡誓諸將曰：『太后、主上，我北面事者，不得驚犯。』及受禪之日，不食其言。人心咸懌，天意所歸，固有所在。今則西內之幽，統元母子俱被其害，何慘如之！此宋祖所不忍為也。而卿又曰道法舜、禹，豈非曹家稱舜、禹乎？

汝家本儒，不辨清濁，輕身冒試於濁亂之朝，屈事偽主，卿云『亂國不居』有如是乎？幸而天意有在，青木更生。皇黎（勵）少康之志，鄭主恢臣靡之心，撥亂反正，值此時節。爾家父子始改心易慮，歸奉正統，固可嘉矣，逮中宗卽位世，先帝御極，是猶宋高宗南渡，孝宗受禪，有國長君，繼絕之大義也。其若布衞奉迎之禮，册立之文，凡在朝班忠臣義士，孰不署名而鞠躬乎。而汝妄自彈唇，謂為『族屬疎遠』，以售背叛之計。此爾遭家變一年，遽以改父之道，背君之恩，非惟不忠，抑亦不孝，其罪不可逭也。今向能念前王豢養，改過自新，可效五關斬將，回見玄德，則本朝亦赦其前過，不忍棄也。若執迷不返，欲為衞律勸蘇武降匈奴，則晉老當膏身於草野，牧羊於北海，不願與爾相見也。吾志已定，汝勿復言！玆詞　嘉泰四年　月　日」

阮倦見此詞話，卽喔咿勉眼曰：「吾本欲廣憐晉老，釋解拘檻，以受榮光，故作此詞，屈意誘彼。不意彼勉作周頑，強項不屈，而反作瞞詞，以致我也。篝上饑鷹，尚有奮打之態，誰得憐之。

卽日，推使軍人，嚴加絏禁，更守甚密。

却說驩州商賈處二十通舟，越（海）到菩提江，掉入橋烓津安駐，因與相會。陰使婦人名嬰企助及女伴數人，備將綾羅錦繡，凡數十封卷，蹴脚石營門外，托為販賣，安排肆舍。

時石家小婢報與倦妻郡主莫氏。郡主卽令人喚商賈子入，問曰：「爾等何人，到此販賣？」

商婦曰：「妾等居山南憲市，時因價賤，故投入長安，以求其本。幸蒙郡主招入，所求必獲。」語畢，俱以幣貨羅列，主客買賣，語其高下。商人亦以賤價餌之。

郡主大喜，與之宴饌。既畢，商人竊語曰：「妾等宿於舟裏間，聞旁有驩州商客，偶語細聲曰願以黃金二百兩，陰獻貴營，乞私贖晉公生命逃去之，後不敢負德。但不知主意如何。」石郡公主曰：「晉郡年老，朝廷尚憐憫之，未忍辱戮。吾意語與大官，便可拯脫。爾輩姑留於此，候大官朝退還營，吾當為此白之，庶幾救得人否？」

俄聞玉珂聲還，遽令商客住於別室，即踐履出門以迎。良人入座既定，因具以商人乞遺金贖晉公命脫去事由詳告之。

石郡公聞言，笑曰：「開龍入海，放虎歸山，國家傾覆之兆。爾生長於宗室，金枝玉葉，尚聞言此使國家有破敗者，爾將何以為倚也？自古聞婦人言，鮮有不敗事。」

郡主愕然，輒退語諸商婦曰：「事不諧矣。」

商客辭出。郡主又目送之曰：

「歸謂彼等，欲贖得晉公，要納黃金三萬兩矣。」

居未旬日，忽聞大興外揭旨，命諸軍各具三月糧，俟命入擊青華。八月，莫果遣謙王敬典、石郡公阮倦等，領兵進入銅鼓江。

時青華節制鄭松頓大兵於安謨、安康外，聞此消息，即親率大將黃廷愛、阮有僚等，進出壘裴門外，挑截擊大破之。後莫兵進到河都。南道將阮倦伏兵堤外，令弘郡公與賴世美等，領兵挑戰，一時進入壘裴門。節制府麾差太尉陽郡公、阮有僚引兵迎敵。陽郡公排批器械，以屬將阮景堅為先鋒。

景堅卽擺開「雁陣」，納噉大進。北軍賴世美躍馬挺鎗來戰。望見景堅，遙指謂曰：「景堅！爾父才智，尙見就擒，今爾豎子，尙敢抗王師耶？早早納降，歸順皇朝，父子共得保全也。」

景堅據象大罵曰：「反賊！背主降虜，今復來此，得非欲授首乎？」

世美大怒，督馬先軍以進。景堅軍中前隊有名重江侯（史昧姓名）望見世美，卽送納藥礮，扛銃押膀，火枚機發，礮中世美。世美翻身落馬死之。莫兵大潰。諸軍爭獻世美首級。

忽聞提外有噉聲連起，引兵來救。阮景堅引目正顧，北軍大將卽石郡公倦也，不覺頓起剛忿，寸心火熾，兩眼珠濱，手把麾鼜，推軍大進，曰：「急急冒欲死戰，活提石倦也。」倦望見殺氣電撞，從風舉。

景堅督兵追之，十有餘里，忽聞陣後大呼：「將軍休赴。」

景堅卽令鳴鉦止旅。引目回顧，見軍中太尉陽郡公麾旆連反，角聲轉回。景堅乃收軍而還，大軍安駐屯所。

節制聞捷報，卽合議定快樂陣功以先鋒阮景堅爲優等功跡，判賞金牌，加封錦衣衞事信郡公。餘悉以次受封。九月，朔，官軍探知莫兵北還，節制亦班師回安場。

却說晉郡公以拘留日久，憂悶不樂。一日，見石郡公倦外來相省，呼置酒筵，因竊問晉公有何言語。晉公曰：「模分已定，惟願一死。」

石郡曰：「皇朝不嗜殺人，何必求死。」

晉公曰：「原事黎君、鄭主，惟以忠孝爲念者，欲垂清名於萬代。不幸到此，生寄死歸，尙何足畏。」

阮倦（佯）笑曰：「吾聞巷有謠云：『模者，莫木也，不爲莫用，必成休墓之灰。』意者，諡言重爲晉公所念，而晉公獨不省耶。」

晉公復（佯）謂之曰：「蒙君厚意，既解讖語，豈不省念。但吾平生往遊卿家，見卿先公以卿慧性而怠於讀書，因命名倦，拘於書（房）。有戒之曰：『倦者，卷人也。有違於卷，果受圈囚之辱。』以此嚴辭，卿何不念耶？且開卷之人，不可違卷。云：『忠臣不事二君』，卿何違耶？彼莫氏弒君辱國，僭稱寶位，不當服之，而汝石郡背主事叛。一日事莫，雖莫氏嘉之，至後世石氏子孫，果然如狗彘醜類，爲萬世謗笑矣。晉郡雖一日被陷枯死，猶得祇授皇恩，榮贈顯號，賜之國祭，乂安廟得血食，蔭及子孫，萬代功臣，與國同休，福斯厚矣，何故從汝反耶？」

石郡公曰：「大丈夫不事二君爲忠，倦歸故主，亦失其忠。」

言畢卽起，揮衣而去。

是月十六日，晉郡公鄭模被陷而亡，享齡五十七歲。石郡公深感念，同時英雄名將，有追獎之曰：「忠義剛烈，世所罕有。後必爲大神。」

因具棺材衾斂，奏乞莫主許他還葬驩州。莫主許之。石郡公乃親送晉郡公靈輀至東津，安置通艫，乃喚驩州商人仍付領晉柩送回本貫。

時商人名浪川，名翁企黑，娶企助等奉載晉公靈輀越行海道。會得天帖風順，不過數日，船到丹涯海門，安渡住紮。乃令人飛報晉公家屬親戚鄉黨共知，同來迎接。回到本貫，設站修奠。殯所既定，乃使人詣安場訃告。節制府長國公聞之，痛哭，愛惜殊甚。因謂朝廷曰：「晉郡公爲人嚴明勇義，屢有勳勞，奉守驩州之地，以振愛州之勢，驅逐阮倦自三岐江至丹涯海口，一毫不犯，允是有功於朝廷，不幸死於國事，甚可哀也。今委諸朝官僉議，褒加封贈爵秩，以章大節。

正是：

鞠躬盡力終時己，
追獎封君累世加。

不知贈品如何，且看下文便見。

第四節　莫應王入寇廣昌縣　鄭節制直(搗)昇龍城

次日，朝堂議加封故協謀功臣特進金紫榮祿大夫兵部尚書太傅晉郡公鄭模，爲協謀楊武威勇翊運贊治功臣，特進金紫榮祿大夫兵部尚書晉國公，賜謚雄毅。仍差官具賫敕文祭儀，致行封贈禮。

時皇上雖在幼沖，廣聽下言，命輟朝三日，遣使賫敕，贈爲行下義安道官，幷具以金子十二笏，銀子一百笏重加祭物，同在晉國貫第，以吊慰之。(至弘定二年哲王想念前朝勳舊，加封爵品。哲王値夢見晉國公稟白曰：「臣昔冒從矢石，有勳勞於國，身死他鄉，日夜陽扶國脈，雖在冥冥，罔間王室。」

哲王寤起，哀之曰：「晉公功大，向者加封未當。」乃與朝堂公議，進表乞封晉國公爲雄毅匡濟澤民大王，祀典中等神，香火千秋，血食萬古。自是有敕立廟在同倫社眞玉村，奉事香火，稔有靈應，澤及方民，慶留苗裔。歷代帝王，各有進封，而官其子孫云)。

贈禮既行，晉國公子孫欽奉敕文，捧置靈筵，開設草站，擇日行程，葬在長壽村地分，虞祭三日。

地方將佐感激，咸會祭之。

時晉國公諸子，因先公葬事已完，兄弟共會於涼玉處，焚香誓曰：「先考墳墓，已安厥居，係族內不得自私擅移別處」（後有長子瑞忠侯景海，因病篤，盜其靈輪改葬別處，換易他骨，假留舊墳。後次子景堅陰知此事，乃使其妻阮氏回貫以財求之。時瑞忠侯次妻阮氏𠄼及同倫社眞玉村人黃登光，預知前事。阮氏乃與二人觀得眞墳，載回都粱社，葬錦花上村土群注菽處福地）。誓畢，仍使嘉定侯（杜郡公之子）固守，灑掃祠廟，各各提兵赴職，咸遵王命焉。

按：晉國大王初娶東城縣陽佁社太保唐郡公之女，姓陶氏（諱玉）。後娶本縣都粱社之女蔡氏，儀修德行，躬勤婦道（卒號慈辛，諱細，葬在都粱福地）。又娶天祿縣杜僚社奮武侯之女阮氏，顏色秀麗。時奮武侯當爲宿將，乃許其女爲正室。其衆妾許多焉。所生得十男八女，養子二人譜題於后：

長男景海，封署衛事瑞忠侯，天祿杜僚社阮氏生。

次男景堅，封太保左司空舒郡公。

三男景布，封錦衣署衛事武勝侯。

四男景順，封下行義安道都總兵使延福侯，與瑞郡公同母。

五男景岗，封署衛事茂良侯，同倫社真玉村妻所生。

六男景典，封署衛事義武侯，與瑞忠侯同母。

七男景初，封署衛事豪郡公，其母乃慈廉縣羅某社人，姓杜諱順。

八男景端，封參督神武四衛軍務事福義侯，其母在大同社。

九男景安，封萬祿侯，與豪郡公同母。

十男景汴，封盛美侯，其母乃大同社泡蓮甲，姓阮也。

長女玉日，初嫁至郡公，再嫁安郡公，復又嫁淮郡公。

次女玉使與瑞忠同母，初嫁禎郡公，再嫁春陽侯。

三女玉於，與延福侯景順同母，嫁福澤侯。

四女玉西，初嫁真郡公，再嫁義節侯。

五女玉蓬，嫁知縣文明子。

六女玉模，嫁大同社人。

七女玉楊，初嫁大祿侯，後嫁雄川侯。

八女諱玉糝，嫁雄川侯。

養子壯郡公，扶郡公。

維次子信郡公。

阮景堅之生也，寬和厚德，勇略過人。少屬父營，一戰一克。後屬陽郡公阮有僚營，聽從號令差撥。

辛巳年，清華聞莫應王敦讓領兵越海入寇。節制府差黃廷愛督諸將禦之。莫兵至廣昌縣，駐兵唐囊山。

是日，大將軍黃廷愛分兵三道，以阮有僚爲先鋒。有僚麾督屬將阮景堅等，踴躍進討，斬賊五百餘級。莫兵大驚，遁回京邑。

時官軍進至橋工處，生擒莫將振郡公阮公及將卒數百餘人，振旅還營獻俘。節制官以阮公乃有僚之甥，赦其罪，付歸陽郡公撫養之（後封嵩郡公）。其餘，扶邦侯及俘卒數百餘，皆給衣食，放回本貫。

自是，莫兵不敢竊向西南，而愛、驩二處，按堵不動。遂議賞唐囊陣功，以黃廷愛爲大尉，阮有僚爲西軍都督府掌府事。其餘受封有差。明年頒賜勅命。

時信郡公頗有功跡，祇受榮秩，喜氣殊常。復應夢熊之兆。其妻乃貞福上舍人，姓阮，太師崗國公之曾孫女也，與之娛燕，値光興癸未年令且胎生，復得一奇男子，後來取諱名景河，卽駙馬都尉少傅左司空勝郡公也。

家慶既成，國事靡忽。一日，從征在涇預處，節制差陽郡公及屬將景堅建浮橋，領精兵一萬餘人，渡江潛到田源蘆葦處理伏。節制府親督大軍詐圍。莫兵不意追之，伏兵回起，斬賊不可勝敗〔數〕。莫衆將遁回京邑。官軍振旅回清華，賞勞將卒。

至辛卯年十二月，節制官與諸將議發兵，潛從山脚路出山西，襲擊昇龍。乃差演郡公鄭文海、太郡公阮七里等，領精兵鎭守諸海門。壽郡公黎和直宿御營。節制長國公親督諸將卒，分爲五隊，總六萬兵征進。以太傅陽郡公阮有僚、奇郡公鄭檸等爲第一隊，左區營將領銳兵及忠義各營奇將士兵馬，凡一萬爲先鋒。

兵出西都，循廣平，過天關，途經美良，俱是鳥跡羊腸之地。乃鑿山開路，穿樹鑽林，涉溪踰險，日夜兼行。旬逾，糧絕。時値隆冬，三軍忍饑冒寒而進。及至馬鞍山脚，遇糧，始駐兵馬三日夜。後，復進至吳山寺（一云吾山寺）休兵息旅，慰勞官軍，困頓陰探，以觀動靜。遂差鎭義營先進粉上，列兵安頓。

却說莫朝以邊寨靜密，曾無虞慮。卒聞西道告急，謂淸華兵來侵，聲勢驟發，朝野驚怖。莫主下詔，催調四鎭四衞王府兵馬，約十餘萬，期以本月十六日，並到協上、協下會點，以備攻計。

遂遣沱國公莫玉環，常國公阮倦等，分督諸道兵馬，俟傳進撥。

戊午，莫主洪寧引兵至粉上，親自督戰。以匡定公、新郡公爲先鋒，沱國公爲右翼，常國公爲左翼，揷次已定，擺前挑戰。

南陣先鋒鎭義營，張旗鳴鼓，堅壘自守。猥見賊兵勢貫，亟令小卒飛報於軍門。節制官乃麾召諸將排謀料敵。籌劃未定，忽再見哨馬告急，節制官卽分差右區營軍官，及選鐵騎四百，先登助陣。

前鋒陽郡公見應兵既接，卽推兵擺陣，使屬將信郡公景堅督銳兵前進，景堅躍爲先衝，與莫兵鏖戰於陣前。移時，殺賊將匡定公、新郡公。莫兵漫漫退脚。莫人見折了二將，卽按兵不動。時常國公阮倦於陣前，望見信郡公的手，乃至行營，奏莫主曰：「寨兵猖鯁，未可以力撥。今宜用佯走伏擊之計，自然必獲全勝矣。臣願陛下堅守，神武智慮，與諸將協力，堅持而戰。臣自退兵埋伏於粉下。待日晡時，陛下自當率兵佯退，彼必肆然追迫。臣發令悉起伏兵破之，則彼全軍覆沒。陛下勿憂悶之，以挫其志也。」洪寧曰：「社稷敗成，係卿籌算，不敢不聞。」常國拜命而出，退兵果就粉下埋伏以待。

申時，節制官親督大軍疾戰，勢如破竹。莫洪寧自轉退兵。兵衆雖多，而驚惶造次，旌旗散落，行伍亂離。官軍因擊大破之，長驅至喝江口。洪寧奔至粉下，已渡江走脫。而常國望見王兵，深自駭慄，雖有設伏，亦不敢動，惟以遠遁得全本部而已。

會日暮，節制官命鳴角收軍，駐在安山休息一夕。是夕也，天色幽昧，民舍蕭條：

燿燿陰乘燐戲野，

肅嚴寒起鳥移巢。

六更綿邈籌增點，
五隊舒間睡達霄。

平明進駐虬山。至庚申夕，節制官喚陽郡公阮有僚入內，謂曰：「今乘雷霆大振之勢，令他不及掩耳。彼已驚亂。我因而攻之，取若拾芥。汝宜引本部至昇龍城下，縱火攻打，以振威勢，彼必驚走，不攻而自破矣。」陽郡公領命而出，提兵五千人，雄象一百隻，辛酉曉，寅時，潛行間道而去。是日，節制官下令諸軍渡虬江，剷平堀壘處甚悉坦夷，以便進軍。及除夕陽郡公引兵直至昇龍城下，設伏西北門外。至夜半，遽發砲響七連，化盧燒盡，火紅天紇，城動人驚。正想坊市之民提携老幼漫畿路，號喚東西徹莫宮，仍此爭走越江，下船溺死千餘人。

莫主洪寧於粉田既敗之後，分命諸將，直宿城門堅密。京師戒嚴。期以守歲夕，便得寧寢，豈意事機到此，驚惶潰膽，遂與主后及宮妾，包括金帛財物，同出軍門，待旦以遁。

平明，遇正旦節，陽郡公議欲回兵行營，會行慶賀望拜禮。仍此，悉旅暫回大軍屯所。

正是：

五鬼既驅清臘晦，
五雷復向賀元辰。

慶賀之間，不忘忠敬，勤王靡忽，的堪好節。不知後歸如何，且看下面分解。

第三回

第一節 莫君臣退守河北 裴父子待命恬江

壬辰年正月壬戌朔旦，節制長國公鄭松率從征文武諸將，開望拜慶賀儀筵。忽見僚郡公從外繼至。延入坐定，節制官慰勞之，曰：

「衝霜冒雪，重煩將軍於逾夕突城放火，霄東有光，果得都內。莫氏有何消息？」

陽郡公曰：「臣奉軍師神籌，清夜奔西北門角，阜城放火延燒。城甫內亂，號動振天。五更初，詢知洪寧於末夜時已出宮去矣。」

節制官曰：「彼已傾殘惶駭，勢難抗拒吾席長驅之旅，進之可取京師。」

語畢，乃班立南向，行望拜賀禮。大設宴筵，極其酣醉。明日癸亥，移軍駐於壩獰處。初三日甲子，具禮祭告天地，曁本朝太祖高皇帝、列聖皇帝諸位，及國內山川諸神。祈祝禮畢，乃進擊昇龍城，是日下令拔寨，進至寧江西岸駐紮。

初五日丙辰寅，節制兵渡江，進至千春寺，聲勢驟急。洪寧聞大兵將迫仁睦橋，乃分遣西道將莫玉璍，固守保慶門以西至日炤坊，裴文奎、陳百年據椰橋門，過夢橋門，分爲營次，日夜閉門固守大羅城內。南道將常國公阮倦兼統東北軍馬，據莫舍以東爲救應。各道諸將領兵去了。洪寧自督水軍陳船百餘隻，據珥河之北以爲聲援。是日，居菩提土塊館。

初六丁卯，節制督兵過蘇歷江仁睦橋射堆處駐息。分道布陣並進，限以即日攻拔昇龍城壘。

分遣已定，各領命準備攻發。節制官督大營兵爲後隊繼進。至紅梅，鎭義侯俊義爭先，至甕莫處。常國〔公〕阮倦引兵設伏於壘橋門外，陳大銃百子火器以待之。

節制官發砲三聲，諸將應號而進。正營直至橋壘。左區將太傅陽郡公、阮有僚總率屬將，排雁而進，以信郡公爲先鋒。信郡公阮景堅大驅前進，至椰橋，排銃於衝衢，與莫兵大鬭，競先突破。莫將裴文奎、陳百年以力不能支，兵各奔走。兩將退走，莫玉瑾亦膽破驚遁。官軍乘勝逐北。進至江上，燬諸宮殿及京城廟舍。煙火障天。節制官大驅將卒馬象，踏破纏橋。常國公阮倦伏兵不及起，盡死於纏橋外。倦被圍，進退無路，乃率其子保忠、義澤及手下精兵，並以刀戰脫圍爲念。左衝右突，勢不能得，衆多被害。倦走回本營。官軍三面競進。

纔一刻餘，生擒常國，引至軍前進納。節制官命解其縛，待以賓禮。語及明康太王豢養厚恩，常國赫然嘆曰：

「天之亡莫，雖有英雄智，其何能爲！」

節制官嘉其言。

時常國被執，官軍俱勸之效力降服。常國以刀割鼻，誓曰：「受莫厚恩，豈宜更改。」節制府觀倦傷鼻，給以湯藥，使人調護之。節制官復問倦曰：「方今莫氏失守京師，尚雄據於長江之北。吾欲進兵攻之。卿意有何爲見？」

時倦以莫氏於被散之後，東北二道軍人召募未及，故陰欲爲緩兵之謀。乃出詭謀曰：

「倦敗軍之將，不敢語勇。然莫氏之所倚，以倦爲首。倦存，則莫氏存；倦亡，則莫氏亡。倦既被執，長江之北不足慮也。奈何議者？京城周圍壕塹芽籤大勢益密，若不剪爲平地者，只恐大師西旋之後，則他兵復得入據其城，重加修補，以固守之，雖雄師百萬，未可以歲月破也，而中興之功何日完了。凡爲計者，要宜平創大羅城土壘，以杜他兵復爲再據。」

節制官從之。是月上元丙子日，下令發卒平消京城。土壘悉爲夷坦。

正是：

世界光明。

東西浩湯。

四方但見民芽曠。

三島高瞻碧傘形。

莫氏難據大羅城。

黎社重興光正統。

官軍留駐逾一個月，以江北摧徵，人馬防守有備，機未欲乘。節制官督兵攻略西、南二道各縣而回。三月，凱還，從鷹天天關道。十日，至長安府獻捷。帝命朝堂論功行賞。時信郡公阮景堅預有勳勞冠衆，得陞爲都督簽事。凡諸將佐，各各祇受品秩，拜謝恩命歸營休歇，不提。

却說莫朝於官軍西旋之後，君臣既得安寢。東北人民同獲息肩矣。於是復遣官軍巡撫經略西、南二道。府縣人民靜寂不動。禮部奏請開會試科，以鎮固人心。莫主從之。是歲，賜范有能等十七名出身有差。頒賜恩例，一遵舊額。四鎮寧帖。凡幾餘月。迨至仲秋戊子朔夕，有一流星大作，長五丈，形如絹匹，光芒如電，映照人屋，入地聲振如雷。莫主逸不知變，淫欲忽生，遊蕩日肆，怠於政事，樂尚酒色，不復儆戒。乃於宮中做愛常國公倦女阮氏顏色，寵幸無比。一日，與阮氏在後園觀花翫賞，怎見階前有一人侍旁，紅粉輕施，翠蛾巧畫，服穿玄羅，露凝脂之玉爭，鞋搖赤嘴，動舞掌之金蓮。傾人傾國刀顏跳，味目君王馬意奔。莫洪寧見此，目中睥睨，唇上嗟呀，直指問曰：「此是何物？相見之晚也。」

阮妃對曰：「噫，彼乃妾妹，名曰玉年（阮倦第三女也），已嫁與山郡公裴文奎也。」

洪寧罵曰：「常國公誤矣。有此秀顏之女，而許結裴郎，殊不知裴郎雖有冠玉之美，然朕按其狀貌生的叛逆異相。顧吾用之將致於力用爾。阮妹何壞了顏色，傾心於濁配乎。今夕宜用留宮中，須待朕收鋤叛郎，別擇良配，庶使琴瑟稱分，百年無礙。此吾所以答常國公之勳義也。」語畢，會有朝官奏事，防禦愛州侵擾，遂出閣延見，阮玉年乘此間出。

歸至營第，具以洪寧所語直告於裴郎。

裴郎長嘆曰：「吾本以忠事君，而官家貪欲無厭。我若不圖，必受密康公之對。據汝嬌色，甚稱上嬪。吾當寫本獻汝於王，庶盡事君之道。」

阮女曰：「妾本忠信一節以事郎君。而郎君何忍棄妾於無地！」

言訖，將以紅巾自縊。裴郎奪巾而救止之曰：「吾本知娘子貞節。但欲試觀其情，故勉爲此說。豈意娘子剛烈遽形若此，吾今不復敢言獻邯鄲婔事矣。但妬機既迫，將奈之何？」

阮氏曰：「主上迷昧，甚非君道。方今國家傾危而縱肆若斯，敗亡必至矣。郎君既見其機，寧可事乎？不如專意西方，效陳孺子故事，以收保全之功也。」

裴聞之，即與其妻包括家中財物已定。次日，果見洪寧遣內官就營宣召，數輩裴悉拘之暗室。是夕，陰傳本部人馬，一一整備糧草，星夜舉家拔營，奔回山南嘉遠，擁兵不出。洪寧恐生他變，屢遣人召之，再三不能得，乃命將進退計罪。裴公聞此消息，卽發兵與莫兵相拒。乃復使其子入清華行宮乞降，並請來救。

時節制官修治器械，整備人馬糧草，欲以一舉盡除僭竊。忽見山郡遣子來降，乞發兵就恬江渡

(卽潭舍江。以是時世宗諱維潭，故改）庶得望蒙拯救，請爲嚮導，以効寸功。

節制官曰：「山郡已降，是天使吾成功。」乃上表出師，令傳諸營進發。

時山郡公之子懇請援師益急。節制官先差太尉榮郡公黃廷愛前進救山郡〔公〕。榮郡公諸營奇兵馬進至壢秊駐紮。山郡父子聞之，卽率本部兵馬及家屬子弟三千人奔入軍前拜伏，乞引官軍從間道捕捉洪寧。榮郡公尚未信，復使山郡將本部兵出守恬江請命。山郡受辭去了。

榮郡公謂諸將曰：「彼語雖眞，但賊情不宜盡信。縱若事機一誤，誰受其咎。今急差人稟白軍師，須得戒勅如何，得便憑據。」因使飛告安場。

正是：

向路雖憑他效順，

運籌須待我軍師。

不知主帥裁決如何，須看下文，明白可見。

第二節　毅皇帝進御東京　馮克寬奉使北國

却說，節制官與諸將會議進征，方整括兵餉間，忽見榮郡公報書。値玄明節，卽舉大兵出長安，進至恬江屯駐兵馬。山郡起兵來謁，泣拜麾下，稟白前後事。節制官撫慰之，賜爵美郡公，委領舟師爲前步，進屈江道以迎莫兵。節制官推兵渡恬江，擊破莫兵，進至古弄城。山南將瓊郡、祿郡來降。

次日，又進至清廉縣。命士卒收取糧食。復令水陸並進，駐營寨橋。山南諸將並見出守。節制官延納之，各仍其職爵。人人謝恩而出。

多至節，進至精神洲（中興錄曰「箐神」）駐營。十二日，遇節制長國公生辰，百官入賀。禮畢，備開宴筵，欵接軍中歡樂。十四日寅時，節制官與諸將督兵水步諸軍並進，至渴江口，謁祭徵王廟。禮畢，進至渴江口大破莫兵。莫大將沱國公與諸將卒棄舟步走。王兵長驅進撥。十五日申時，兵至昇龍城南門暫歇。十八日移軍駐壩蓒處。鉦鼓嚴密，威聲遠振，洪寧聞之。是夕，出宮奔走金城。其諸將繼踵歸降。珥河之北，順安、三帶、上洪諸府悉定。

二十五日，節制官進取海陽。至芙蓉柳溼，百姓開門迎降。乃差左水營阮七里、前水營陳百年、右水營裴文奎同內水各奇戰船該三百隻，直擣金城。莫洪寧遁走，奔諒左府。官軍進擊破之，收獲金帛財物婦女不可勝計。又擒得莫太后，送歸京師。莫太后至菩提以憂懼死。

十二月，節制官聞莫雄禮公敬止屯兵於青河，嚴徹南策、下紅兩府，乃分兵襲擊之，大破莫兵於新美社，獲其船馬器械。敬止大敗，竄居東潮。莫臣文武出首効順凡十餘人，朝廷悉皆推委納用。次日，進駐永賴琤江。居數日，節制官乃差廉郡公劉盤、茶郡公阮廷倫、武郡公分領兵象，攻略浦賴江。節制自引兵凱還京師。茶公、廉公、武公三將分兵攻勦安陽、武寧等縣，聲勢驟急。莫主洪寧棄舟步行走鳳眼。武郡公引兵拿之不及，遂屯兵於此。

後一日，見村人來告：「莫主洪寧避於模圭寺，祝髮爲僧，居此已十有日矣。臣願嚮導引官軍到本寺執之。」武公乃報與廉、茶二郡，陰共引兵圍頓寺外。乃令校卒哨入寺中，果得洪寧及兩紅妓女，以象載之。是日，有擒獲莫祖母送歸京師，獻俘於軍門。節制官乃下武文臣僚公論。按律已定，將莫洪寧斬於菩提，傳首詣清華萬賴行在。

是月，復聞莫雄禮公立於至靈南澗，改元寶定，草立行在，招募丁民得七萬人，進據青林，分置諸將割守各縣以拒官軍。節制官乃差阮七里、裴文奎、陳百年、阮崴進擊之。莫主率兵襲擊於江中。官軍敗績。於是海陽、京北復歸附敬止。敬止乃改明年爲康祐元年。

十七日，節制官聞七里等敗陣，卽命黃廷愛、阮有僚分掌水步二道，相爲表裏應救。二將領命，引兵直望海陽進發。時官軍至錦江。莫主敬止悉兵據青林，以長江爲限，與官軍相持，不得解甲。又催兵增築壕壘於沿江，以固守之。

消息傳入昇龍城。節制官振發威怒，命諸將繼出兵以討青林。明年正月甲子日，節制官督大軍渡珥河。丁卯，至錦江駐營。

是日，督領官軍渡河督戰。莫兵烏合之衆，勢不能敵，大（奔）走竄入山林。節制官督令追之，擒獲康祐及宗室，文武諸將而還。

二十七日壬午，諸將獻俘於軍門。節制官下令推出斬之於草津。使人傳莫主敬止首詣清華萬賴行在。東、北兩道少得安歇。

却說莫沱國公玉璜於渴江既敗之後，奔三島山，尋入京山地界。至文蘭州，得莫宗室敦厚王敬恭，立以爲君，改元曰乾統。時四鎭人心未盡歸附朝廷，聞乾統立，各有響應。珥河以北，復紛擾焉。節制官命諸將領兵濟河擊破僞黨。州縣悉平。

按：成祖哲王秉國政，董兵權，戰爭自庚午至癸巳，凡二十四年，始殄滅莫渠，恢復舊物。乃於昇龍城之西南，椰橋之北，傳令工匠構作殿宇，一月整頓。於是委差大臣文武百官，具法駕入行在，奉迎世宗毅皇帝進入京城。駕至青威縣閒駐。節制長國公鄭松率文武就青威奉迎聖駕。雅樂偕行，入昇龍城，正値光興十六年夏四月十六日庚子。上登正殿受百官朝賀。大赦。可見輿圖混一，社稷重新。後來登柄作史記野編有詩爲證：

黎社重興舊物回，

藍山復見舊樓臺。
君臣道盡斯為美，
政治欣觀萬國恢。

皇上既入京畿，遂定功行賞。加太尉黃廷愛爲右相榮郡公，太傅阮有僚爲太尉陽國公，鄭杜爲太傅。鄭桐、鄭橂俱爲太保。黎鄭栢爲太尉。本郡公何壽祿爲少尉。吳景祐、鄭文海俱爲少保。吏部尚書阮茂宣爲少傅瓊郡公。其餘加陞職爵有差。

是時，信郡公阮景堅預有勳望，加封都督同知。厥後，日積功多，進封爲協謀功臣，特進輔國上將軍都督府左都督，歷陞揚武威勇功臣，南軍都督府左都督。公雖躬從戎務，致意略韜，而頗眼及醫書，專心藥石，晉之羊叔子眞其儔也。四分等二分區，不離炎訓。三折肱九折臂，堪美良醫。凡諸奇病，莫無療治。名拋畿內，上自公侯，下及百姓，各來求劑。車馬溢於門外。四方名醫咸就第宅，參求妙理焉。

正是：

扁鵲家傳敦祖業，
丹溪力展濟人間。

此古人謂其上醫醫國，其次醫醫人。公其能兼之。主上乃嘉重其才，加封協謀揚武威勇功臣，特進輔國上將軍府南軍都督府左都督，知太醫院掌院事，兼濟生堂使舒郡公。故俗傳呼曰「柴舒公」（是時，有人求劑，多稱謂秘藥德柴舒）。

却說，丁酉歲，明人差委官求貢物。夏四月，帝命工部左侍郎馮克寬、太常寺卿阮仁瞻如明歲貢，並求封事。克寬等至燕京，上表乞修職貢。明萬曆皇帝見表大悅，詔封帝爲安南都統使司都統使，管轄安南國土地人民，賜安南都統使司銀印一顆，使克寬等奉賚回國。克寬以本國所求封者「安南國王」。今上國所封者「安南都統使」乃莫氏受封職也，甚不悅於懷，乃寫表文上進曰：

「臣主黎氏，是安南國王之胄，憤莫氏僭奪，不忍千年之讐，乃臥薪嘗膽，思復祖宗之業以紹祖宗之變。彼莫氏本安南黎氏之臣，弒其君，奪其國，實為上國之罪人，而又暗求都統之職。今臣主無莫氏之罪而反受莫氏之職，此何義也？伏願皇帝陛下高明裁察之。謹表。

萬曆二十五年十一月　日。」

明帝宣召馮克寬等入內，看表笑曰：「汝主克復舊物，殊非莫氏之比，朕豈不知。但初得國，恐人心未定，姑且受都統，待國內昇平，以王爵封之未為晚也。汝其欽哉，愼勿固辭。」克寬拜謝而出。十二月初六日辭回本國。

越明年十二月十五日，至鎮南交關。明左江官陳敦臨委王建立投遞公文往我國。節制官差右相榮國公黃廷愛，太保奇郡公鄭檸整備儀衞，迎接明使。王建立與本國使馮克寬、阮仁贍等至京師。二十五日丙子，皇上御舟渡江就菩提館拜詔接使迎回殿中行禮。節制官、文武大臣入內殿朝謁。勅書宣諱畢，見所頒銀印一顆乃是銅印，節制官長國公宣怒，對明使曰：

「天朝中國，宜居中持平，勸善懲惡以鎮服外國可也。今則於莫氏簒奪能以銀印頒之，於黎氏正統之冑却以銅印予之。以若所為，甚失柔遠之意。」

王建立曰：「這事出於上司門下，而國家一日萬幾，豈及細察。今當復寫本中奏朝廷，嚴查辨白。」

長國公復厲聲曰：「天朝正統，宜大居正，着正言、行正事。今乃放縱官司，欺詐下國。只恐生事邊方，馴致夷狄之禍。」（後果有滿州之寇，爲其所言）。語畢，仍修本（復）獻詔頒銅印事，付交王建立還國。

建立回到江左備言安南國輔臣鄭松寬和忠厚，勦除莫僭，恢復黎氏。其燕見言語堪是奇人。惇臨因此欲求封爲鄰好。

正是：

南國有人誰敢侮，
北藩起敬贈交儀。

乃與建立後行交鄰事。不知聘會如何，須看下文便見。

第三節　鄭左相進爵平安王　端國公逃歸順化鎮

己亥，明萬曆二十七年，惇臨使建立賫良馬、玉帶、衝天冠來予節制官，約交鄰好，並東之二帖，內寫八字曰「光興前烈，定國元勳」。節制官益厚遇之，護送使者還國。自是鄰納既通。加封功臣，以榮國公爲太宰。餘皆進爵有差。

却說莫主敬恭在明龍州，數引兵出沒擾七泉州屬諒山處。於戊戌年，爲官軍所逐，復奔入龍州。至是，以厚賂遺明土官，乞爲遞表奏明帝，請頒勅詣安南，諭以太原、高平許莫氏安插。於是朝廷以「事大惟供時命」姑且從之，以休兵息旅。時國漸清平。皇上推念都將節制各處水步諸營，兼總內外平章軍國重事，左相太尉長國公鄭松，功望隆重，特差太宰官榮國公黃廷愛賫捧金册，進封都元帥總國政尚父平安王。長國公欽受册命，大開宴會。大臣文武同入謁賀。平安王慰待酬甚，歡飲澧堪。但見：

雙艷真瓊清曲興，

兩班唱賀動城鳴。

正值極樂之秋也。但樂不可極，樂極生哀。是歲變起流星。敬天大殿折一角。旱久不雨，滿地嘉苗枯幾旬。平安王深自側席儆戒，燕居深念。

迨秋八月二十四日，世宗毅皇帝上賓於天矣。次日，禮部揭榜，官民品服。其尚父勳王爲社稷重臣，不與百官同列，應服一百日。諸親王及文武階自郡公以上，及與有朝班朝堂各員、外任方面各員，應服三年。其餘文武百官同列至天下百姓，制服有差。爰命司天官，擇日護送大行皇帝梓宮歸山陵。是月二十七日甲戌，平安王及文武朝廷奉皇子黎維新卽皇帝位，改明年爲愼德元年。推加厚恩。以太宰樂國公黃廷愛爲左相太尉，端國公阮潢爲右相。蓋平安王値此主少國疑之際，意欲引拔元勳與之贊襄以植黎朝大業，將倣古制：

司空宅百揆，

冢宰總六官。

擬諸平勃調和結，

率此東西預附歡。

本在王心持一統，

誰知世態却多端。

端國公之心却欲要求強藩，但不冒陳，致人疑惑，而鬱鬱不樂，猶萬籤尙在心裏。

正是：

龍肚身雖陪紫閣，

烏州心尚望紅藩。

凡有朝會，潢見平安王疊九篇席而坐，其次則榮國公，而潢居第三，俱是六席以坐，潢心雖不悅，而包羞甚謹，不形於色。至庚子年夏四月，潢一日入侍王府，告於王曰：「臣於昨夕因天氣炎，適齋居廳外以寓閒清（音倩），不覺倦臥酣睡，夢天上清朗，渾無礙意。俄見數點異星，迫犯月背。臣卽以長劍指之，自然星妖落地，月魄光天。這此夢兆，未知吉凶何如，仰乞高明裁斷。」

平王以此問之左右。忽有文班一員應曰：「日象帝，月象王。至若衆星譬猶官郎。今太陰象應足下，旁有異星迫近，其下必有叛臣謀上，宜謹防之。端國親勳既有此夢，殊非戲事。」玩此戲字，深有摭得。端國公委心一撮，近有顯處。不知揭出此語者何人？它入他情諸細處。端國公既聞此言，愀然引目顧言人者，却乃毅齊馮侍郎也。卽作變色告曰：

「臣固顯此夢，而馮公斷之如此，果有中其理者。足下宜振出威武戒戢將校，嚴加警策，以防隄之。」平安王默不問。

是日，罷朝趨出，端國公因屏人邀馮公語曰：「潢之有心，先生豈能無揣測。今日之遇，何以教之？」

馮曰：「橫山一帶，可以容身。大海爲池，可以萬全。先言不可記。」

潢曰：「何計再得？」時馮以朝踵踵相露，卽拂衣而去，勿教一語。

厥後，遇平安王於講武習軍日期，麾召諸將，排兵考陣。猝有某奇船隊進止以乖於號令者，潢輒揄揶細語告晳王曰：

「古者爲將，治兵甚嚴。如穰苴誅莊賈，孫武斬宮嬪，故能使軍趨令，克敵成功也。今此軍行伍不整者，由將校之閒居，不爲教習。若非繩之以法，則國家之兵師，從斯解弛而不競矣。」

王旣聞此言，愈加威怒，卽喚來所該某軍將校懲辱不恕。厥後，待遇臣下惟以鼓舞駕馭爲術，故每每表出恪嚴威儼體。常施介冑爪牙之人，折彼驕悍難使氣，爲吾龍言服赴功臣。其制御若此，凡諸強勁武臣，悉遭詆罵。但人情難以威刼法持，而賊子易可以釁乘蠱惑。

是時，端國公覺得事機已中，激變可施。一月，因閒居厚交賓客，一旦多出入。時有山南嘉遠人美郡公裴文奎扣揭。閽者入告。潢卽步履出迎。延入清幽別所，羅肆酒介欵待酬甚。因問裴曰：

「戊戌水棠之陣，公尚記乎？」

美郡置盞對曰：「此時明公爲統領官，某及諸將皆屬焉。日者，朝廷進兵之三路，共進擊水棠賊黨。其振、海、薊、壯等郡出金城以截上路。黃太宰等進擊於北。公率某等進擊於南。而公獨能先督本營兵馬，踏破山峙，擒獲僞水郡公。而吾率水軍船艦排列江中，亦收獲僞瑞郡公。以水棠之陣，我道爲優等功跡。」

公曰：「水棠之捷乃是一時之功，不足引也。而論其丕啓國家中興之業，孰敢語吾先考昭勳靖公，着跡於哀牢之地，訪求帝冑，建立莊宗，再植皇圖，以有今日者，萬世之功也。昨者，先考卽世，吾曹尙幼。婿兄太王假受黃鉞代立事功。及我旣長成，又委入窮荒要地。雖南徙跋涉，終不以艱險爲恨，區區忠敬。惟以抱扶日月爲念。及太王薨，平安王掌握兵符，進討莫氏，我亦總率鎭兵，効順勤王之義，厥功不在人下。而排班定列，使我居黃廷愛之下。竊此觀之，乃主將薄視先祖擁立皇黎之功，啓沃王基之義，却欲陰謀圖以削我。我不知避身何地，況於卿乎？自壬辰歸命以來，衝霜露，冒矢石，勳勞固多，而謁見之間，屢遭叱啞。若不早圖，卽蹈韓、彭之斃矣。」

美郡聞言，正合本意，乃愀然俯首嘆曰：「明公既有高見，時事顯然。當今高飛遠走之謀，從何處見，願開迷路。」

端國公曰：「公誠若一心，縱約當於某日，便作如此如此……，吾當爲之內應，則天下之事，從茲決矣。」

美郡公曰：「唯！唯！願聽所命。」遂辭去。

明日，潢復接見薊郡公潘彥、壯郡公吳廷峩。坐定，復喚厨人更設酒饌，勸待二人。語薊郡公曰：

「昔卿家先考萊國公，乃我故舊良朋。中間我南徙順化，革衆兄弟。輾轉懷思，至洪福壬申年，聞卿先公奉先君之命，有公幹事到吾治所。吾卽欣然迎接，講談思義。其間凡有機權密變者，萊公一一悉多致意於我焉。厥後分袂辭歸，公不幸死於國事，吾甚惜之。今喜得卿復繼卿將，名揚朝廷。先人雖在九泉，終無恨也。」語畢，傾間薊郡飲。至熱腸，卽發言曰：

「公本與我先人爲切偲朋輩，吾不敢〔不〕盡敍訴眞情。縱公不恤肆洩露者，致生禍端，朝廷之罪，彥亦含笑入地矣。」

公曰：「信者，國家大寶。故吾與人言，止於信，以成其事，安可漏焉。」薊郡已窺得國家大寶言語，揣得端公有別意思，因語之曰：

「某與吳壯公臣事國家，自少至茲，護忠効力，臨冒矢石以濟大事，無他異志。而今天南漸安，主上致有猜疑之心，嚴懲臣下。這弊何所由也，尊公近侍，可得聞乎？」

端公曰：「古人曰，兎死狗烹，鳥盡弓藏，合可爲鑑。今者，莫氏僭已除，神京克復。吾觀平王待下之心，似有厭薄，且吾在戚屬之地，尚見嫌疑，況卿等強梁泛駕之貌乎。不去，禍在旦夕。」薊、壯二人聞之，愀然不樂。端公始具以形所告美郡者告之。二人聽說，辭謝去了。

五月丁未，値端午日。哲王方謁太王廟。禮畢，回坐府中，將校分列侍立。忽聞城外砲影連接，三面煙火高屹。乃使人分道偵探。差人應命去了，乃宣召太宰榮國公、太尉端國公及文武大臣入內府，共料理兵事。時城廓紛擾，百官徬徨，應命入見。仍命諸將分守四顧城廓愼密。

俄聞哨馬來報，非他外賊，只聽薊郡、美郡、壯郡三人已棄本營，唱起爲叛矣。

王顧左右謂曰：「彼三子者，受我厚恩，而反面如此。當今事機旣顯，誰敢迎敵？」

阮潢佯作怒曰：「天命已定，四海終爲一家。不圖今日，彼等昏昧，復肆叛孽。臣乞領命攻之。若薊、美不死者，臣不復見主將矣。」

王曰：「昨者之夢顯然無疑。今舅復請行，正應長劍指妖星之兆，而叛逆輩果然必驗就誅。」是日，卽差端國公領兵收捕逆黨。

端國公受傳辭回本營。太陽始向晡，到入廳階，方見厨人捧設牲饌，燃煎香燈。公遂詣筵前告祭諸先考妣。是時將卒共來候命，承傳進發。窺見者咸云：

國爾忘家隨意擧，
機中先物有誰知。

告祭禮畢，頒發將校人軍犒饗旣完。不知備用出軍如何，須看下文便見。

第四節　平安王差兵伐木怪　莫乾統退駕據金城

端國公包括圖書財物，囊橐周備，點足兵馬，糧草頓整，待夜三更悉命燒營寨，陰引三軍南徙，日夜兼行，至宋山縣。時順化大艏，陰已備左海口。乃從海道，水步並進，望順化去了，不顯。

是夕，京師戒嚴，軍士各守圖（嵓）次，不敢疏虞造次，雖火光外起，寂然亦不動。

初六日平明，平安王問左右曰：「夜間城外烽火有光，是何營火也？」時對者不一，或云：「端國公於初昏出軍，而賊黨窺知，乃陰使人放火以燒其營。」

或云：「端國公自燒其營寨，不知引兵屯駐在何處所。」王聞之，卽差人偵探，問知端國公燒燬營寨，已逃去也。

王召太宰榮國公問曰：「當今逆黨縱橫，城廟騷動，人情匆匆，爲計當如何？」

榮國公曰：「時機迫矣，難以淹留。京師初定，儲積未充。薊、美小輩不足爲患，只慮端國私自逃去，一則分據順化，撫鎭如前，便是深慮未驟；一則入據清華，搖我根本，不得不憂也。當今早早扶衞聖駕，復歸安場，此上策也。」

王曰：「善。」乃差官詣殿上，奏乞回鑾事。差官受旨去了。

卽日打震大鼓，排擁象馬，護接鑾駕進出城門西去。馳至祝江，水漲溢，王命舟師渡軍。九日辛亥，進至部市。諸軍糧匱介乏。是日，駕至屈山駐蹕，大點軍馬，頒賜銀糧，命朝廷議論加封揚武功臣。

此時，諸將爲阮潢所厚結，往來遊宴者多其人焉。及潢既遁後，致乘輿遷播，人人皆忌功爭能，互相告訴。間有舒郡公弟衆與舒郡不睦，悉詣平安王帳前白稟告曰：

「昔臣等先人晉國公，忘軀殉國，遺告臣等以忠事君。豈意臣兄舒郡公阮景堅忽先人之言，妄與奸臣阮潢陰謀結黨。臣等各已窺見，恐禍及己，有傾家業。仍此冒來實告。敢乞察及愚衷，懲他奸慝。告畢，王知其誣之，大聲叱曰：

「舒郡公爲人素本忠誠，一心忠義。事國家二十餘年，吾豈不知石心鐵膽也，有何間焉。而汝等濾懷不恭於兄，妄投告訴。今當擇日備設壇筵，傳被告諸將悉來盟誓，以副忠節。」此日，遂令掛揭諸員名於軍門外，祇立盟壇，取鷄狗馬血，燃香排置。

次日大早，諸將命盟凡二十餘人。其舒郡公阮景堅當前跪歃血誓曰：

英都府南塘縣農山社南軍左都督署府事兼太醫院掌院事舒郡公。臣阮景堅，臣事黎君慎德皇上，曁鄭主平安王，果有一心忠義，願享爵祿榮光。若昧執迷忘先人殉國之心，陰結與端國公作背叛如衆之所告者，乞歃此血盞，願天地岳瀆諸神打死。

公誓及諸將誓畢，平安王見其懇誠，命諸將各安坐。主將言語情俱感激。王乃令以告訐文詞，盡投之烈焰，撫慰將校，與之酒食，待夜而罷。

却說，美郡公裴文奎聞阮潢詭計，即陰引本部兵發城縱火作亂，以待內應。數日後不聞端國音信，只聽鑾駕西旋，乃引兵至珥河，遇薊郡列兵屯駐。美郡疑是朝廷留彥爲伏襲捕執之謀，仍此亦作壘自守。乃使人賚言誘彥，共引兵附莫，以獲保全富貴。彥見書批報如約。美使既去，彥復疑美郡詭所顚覆，恐有他變異謀。次日，聞美郡引水軍泛舟於江中，乃使人射殺之。潘彥既殺美郡，乃引兵入京畿，分守城郭，揭樹大旗，自稱爲節制水步諸營平章軍國重事太尉郢國公，以莫廷峩爲太保，華郡公弟潘❶爲前步營瓊郡公。其餘將校准定品秩有差。復用莫氏乾統年號牌林禁止，詔安城市。開設宴筵欵待部下。傳差人往龍州報迎乾統君。差人奉命去了。是日，主將歡飲，雅樂皆行。

正是：

將典帥權扶震海，
誰知天命屬兌山。

是時平安王（促）御駕駐蹕部書市，凡三個月，聞賊臣藩彥已殺美郡於珥河，入據京城，報接莫氏，平安王督令諸軍進至美良。天降大雨，人馬艱行，因駐在岩模處。

又三日夜，糧餉頗盡。三軍撼鱗而食。次日，天色晴朗。王引兵入僞魯道。壬戌駕至廣平駐蹕。人民具以牛酒迎勞。是日，復見端國公男子錦郡公及衆子三人，將雄象十隻進納軍前，頓首乞終臣節。王以親親之義，仍還兵民如故。

是月，王師至長安府，會諸將佐謀議國事，以裁制薊郡。

先是，薊郡潘彥於嘉泰年間，因父喪，歸葬完畢。但因祖墓在兩肩山，有斷頭沙犯。及聞常國有「兩肩無首」之言，心自憂慮，遂以厚賻迎他地家妙理術者，重覆看之。其人觀山望氣，審有眞形，卽向薊謂曰：

「地氣貴格，人出剛強。但山頭露骨，爲禍不淺。」薊聞言，卽求救之之術。術者曰：「有能拔舉蟠枝巨樹種在山上，若人頭形，沙脈之勢，稍加修補，土功既完，自有王伯之業。」薊聞其言，陰取巨木高種山上。自是，峰頭蔽葉。人望其山，儼若貴人平坐。潘彥自此屢從差撥，實有其功，榮封郡爵。至是陰協僞黨，僭稱國師，擬欲伯圖着跡也。殊不知天命自有在，才何能爲。

有人顯得此事，具言於平安王。

王曰：「不圖頑僞復能信求幻灯（行），陰植草妖木怪以傾國家。當今安得不升去？」卽日，差官軍到兩肩山，剷去山頭妖樹。

是日，晦日，官軍進到山上，各將斤斧打破巨木。俄而木折。陰雲四合，風雨大作，起自東城、關中透入大羅城。四旁冥昧，至夜靜息。城中遙見京北火光亂起，僞郢國公彥遂差人出城打探。

六月朔曉，聞巡兵哨報謂美郡夫人阮氏起兵北岸溺戰。彥曰：「何物婦人，敢作妖孽，以報怨耶？」語畢，因點起兵馬，引到東津，大列舟艦，與之水鬬。望見阮玉年在江邊，御七杠彩轎，麻鞋藍服，高聲謂曰：「軍中誰能殺得薊郡，自有重賞。」薊郡大怒，卽汎舟水鬬。俄而阮氏軍中礮發，彥死黃江中。華郡公吳廷峩收其殘卒，據守城門。聞莫主乾統自龍州北關還國，遂率衆迎侯。消息傳入安場。平安王領命督諸軍引兵進發。是月十三日，至拜歪處駐營。忽聞逆雲郡引水師陰行截路。王乃令統兵潛設於江左，靜寂絕無聲息。逆雲不意，連批船艦深入到此。逆雲兵衆大亂，各棄船爭走。雲郡亦脫身入峙芃隱避。官軍乘勝渡江，駐營紹山。凡三日，逆雲束手歸命。王赦之。

八日，聞莫乾統入據東畿。王悉發水陸諸軍征進。

却說，莫洪寧母聞京畿空缺，乃糾集莫氏宗室，出據中都城，自稱國母，使人備法駕迎乾統於北關外。乃推恩賞，不拘新舊，各封都指揮使，同知簽事、左右校點等職。人人皆謝恩赴事。後莫主至武寧市橋；吳廷峩等各率兵迎接。莫主慰勞之，各仍其職爵。次日，至京師。天下官員百姓，各來歸附。莫主乃使人分往慰勉各處藩將，仍命保守方面。如：威武侯鎮守海陽，宗室郡惠王鎮守山南，又以涯郡、嵩郡爲西道將，分守山西地界。於時四鎮嚴靜。居得月餘，忽報有安場兵進發。莫主傳各鎮兵馬，擁兵入衞。

時西道軍退據日昭地方。平安王進出長安道，擒獲莫國母於中都城，從水道出喝江口，夜時，分道陰進入昇龍城。莫西道將涯、嵩二郡棄日昭營遁去。官軍收獲船四十隻，象七隻，來獻營門。平安王大喜。

是夕，攻破城門。莫主率兵渡江東去。賊死溺者不勝計。

明日，王兵入城，安撫鋪舍坊市。數日後，薊郡弟瓊郡公藩出首。王亦饒赦其罪。

九月，莫主奔至金城安住，復遣威侯、南陽侯及吳〔廷〕峩進入清池翁莫處迎戰，搖動京城。平安王命長子太傅清郡公鄭棡仗黃鉞領兵東征。官軍進至翁莫，大破莫兵，追賊至天德江，捕獲叛臣吳廷峩俘獻營門，令斬之。

時莫將威武侯退據海門，禁遏鹹鹽，不許通入官軍販賣。南陽侯數引水兵出沒，與官軍挑戰。

冬十月，王差海郡公阮廷倫領舟師進擊之。廷倫與屬將皆領命而行。船至黃江口，忽遇將南陽侯伏兵大起。廷倫與之交鋒。戰到數合，以勢難抵敵，乃棄船奔回京師。大王怒，命貶廷倫職秩。

南陽侯勝陣，獲官軍戰船四十餘隻，收回海陽，奏捷於金城。莫主大喜，使人延迎，慰勞酬甚。仍定勳賞，賜爵南郡公，使進據南昌，設立營寨，日夜水步巡守，以防不虞。

南郡公阮勇謝恩，領命而出，引兵至南昌縣。時因糧盡軍饑，恐衆懈怠，難以勤王，乃使人乞餽於威武侯。

威武侯曰：「吾與將軍各有軍旅，惟知汗馬戰攻而已，何暇於儲積糧草以相助乎。汝歸具告將軍，轉漕之事非吾所職。將軍若欲告匱，其詣諸酋相。」

差人辭歸，具告將軍南郡。南郡大怒，曰：「威武愛惜財貨，不事攻戰。此其心無報國，自有餘辜。吾今殺一威武，以警不忠。」卽日，準備刀劍，數十餘人往威武營。威武迎入坐定。南郡曰：「今國家遷播，府庫耗空。諸將發卒各資家藏。今吾奉命致意攻討，自秋徂冬，糧餉頗匱，而國家又委以保障重事，何以成之。惟聞公按兵於海口日久，魚鹽之利儲蓄太多。繭絲如是，而謂非轉漕之職，誰其信哉？」

威武曰：「出私財以助軍費，忠於國也，豈不知之。但封疆之事，主上一以付卿，卿自別當神運鬼輸，以報國也。何事要討餉事於吾？吾自有兵健，縱假有儲蓄，亦當候待國命。若不愛惜而棄之，一旦西方有事，倉卒招募，有詔頒者，何以爲資，而赴命於千里乎？」

南郡聞言，怒氣活（滿）面，卽宣聲曰：「主上以封疆爲最急務，付我以尚方劍便宜行事。而卿掊剋民財，不供國用。逆命若斯，劍不可緩。」言訖，卽拔劍殺威武於坐上，掠取其貨財錢粟，均發軍人，收撫他衆，以充軍伍。兵勢既振，遂命築作壕壘，列舟江上，屯守嚴密。是時，莫氏逋播遺黨如涯郡、嵩郡，竄居大同，却被土官毒藥陰殺之。惟此江東一道螳臂當車。

正是：

當潮自謂塡波砥，

捍水人云弊笥梁。

消息入昇龍城。不知朝廷籌運進討如何，且看下面分解，可得便見。

【校勘記】

❶ 缺名。

第四回

第一節　廣富侯婚尚玉姬　鄭成祖夢見晉國

弘定辛丑年韶光節，平安王下令東征，親督諸將水步諸營，望南方進征。時舒郡公男子景代、景河年俱長壯，有才氣勇略，得奉隨父營，聽號令差撥。

大軍既啓行，消息傳入莫人營寨。莫主使崧郡協同南郡捍禦封疆。南郡陳船下流以待。

二十七日丙寅白日，平安王出兵排進。忽望南方有長虹見出，直指寅方。又有飛鳥滿集行宮。天文占曰：「此我勝敵敗之兆。」

平安王於上流親御龍舟，乃遣步兵各就兩邊江上埋伏應候。因差前鋒振郡公引兵索戰。南陽聞之，大發水步競進，與振郡公接戰。已到數合，振郡公勢迫却亡於陣中。前鋒兵大亂退走。南陽督兵納噉來追。俄聞砲聲三響，見平安王引出龍舟大旗，掉戰船塞江而下。左右伏兵一齊應起。兩沿江上合射如雨注。莫兵大亂敗走。舒郡公協與諸將，驅旅大進。其次男景河身先衝突，長驅到古令社，斬級不勝數百。官軍追之，追至古令上，放火燒盡莫船。南陽以勢甚窮逼，刎死、溺身於江下。官軍乘勝，又殺崧郡并南郡尸級，令梟二首以示衆。又擒獲南郡季弟漕郡、渭郡二人來獻軍門，亦令斬之。收得船艚降卒，招撫人民，各各悅服。乃班師還京。

三月，又聞莫乾統君尚據於河東，王傳差太宰榮國公黃廷愛統督諸將領兵進討之。此時，左府舒郡公阮景堅領先鋒職。景堅引兵到拔橋江，起作浮橋，進至青林地界，列兵安駐。忽聞鄉導者飛來告急，謂莫兵被甲陳船漫江塞野，掩襲三路，欲引官軍入依危地，以施截擊之謀焉。榮國公聞消息，令人飛報於昇龍。平安王遂御龍舟，親督水師東進。及至青林，排列陣勢督令進戰。統領官榮國公應命臨象，推軍擺作雁行一陣勢，兩頭寰寰，蟹牙競發。其二子署衞事揚義侯景代、廣富侯景河共放馬推刀，拔出陣前，踴躍衝突，冒於矢石以赴鬭者，如蝴蝶輕飛無壅礙，人之望之，皆彈舌乘（稱）嘆。時景代年二十二，景河年方十九，有此氣力。看戰官見之，自記戰功於紙下，批曰：「舒郡公雙童，國用無雙。」

是日，官軍長驅至金城縣，燒毀賊營。莫乾統僅以身逃脫。其將朝祿、富寧等衆，瓦解無遺。官軍大捷，收得戰艚五十隻，並器械者不勝數，獻納行營。

平安王大肆宴筵以犒將卒。榮國公進言曰：「今日攻討一陣，諸將多有奮力，惟臣部下有一人廣富侯姓名阮景河可也，乃是舒郡公次子。其人身先行陣，摧鋒摘刀，都有膽略，功最多，不可錄。」王乃與榮國公敍定勳賞，乃頒下景河金牌四面，擬陞爵秩。宴罷，因差官招安海陽七縣人民。於是振凱還昇龍城。次日，命哨擒僞黨，略定四鎭。自此朝野肅清。始差官入清華行在，奏乞御駕進至京師。差官奉疏文去了。又傳工部復裝宮殿，修築提路，自彰德至美良，以迎接輿乘。秋八月，敬宗惠皇帝行至京師。王及大臣文武百官備法駕奉迎帝入城中，扶登正殿。俄有黃龍應見，五彩雲呈。朝臣羅拜稱賀。

應是金都既復，鐵券當施。卽日論功行賞，旨下朝廷簽議加陞有功者爵秩有差。時舒郡公以先鋒力戰，功績頗多，得加封叶謀揚武威勇功臣，特進輔國上將軍都督府左都督，知太醫院掌院事，兼濟生堂少保舒郡公。其子景代、景河俱爲揚武威勇功臣，特進輔國上將軍錦衣衞都指揮使，司都指揮同知署衛事侯爵。代爲揚義侯，河爲廣富侯。

正是：

一門父子公侯襲，

萬世兒孫爵祿傳。

蓋由累世積德行義之所致也。

越秋九月，有人密告於平安王府曰：「有僞乾王逃脫，見出，復據鳳眼模寺。」王乃陰差官軍潛行密捉。時富侯景河領兵直到模寺圍之。問者，僞已祝髮洗齒，假乘僧道，意思其謹密。景河令收繫寺內諸僧考問，果乘乾王正身，乃檻送京師解納。平安王聞之，撫手大奬，判曰：「天下其鬪勇略者多其人，而廣富侯乃晉國之孫，舒郡之子，名家閥閱，勇略過人，登山涉海，赴險當危如入無人之境，孰敢當之。」語畢，乃宣召入見其人，丰姿甚美，狀貌可愛，王大悅之。乃判謂景河曰：「汝之祖父多有勳勞於國。今汝復能破敵成功，才優於衆，堪加國壻以報前功。」景河聞言，卽鞠躬拜謝。王復宣召舒郡公入府堂，與之議婚。王判曰：「我家自尊君創國以來，卒能掃清四海，平安華夏。深念汝家世代祖父受委專征，多有用命，厥功不少。今有生得男子景河，丕建功績，子甚嘉焉。今予之息女名曰玉清，年齒既長，故有今日之召。吾欲與汝定婚姻也，汝意如何？」舒郡公謝曰：「臣家父猥以孱賤，犍蒙先世遺功，預有勳蔭，幸而際遇明時，微立寸功，恐不足以答國家之所養，豈敢高貼。今上欲以僊汝適塵緣，臣何敢復有言語，惟上所命。」王乃命司天官擇日，報與阮家如期奠雁。舒郡公拜謝恩命而回。待至吉日，預命厨人整作甘美百味，熟食一百菓，具將寶玉金幣來聘。王命行筵接禮。乃以公主玉清歸于景河，復頒以敕文，陞爲揚武威勇功臣特進輔國上將軍錦衣衛都指揮使署衛事駙馬都尉廣富侯，並金錢家產各各什物，齎送滿塗焉。自此，添給兵民，許多祿秩，第宅有光云。

却說弘定皇上既正御中都，大小功臣各各盡蒙重賞。平安王又想念前朝勳義，仍復上表乞返思先代功臣加頒恩贈。帝乃下朝廷簽議，爰命吏部照例施行。制令既完，凡諸伊族已祇受先人封贈制勅，告祭樊黃幽明合慶。

恰遇多至節，誕辰。文武僚屬入府堂中行延壽禮。禮畢，是夕，風雨動作。平安王以終日視朝，因而甘睡。夢聞階下有一人稟白曰：「小將自世臣事先帝，及事主師，屢從矢石，頗有勳望，不幸身死他鄉，然魂魄弗離王所，日夜陰扶國脈，雖在冥冥，罔洵王室。今恭遇誕辰，特來拜謁。」王聞言，起望門外，却有晉國公納身便拜。王卽披衣延入，君臣交接對哭大慟。不覺王身寤起，彌天靜息。時漏下已五鼓矣。平明，王宣召府僚大臣，具以夢言。因復語曰：「晉國公於國家恢建初，多有宣力。向者加贈未稱，予深悼之。乃令寫表申奏，厚增祀典。表上付下朝廷簽議，仍使吏部奉行封制。

正是：

東征思報關公義，
爵贈無忘紀信功。

不知贈制如何，須待下文繹目便見。

第二節　阮駙馬重修寺觀　萬郡公起釁蕭牆

吏部封制已完，送到禮部奉行儀註，加陞晉國公爲雄毅匡濟澤民大王。禮典中等神，香火千春，血食萬古。又勅立廟在同倫社，眞玉村以事之。恩贈既頒，其伊族子孫各率拜受延慶云。

却說癸丑年四月，朝廷以歲貢天朝例到，乃遣正使劉廷質行。質等既奉命，始入府堂拜告。王乃設宴餞之。酒筵既罷，廷質等辭謝而出。

平安王入宮。公主玉清詣前用曰：「臣夫廣富侯貫在都梁。頗聞總旁有孛陀村，橋樑廢壞，行路崎嶇。臣乞得與駙馬同歸本貫，規議構作布施以廣祈子嗣息。」王許之，復頒賜銀錢厚加功德。其母曾氏玉湖增許財物以供給普濟。

公主拜恩父母而回，與駙馬興工構作。越後年橋成，乃修啓告完。王差官撰着碑文勒石，安置孛陀橋所以爲永傳。

乙卯年間八月，聞北關有木帖付驛，安南貢使還國。朝廷乃遣少保舒郡公阮景堅與刑部尚書兼東閣大學士美溪侯阮澧等迎接使臣。景堅等領命，提發兵馬望關門去了。

是歲十一月，廣富侯阮景河與公主鄭氏玉清欲興布施以圖廣嗣，乃崇尚佛道，擇取穀日，收近良材喚起工匠，重修孛陀山寺者，無限損費。一營修甘露上殿三間，燒香三間，前堂七間，寺左三間，右庵三，及三關重屋下制三間。聖址棟宇既完，又有繪作佛像，厥相甚多，尙來功德。既命圓滿，廣富侯夫婦赴京奉侍。時値明年春節。親父舒郡公迎接使官劉廷質回朝。朝廷乃定封奉使功、陞寺聊仁領伯劉廷質爲吏部右侍郎仁領侯，福巖伯阮登爲戶部侍郎福岩侯，參政唐川子阮政爲太仆寺卿唐川伯。使臣既受職爵頒賞，各各謝恩而出。

時劉廷質以詞章花贍，奉使乘旨，人多美之。駙馬景河聞其名，以劉廷質與父舒郡公有恩義，因修作孛陀寺成，乃求作碑文。廷質爲技能所喚，屢辭，弗獲，始爲廣富侯顯重修孛陀寺碑文。其略曰：

「天南之州古有名藍孛陀寺。其顏也，玉笋立其左，銀帶繞其右。江前槐市，溪後池橋，真第一金僊世界。

夭閱星霜而孛陀已銅駝矣，遺址僅存。見者不能無「燕麥，兒葵」之感。廢而興，剝而復，必需夫大核越，大力量，大手段。揚武威勇功臣特進輔國上将軍錦衣衛都指揮使署衛事駙馬都尉廣富侯阮尊公，以将閥之華，匹王姬之貴，心慈天賦，認得佛偈名鄉，發叢林勝蹟，善心油然而生。乃於乙卯年（一六一五）一陽月，穀日，排荊材鳩郢工，修佛寺，繪佛像，輪奐玉殿，光點金身。其規恢制作等孛陀之山，卽彌陀之佛。此尊公之功德蕩蕩滿圓，宜尊公之子孫振振蕃衍。家門榮顯，事業鏗鏘。古人云：「積善必有餘慶」，此之謂也。由是記其事實，刻於堅珉，以傳示激勸於後世云。

旨，

一會主，駙馬都尉廣富侯阮景河，匹正夫人公主鄭氏玉清。

嚴父少保舒郡公阮景堅。

內宮丈母曾氏玉湖。

諸子阮氏玉蒼，良才侯阮景演，阮氏玉才，阮景淋，阮景澄，阮景澈，阮景溪。

皇朝弘定萬萬年之十七龍輯丙辰（一六一六）月穀日，焚香加持僧修作。

禪師字惠明，順嘉仁邑，大福寺。

賜丁未科第二甲進士出身佐理功臣，特進金紫榮祿大夫吏部右侍郎仁領侯柱國弘化葵渚劉廷質坦甫撰。」

碑文既成，傳史謄書，令工勒石，龜趺完畢，載入義安，置孛陀寺左側，不顯。

却說莫慶王敬寬避據於高平，收撫人民，分使其黨侵掠方土。消息傳入昇龍城。戊子年（一六一八）孟春節，平安王分差諸將爲二道以進擊之。一道差太傅清郡公鄭梙（卽王世子，是爲文祖誼王）率屬將舒郡公阮景堅、澧郡公阮文陷、拔郡公、右郡公謝世福、登郡公阮啓、附郡公阮漂（端郡公阮潢之子也），以文臣禮部左侍郎芳蘭侯阮寔爲督視官。一道差太保萬郡公鄭椿（王次子）率屬將貢郡公黃廷逢（榮國公之子也）、倫郡公鄭棫（王孫）、郎郡公鄭槺（王孫），以文臣副都御史芳泉伯阮惟時爲督視。

時官軍二道進至高平。莫慶王聞風，卽引兵以遁。太傅清郡公以少保舒郡公爲先鋒，督大軍進至稟州，大破賊黨，擒獲僞雄郡公並雄象七隻，乃斬級數百獻納軍門。是日乘勝復至錦花州，擧僞嚴王。嚴王大敗走。次日，又進擊僞智水，大破之。智水敗走。官軍以大捷凱還。

居得旬日餘，聞僞扶巳竊起在扶路社。平安王復差少傅奇郡公鄭樽統領諸將提兵往征之。奇郡公以少保舒郡公爲先鋒。時値韶光節，官軍既進至扶路。先鋒阮景堅擺作陣勢，長驅直進。左有長男揚義侯阮景代，右有官隊林溪侯，兩翼登騎，橫排蟹牙競鬪。賊兵大敗，斬首者無數。官軍振旅回京。朝廷議頒恩賞，記者不顯。

却說平安王因國有內變，以弘定誤中奸謀遇害，王乃立皇子維祺卽位於勤政殿，年方十三，改元，大赦。是爲神宗淵皇帝，永祚元年（一六一九）。

舒郡公以年老，屢奉差行攻討各道，衝冒霜雪，膂力既愆，傾遭病篤。皇上甚憫之，命中使賫勅諭一道並藥錢五百貫往遺之，令養病調理。問安不已。至秋八月，白露節，辛亥朔，越初四日甲寅，酉辰，公卒於正寢，享齡六十七歲（按，公生於癸丑年，至己未年，凡六十七。而舊記云公七十四，七十三或七十二非眞，誤也）。皇上聞之，命輟朝三日。平安王嘆息不已，親臨慟哭，上表乞加恩贈。皇上乃遣禮部官具賫祭物並金子二笏，古錢三千貫往慰賙之。加封叶謀揚武威勇翊運贊治功臣，特進輔國上將軍，南軍都督府左都督署府事，知太醫院掌院事，少傅左司空舒郡公（後有加封默相洪圖，贈爲太保），又差官軍水步軍人並船十五隻護載舒郡公靈輀迎回本貫，葬於都梁社，錦花上村，模山處。所生四男二女，譜顯於后：

長男曰景代（封署衞事，揚義侯）。

次男曰景河（其母乃真福上舍人，太師阮嵩國公之裔女，一云曾孫。河尚平安王鄭氏，封署衞事駙馬都尉廣富侯）。

三男曰景楨（其母乃本縣都梁人，花園村女也。楨尚平安王女鄭氏玉威，封署衞事駙馬都尉，爵至涖郡公）。

四男曰景乙（音骨，季小也。封顯義侯）。

長女曰玉（號「一娘」，與勝郡公同母。嫁夫威祿侯，一云大祿）。

次女曰玉季。

却說，次男駙馬廣富侯屢得頻升功績，陞爲掌衞事勝郡公，有長女玉蒼嬪於神宗皇帝，掖庭之內，寵愛酬甚。

時王世子清郡公鄭梉，以王父平安王年齒老倦，而其弟萬郡公椿有覬覦爭奪之志，數與義安按守官太宰嶽郡公私相厚交。清郡公疑嶽郡有萌向背情，因奏以義安要地，爲國家咽喉，以控制藩外，當選諸勳戚重臣，管此方面，防其外侮。帝從之，乃差勝郡公景河入鎮義安道。清郡公延召勝郡公餞行，授以密意，云云如此。勝郡公謝恩而出，卽整兵象船馬，南望義安去了。

果然，上那有天變，下必有奸謀。昨夜有白虹衝天貫月，事方可驗。

迨癸亥年已未月，平安王感冒。丙子日，朝廷請以王世子太傅清郡公鄭梉掌兵權，次子太保萬郡公鄭椿副掌兵權。椿因此懷憤，圖起釁於蕭牆。

次日丁丑，自率本兵象馬，銃碑列擺亭昂處，推使屬將奠郡、蟠郡衝入府內，掠取金銀財物，延燒畿內營奇鋪舍。城中大亂。掌監官岳郡公裴仕林入宮告變。王歎曰：「不圖今日豎子背天，逼父至此，吾何走乎？」仕林乃挺身扶王潛出宮門避去。

正是：

世民玄武推鋒日，

佛瑪乾元覺變秋。

不知哲王奔播何在，便看下文辨白可知。

第三節　成祖書招立萬郡公　神宗册晉封王世子

是日，王世子聞變彷徨，卽宣召勳舊大臣共議。仍使少弟太保勇郡公鄭楷奉迎皇上鑾駕至清池仁睦市，命集百官，論行軍務，各得其宜。間有三事甚是最重。一分差某奇營官軍，護衞聖駕，整括糧餉。一某營奇官軍探接王輦，奉侍愼密。一某營奇官軍巡行邊幅，收捕逆叛。以上各宣揚市所，諸營官軍一一聽傳赴事。

却說平安王出播至清池黃梅社館泊處。日晡，使裴仕林衞入親弟奉國公鄭杜營駐蹕。次日，聞萬郡公捨京城退據清池，王乃差官軍往諭椿，入授以大權。因命文臣修寫一書，謹封甚密，付與賚行。差官奉書詣萬郡公屯所。

椿使延入，賜坐，問曰：「卿自何處來？」

差官奉書告曰：「臣於前日，以京城有變，得奉從主上遷播於黃梅，駐驛在奉國公營第。主以微豫，因其星夜召臣入帳下，授以密書，使往軍門告急。不知書內如何，明公前當折看。」

椿遂取書加額開而讀之，其詞曰：

「親父都元帥總國政尚父平安王，書遺男子副掌兵權太保萬郡公椿：若曰，予藉先考明康太王之業，卒能收撫賢豪，整督義旅，殄除僭偽，恢復皇圖，以有今日富貴者，蓋由經營百戰，甚艱難也。茲以年齒僊勤，欲將國事囑付後嗣。爰憑古人立嫡之禮，以清郡公為正掌兵權，而爾椿副之，意以協心同德，翊贊皇朝，保持家業也。殊不知才德出類者，天命人心亦有所係焉。故左公之於季歷而能使泰伯、虞仲❶知逃於荊蠻。唐公之於世民而竟使建成、元吉見辱於玄武。職此故也。今汝椿功蓋天下，中外推戴，允謂元良矣。一旦予授之以副命，致拂人望，馴起兵變，此乃衆心擁迫以致然也，夫豈小子敢行亂哉！矧又天南基宇，亦大衆子之中，孰能嗣保吾業者卽付托為之，何必拘泥嫡庶之分也。茲因感冒，旦夕弗穩，仍差人宣召爾來遺囑大事，以靖內難，安國家也。速速早往，不可疑遲待駕。書不盡言。謹書。

永祚五年六月十九日。」

萬郡公椿讀畢，卽大慟哭曰：

「椿以不肖子，上不能承家匡國，下不能嚴律戢軍，竟使部卒變亂京畿，致動父王車輦，遷播不寧，定有餘辜矣。汝差官先回，具用上聞，椿自待沐浴整服，冒來請罪。」

差官辭回行營，具以椿言前告。

王聞之，曰：「奸臣賊子，面佯忠孝，心懷歹側，豈足以爲信哉。」及日向午，椿果啣草詣門，銓伏庭下。

王問曰：「爾今到此，尙有何言？」

椿曰：「不戢部卒，變亂京畿，以致主尊奔播者，椿之罪也。今聞聖體微豫，未正其寢，凡爲臣子，莫不惻怛於懷也。故椿所以不避威怒，敢自冒入而問安也。生殺所分，豈得避之。」

王曰：「汝欲爲唐世民乎？」

椿曰：「小子重念聖父年老，故未敢遽傷和氣，以搖動耆年。若許以世民之事，却有何難？」

王大怒曰：「汝言我爲年老，何故興師撥亂城中，以致君親遷播？凡爾所爲，此其視冒頓、楊廣之態不遠也。而復飾以虛辭漫引，誰又信哉！」語畢，仍命掌監裴仕林將椿推斬之。時奉國公杜諫：「親而有功，宜宥法二等。」王復命黥之。於是裴掌監差人押引捧斧斷椿脚足，令放置外舍。椿痛甚而死。

奉國公杜仍命親男碩郡公往仁睦市，迎世子就本營，入侍王疾。世子乃與碩郡公同象而行。時劉廷質洞知鄭杜父子陰謀不軌，乃移步詣前諫曰：「碩郡逆賊，明公不可與之偕行！」世子聞言，即別令碩郡還營，而世子自整兵馬，回駐寧江。」

二十日己卯，世子於三更子時，即傳差屬將，督人馬往奉國營迎衞王父駕幸寧江。白旦至營，承差官入臥內告奉迎事完。是日，王命杜林護輦出行，至青威縣青春館，王薨。

明日庚辰，世子就江寧發喪。乃遣洽郡公整船十三隻，奉梓宮順行水道，歸葬清華。世子親率大臣文武百官及天下諸營奇，共扶皇上從徑路由金榜石奪，出正路，回守根本，以圖寧輯。

却說勝郡公景河兵至義安，聞嶽郡公屯於東城滿爐處，乃率本部象馬諸軍，移駐於南塘沙南市，以觀動靜。及聞京城有變，平安王囚問至義安，卯日，督兵至「邁」爐處，圍了嶽郡公第宅。

嶽郡公聞之，大驚，因具冠服儀衞出營迎謁。二人相見，接入門外旁舍坐定。

嶽郡公問曰：「老某不才，奉守藩野，無他舊隙。今卒聞阮郎駙馬提兵押寨，甚有震恐。」

景河曰：「國家老將，忠貫日月，若聞上命當先就道，何事驚疑！方今萬郡公逆亂京畿，既受顯戮，頗値主翁出城遷播，中道殂落。王世子奉皇上督文武百官，及諸營奇象馬，軍人水步回守根本，因遣人清夜馳報。有密旨使小將某發本部兵馬迎衞太宰長官，入朝協議國事，以安中國。願公早早聽從，以釋疑惑。」

嶽郡公曰：「生殺予奪，惟上所命。吾非不忠，有何避焉。」因喚軍人設香登几儀物，與勝郡公拜行臨哭禮。禮畢，乃整括家財兵馬，赴清華安場府，遇梓宮還，侍歸山陵。

事完，勝郡公引嶽郡公入謁軍門。王世子乞加陞景河爵秩。景河謝恩而出。其如嶽郡公入朝予奪如何，記者不顯，不敢妄增話下。

却說，莫慶王敬寬僭擬於高平日久，以乾統既殂之後，遂卽位，改元曰隆泰。至是，聞中國有變，乃糾率氓隸乘虛直抵嘉林，屯駐東畬、土塊。地方烏合響應，殆以萬數。如北有朝紀，西有迪郡，山南有春光，飭據四鎭，騷擾人情。築作壕壘，方民不得休息。

消息傳入清華，朝廷議分兵進討。校括糧軍器械各事一一修整。

越孟秋節，晉封王世子太傅清郡公鄭梉爲協謀同德功臣，都將節制各處水步諸營，兼總內外平章軍國重事，太尉清國公，委以裁決機務。

八月，節制官親提兵進登山南中路。忽有哨馬報謂僞春光兵列柵樹壘於株橋之外。

二十一日己卯，節制官分兵進至樂場燒燬柵壘，大破春光賊黨於株橋。賊兵敗走。官軍長驅而進。甲申，至珥河，水步相接。節制官復引兵至嘉林地方，大破莫軍，斬殺甚衆。莫隆泰君敬寬僅以身免，遁入山林去了。京城宮禁，四顧肅清。

九月，節制以天下既定，乃差陪從戶部左侍郎銜嘉侯黎弼四及掌監太保岳郡公裴仕林等，回清華奉迎聖駕進發京師。

孟冬節，駕既入宮畿內。自是無復搖蕩矣。節制府乃類升諸將有嘉林功陣者上奏之。皇上乃下朝廷僉議。既定，仍付吏部以品秩銓敘。

日（昔）者，勝郡公預有勳望，定頒賞勑命，陞爲都督僉事。其勑文曰：

「勑揚武威勇功臣，特進輔國上將軍錦衣衞都指揮使掌衞事勝郡公為欽差都將節制水步諸營，兼總內外平章軍國重事。太尉清國公數奉差討賊於嘉林道東畬、土塊地方，有功優於衆，應陞職品。有朝廷僉議，加陞都督僉事職，可為揚武威勇功臣，特進輔國上將軍，南軍都督府都督僉事勝郡公柱國上秩。故勑。

永祚五年閏十月初五日。」

諸將拜受勑命，謝恩而出。次日，文武朝臣共集，乞冊封節制府襲進王爵。皇上乃推獎節制府勳勞，仍命禮部參酌冊封儀註施行。擇得冬至節丁卯日，命少傅灃郡公阮文階賚金冊晉封元帥統國政清都王。文階欽奉金冊詣節制府行禮，啓讀冊文曰：

「皇天運啓中興，必生賢以為社稷。君人權公上出，必隆爵以表勳賢。亶協明徵，載宣華册。協謀同德功臣，都將節制各處水步諸營，兼總內外平章軍國重事，太尉清國公鄭梉，肖前德業，冠古英雄。掌兵時，耀百戰威，悉平海內。定策日，服群心望，再造國家。炳文茂，着坤裳，錫寵盡稽師命。特命吏部尚書掌六部事，兼御史臺都御史少傅灃郡公阮文階，賚金冊進封為元帥統國政清都王。爰賜冠冕卷服，仍錫圭瓚土田。尚其守法度，保功名，愼位恪，遵成訓，篤忠忱，膺爵祿，宜王永匹顯休。王其欽哉。

永祚五年十一月十一日。」

文祖誼王旣受金册，皇上復追念先聖王功德。仍差官復賚捧金册追封恭和寬正哲王。誼王迎入府堂，拜受禮畢。是時，王復念文武百官勤義有功者悉命類升無遺。仍上奏乞加封賞。

正是：

四海一家同慶賀，

三公九品任加陞。

不知上意如何，須看下文便見。

【校勘記】

❶「虞仲」當為「仲雍」。

第四節　清都王大舉伐高平　阮景河奉得賜姓鄭

永祚皇上聞奏，乃下詔掛引大興門外曰：

「凡文武百姓軍民等，於癸亥年某有追隨、進發二功者，加陞職爵，榮封『功臣』字有差。」

於是吏部奉詔施行。

日（昔）者，勝郡公預有隨征、進發功跡，奉加陞都督同知，榮封翊運贊治功臣。其勅文曰：

「勅揚武威勇功臣，特進輔國上將軍都督府左都督簽事勝郡公柱國上秩阮景河，為元帥統國政清都王類癸亥年八月，有隨征、進發攻破僞春光，在株橋有功，朝廷簽議曆陞都督同知職，榮封翊運贊治功臣字，可為揚武威勇翊運贊治功臣，特進輔國上將軍南軍都督府都督，同知勝郡公柱國上秩。故勅。

永祚七年十一月十六日。」

諸將拜謝恩命，各循職分，不顯。

却說，丙寅永祚八年秋七月，清都王以莫氏尚據高平，今以秋水漲溢，傳發舟師，乘潮進上以攻之。

是日，官軍大發起行，以都督同知勝郡公阮景河爲先鋒。及至高平，擺揷雁陣搦戰。莫兵堅壁自守。王乃分兵攻壘。

時，景河督衆先登破壘，焚燬僞莫營寨。莫人各各棄其巢穴遁走。王兵大捷凱還，類陳功績奏上皇帝。旨下，凡諸營奇隊進攻高平莫孽有功者，應加陞職爵。吏部施行。

時勝郡公預有功績，得陞左都督，增給兵民，其勅文曰：

「勅揚武威勇翊運贊治功臣，特進輔國上將軍南軍都督府都督同知勝郡公柱國上秩阮景河，為元帥總國政清都王，類隨攻高平莫孽，能用命先登兼行，直到焚僞營寨有功，有朝廷簽議，應陞左都督職，可為揚武威勇翊運贊治功臣，特進輔國上將軍都督府左都督勝郡公柱國上秩。故勅。

永祚十一年閏四月　日。」

勝郡公及諸將旣受恩命，各循守職。

是歲，上皇以歲旱大饑，乃改元曰德隆，大赦天下。

冬十月，遣官持節賫金册玉章，進封元帥統國政淸都王爲協謀同德功臣大元帥統國政師父淸王。

至陽和四年，王復親督諸官軍進討莫孽於高平。莫人奔散，乃振旅還京。

明年，聞至靈、東潮二縣飛奏於朝廷，孽莫逋播，遺黨復漂據在回莊地分（一云回粧）。王乃差左都督勝郡公將本部人馬巡往回粧收拿僞黨，撫安方民。勝郡公領命至回莊，方三四日間，果收獲僞黨，檻送京師，招安百姓。一境之民咸賴以安。淸王聞之，差官宣召勝郡公還京，加陞少保左司馬，賜姓名曰鄭棕。自是子孫命名皆改「水」從「木」旁也。此時國家倚爲心腹爪牙重用，許以入朝預議政事，加給兵四千，民四縣南塘、眞福、芙蓉、青沔，馬百餘，雄象三十隻並舟船、鐵船、草船不勝計焉（按：阮氏自晉國公以來，朝廷已准給南塘、眞福二縣兵民，許連該連營。至勝郡公以奉差撫東潮、至靈二縣人民案堵寧靜有功，加給芙蓉、青沔二縣以爲介邑，收取季稅，用作俸祿）。

癸未年（一六四三）三月，王以順化阮氏負固不服，乃扶鑾駕進入布政州，駐營安排（社名）料定兵機，授以方略。時統領諸營各嚴陣以待。越夏月，皇上以南方風暑炎酷，難以久留，有旨下班師。於是王督諸將扶駕整大兵還京。

冬十月，皇上詔傳位於皇太子維祐。太子卽位於勤政殿，改是年爲福泰元年。眞宗順皇帝卽位，乃廣頒恩澤。凡文武官員各陞受一次。

時勝郡公奉得祇受恩命，陞爲少傅。其制文曰：

「皇上制曰：受帝位於家傳，甫升大寶。加老臣以品重，廣答洪勳。眷乃賢豪，載頒綸綍。

揚武威勇翊運贊治功臣，特進輔國上將軍都督府左都督少保左司馬勝郡公柱國上秩鄭棕，將門世閥，王室懿親。許國敦忠義之心，益堅臣節顯家蒙爵祿之寵，永匹國休。昔時既著勳名，今日載加品秩。是用隆陷俾陟少傅榮陞，于以報厚功，于以昭大惠。於戲，正功稽於師六，朕既施於正始之時。從事迪於坤三，卿勉贊中興之業。欽哉！汝諧無替朕命。方今卽位改元，為大元帥統國政師父清王，類諸臣文武有功幹者，各陞一次，有朝廷僉議，應陞少傅職，可為揚武威勇翊運贊治功臣，特進輔國上將軍都督府左都督少傅左司馬上柱國上秩。

福泰元年十一月　日。」

是時，勝郡公年齒已踰耳順。王念老倦，使入內閣奉侍，許以幾杖。至乙酉年九月初六日甲寅，少傅左司馬勝郡公鄭棕卒，年六十三。清王聞之，哀矜酬甚。令輟朝三日，頒賜古錢二千貫，差官將兵船十五隻，護送勝郡公靈輀回到義安南塘華林社江津。親戚鄉黨捧上草舍，擇日行程，葬上壽村埧鵶處（在華林處），迎神主回到大全社，大作儀祭完畢。所生得十一男八女。譜顯于后：

長男曰景桂（其母范氏，萊郡公之女也。尚文祖誼王女鄭氏玉鸞。官至左都督副將僚郡公）

次男曰景榏（官至提督嘉郡公。尚公主鄭氏玉瑾）。

景根（一云景樑，封漢陽侯。官參督）

景椅（封錦瑞侯）

景林（初名景淋。封富順侯）

景栓（封東安侯。生下阮璟訓）。

景儀（其母姓夏諱使，東城桃人夏氏第二女也。蔭封亞夫人。官至正隊長，封倫義侯）
景楏（封穎川侯）。
景楝（一云景林，封宣義侯）。
景榼（封智義侯）。
景樹（與倫義侯景儀同母。封至順義侯）。
長女玉蒼（嬪于神宗，生皇長子。未及受儲，皇子卒）。
次曰玉才（嫁義郡公）。
玉舜（一云玉梭。嫁雲巖侯）。
玉祐（一云玉有。嫁全忠侯）。
玉軒（嫁恩棠侯）。
玉朝（嫁振郡公）。
玉歲（嫁豪良侯）。
玉瑤（嫁本社人聰明侯）。
養子曰黎維祎（一作維梯）。
阮景檔（順義侯）。
親孫阮景詳（奮威侯）。
男女長幼二十二人，共命均分田土，金銀錢帛，奴婢各領本分，共見順和。止存都梁、華林、同倫、上舍、安代等衙門以本貫田地，園宅爲香火祀事，留傳萬代，以延阮族。定立囑書文契爲據，以塞爭端云。

家事既完，十二月共赴京謝恩。文祖誼王召入府堂，謂長男祿義侯曰：

「汝家爲臣既三四代。忠肝義胞翊贊國家，內扶外禦，厥功最大。汝父年老，入閣未幾，竟乃告終，吾甚惜之。今以所原給南塘、眞福兵民，青沔、芙蓉季稅均分衆子，共蒙其惠。」

初，公娶安定縣多祿社左司馬萊郡范郡公長女。己亥年生景桂，封祿義侯，尚文祖誼王女鄭氏玉鸞。其後南征順、廣北伐高平，預奉從征，頗有功績。至永治戊午年，莫氏退居分茅地界，乞受虞賓。大兵凱還，議定勳賞。景桂累遷至左都督副將，封僚郡公。

自此天下太平，家門榮盛，鼓腹擊壤，舉世皆春。凡遊於康衢者，孰不携手通街，盤膝賣店，而喚之曰：

滿酌兕觴他館子，

将來大俎爾屠夫！

覺來藥師接得沙南醉老，知得今日酒店接得許多沽飲。路師叱來玉山犬吠，知得今日屠家列販許多爛烹。惟乃有酒則醉，非肉不飽。一醉一飽，豈非從頭沙南醉客以爲瑞耶？以致能起此陽長之時既値無虞，尙何有話。

憑諸舊記，着此泛編。觀者正之，庶蒙勿誚。

跋

右傳起自越胡朝丙戌歲，至本朝永治戊午年凡二百七十三年事跡。仍他所錄，或眞或謬，傳信傳疑，多以爲身覽也。

按：此傳記自皇黎中微之後，爲莫氏所篡，天下之英雄豪傑者無不切齒扼腕，仗策尋推帝胄，冒從矢石，共誅莽，操，恢復皇圖，以垂功名於竹帛。幸遇本朝莊宗裕皇帝奮起岑州，專委主帥鄭主，收用相將以恢復，用兵討賊六十餘年，而黎朝始復。其間天下太平，定功行賞，汗馬運籌，封爵高品，勳業昭彰，已載于史册矣。然中興功臣各（名）家編譜記，但抄本私藏，事跡許多淹沒，何以因修？

愚於少時覽於朋幾，所得常國南征記，潘氏長編兩傳，僅數十張，紙蠹字漏，存者三分之一。迨丙子年冬，得於都粱所藏驩州阮景記，文拙字舛，抄寫失眞，不能無憾。仍此，於閒日，憑取三藁彙綴爲一。

其傳既成，不知以何爲賓主，因自述其意曰：「常國南征記，叛臣助桀之書也。潘氏長編者，惟善其身，後人不肖之書也。二者豈得標幟？曷若八代仁義，四世忠勤，晉國公以光前裕後之爲善乎？是與常、萊其賓也，晉阮其主也。故顏其書曰：「阮景氏驩州記」。

阮氏所記，着一家之事可也。今則牽引國事，許多條話；援引遺編，許多證據，不得不加其顏曰「南塘泛話」。然此「話」不獨晉家所顯，而曰「南塘泛話」何也？蓋借南塘阮氏一記，而泛顯天下，二百七十三年事跡。出乎其中，忽然而來者，不啻舟是他舟，不但載他，他却喚他貴客同渡，以重他舟。故書忽他書，不但載他，他却載國事以充本記。

諺言：「欲畫我眉須納鏡，要盛他粟便求箕。」稗官野史，敢賽朝編。惟因這著以寓古今傳跡，覽其脫漏而爲國史之釋註也。若此傳與正史有異，如萊公屍臥象背，景河活捉乾王等事，不知眞否如何，須待尋查別集，始得憑信。

今他既著載傳成，豈容刊削，姑具存之。總完四卷，一卷爲四面，四四一十六，共成十六條文。

雖輯倘有未盡，證考倘有未詳，而按史演文，經歷世事，編繼八傳，間已成帙。後有欲要覽中古記載，方可從此披閱，自有勸戒在乎其中云。

後陳逸史

范文深 校點

後陳逸史　出版說明

後陳逸史爲地方歷史小說。全書二十二節，潘珮珠著於二十世紀初者也。

潘珮珠又名潘巢南，號海竪，生於嗣德二十年十二月二十六日，義靖南堂丹梁（今春和社）人，其父潘文普業儒，其母阮氏閒。

潘氏少時以神童著稱。六歲讀書，三日中識盡三字經。八歲熟練科舉諸體文類。十三歲試中縣首。十六歲又中處首。成泰十二年應試取義安鄉場解元。

潘珮珠爲愛國者。咸宜元年京城失守時，他應咸宜勤王之詔，事不果。到成泰十六年，與同業立「維新會」。後一年，往日本。在此潘先生心得甚多。回國後，起倡「東遊」運動，約有百餘人應召往日本學習。維新三年，「東遊」運動爲法國殖民主義者所鎮壓，先生又爲日本政府驅逐出境，匿身於中國。後往暹國，開耕寨以謀後計。維新五年，中國辛亥革命成功，潘先生復往中國，進行解散「維新會」、立「越南光復會」之事。越南光復會之活動宗旨爲「驅逐法國殖民主義者，恢復越南。」啓定九年，改「越南光復會」爲「越南國民黨」。啓定十年，潘先生爲法國殖民主義者所捕，囚之於京都。臨終之前，先生有辭告與同胞書曰：「救國存種，有志無力，今竟與國民長辭，罪甚乞恕。」先生謝世於保大十五年十月二十九日。

潘珮珠又爲大文學家。革命活動期間，所撰之書甚多。其著名者有：越南亡國史、越南國史備考、獄中書、後陳逸史等。

後陳逸史爲歷史小說之一種。書以後陳陳貴擴抗明於舊義安地區爲主題。其內容有幾點值得注意的是：

勞動人民為侵略者所壓迫並社會各階級中之反抗。所敍之人物，大部分是虛構的。作者要通過這些人物來號召國民抗法救國。

此書今所得見的，有二本，並藏於河內漢喃研究院圖書館，編號VHV一五二四，VHV二七一六。

VHV一五二四本無目次，共八一葉，半葉八行，行二十六字。

VHV二二一六本亦無目次，共九五葉，半葉八行，行二十三字。此本爲阮文榜依據VHV一五二四本抄出來的。

據其二本情況，此次校勘以編號VHV一五二四爲底本，又加以標點，並作目錄以供參考。

後陳逸史

巢南潘珮珠先生著

起起起我國民我同胞聽予小子談古事予小子今日所談之古事非歐洲美洲中華日本洲印度暹羅乃我祖先高曾之事夫我祖先高曾之事其關繫於我何等密切我同胞必樂聞之農者息耒工者寢器商者閉肆士者忽及暫拋擲其至貴之一刻光陰以俟予小子畢其詞知我同胞決不嫌厭何也人一道及祖先高曾當無不傾耳而顧聞者此吾人類同具之良心苟非是則人形而畜性也豈有天帝子孫聖神苗裔之我同胞我國民而竟若是者予小子幸及今至

書影

閒暇之歲月，取生平所誦習者，傾筐倒篋而出之。我同胞，我國民，其聽諸。
我國陳朝之季，因胡失政，吳賊蟠踞我國十有餘年，我自由之土地人民，
大為他族所蹂躪。時我先人父子兄弟，困處於牛馬奴隸之獄，其所嘗
之痛苦，所被之屈辱，比我之今日有十倍焉。然乃當志，發憤殲仇雪恥，
驅逐吳賊，恢復我國有之主人權，以留遺我後，至于阮朝成泰元年，終
迄今讀平吳大誥，披故黎史書，纔覺草木皆壺，山河動色。噫！何盛也！我
祖先高曾之倍赫何如也。孰能此者，孰不曰黎太祖高皇帝黎利乎。
顧予小子渊之，三國所固有之主人權，去矣而復回，失矣而復收，非一手一足

之爲頭也。黎利者一昕昕有名之大英雄耳，非有億千萬無名之英雄。以相與攙於前，推於後，提手左，挈手右，則此一昕昕有名之大英雄，亦於何以表見，閱平吳復國故乘，想見我祖先高曾之誕於其時，固無一人而不英雄也。者英雄之真種，英雄之後身，是惟我輩，我烏得而忘諸。我同胞，我國民，起起起，聽予小子談故事。

第一節　救女棄家。

朝日窺海，晨霜被林，時爲冬天，寒風瑟瑟，父安城外，備樹涇而北，有肩鹹水兩大籮，沿途叫賣，者聲如洪鐘，巨響可十里許，聞者知爲偉丈夫，

後陳逸史

巢南潘珮珠先生著

起！起！起！我國民，我同胞，聽予小子談古事。予小子今日所談之古事，非歐，非美，非中華、日本，非印度、暹羅，乃我祖先高曾之事。

夫我祖先高曾之事，其關繫於我何等密切，我同胞必樂聞之。農者息耒，工者寢器，商者閒肆，士者憇籍，暫拋擲其至貴之一刻光陰，以俟予小子畢其詞，知我同胞決不嫌厭，何也？人一道及祖先高曾，當無不傾耳而願聞者，此吾人類同具之良心；苟非是，則人形而畜性也。豈有天帝子孫、聖神苗裔之我同胞、我國民，而竟若是者？

予小子幸及今至閒暇之歲月，取生平所誦習者，傾筐倒篋而出之。我同胞，我國民，其聽諸！我國陳朝之季，閏胡失正，吳賊蟠踞我國，十有餘年。我自由之土地人民，大爲他族所蹂躪。時我先人父子兄弟困處於牛馬奴隸之獄。其所嘗之病苦，所被之屈辱，比我之今日有十倍焉。然乃蓄志發憤，殲仇雪恥，驅逐吳賊，恢復我固有之主人權，以留遺我後，至于阮朝咸宜元年而終。

迄今讀平吳大誥，披故黎史書，猶覺草木皆靈，山河動色。噫！何盛也，我祖先高曾之偉赫何如也！孰能此者？孰不曰黎太祖高皇帝黎利乎？顧予小子聞之：一國所固有之主人權，去矣而復回，失矣而復收，非一手一足之爲烈也。黎利者，一鼎鼎有名之大英雄耳。非有億千萬無名之英雄，以相與挽於前、推於後、提乎左、挈乎右，則此一鼎鼎有名之大英雄，亦於何以表現？閱乎吳復南故乘，想見我祖先高曾之誕於其時，固無一人而不英雄也者。英雄之眞種，英雄之後身，實惟我輩，我烏得而忘諸？

我同胞，我國民，起！起！起！聽予小子談故事。

第一節　救友棄家

朝日窺海，晨霜被林。時爲冬天，寒風瑟瑟。義安城外，循禁江而北，有肩鹹水兩大瓶，沿途叫賣者，聲如洪鐘巨響可十里許。聞者知爲偉丈夫，然操業乃甚賤。

噫，何人斯？嗚呼！是翁熾。詩有云「崗國雄心山有劍❶」，即誦是人。蓋翁熾，後來黎皇賞封崗國公也。

熾爲兒時，父往田，熾驅犢尾其後。日午矣，熾促父歸，父耕不輟。熾曰：「日且曬死，父盍歸乎？」

父曰：「吾未見日曬而死者；租不足則死於法，吾見之，兒不知乎？吳人所索租，十倍其耕，力尚恐不給。吾殫日於此區區之田，死所尚未知。兒乎！去年吾家所入穀，儘以出市，未完租。吾苟死於日曬，樂也。」

熾曰：「有吳人所不租之田者，兒與父往耕之。」

父曰：「吳國或有之。全越南國之田，必皆給吳人以重租，汝不願耕則惟死耳。雖然，死或樂；租不完，則受極苦之刑，且不得死。」

兒曰：「慘矣！慘矣！兒誓必殺此賊，爲我農人福！」

父急掩其口曰：「汝勿聲脫！賊聞之，必以謀亂罪累及我！」

熾曰：「何害！言出於兒，八、九歲小童，何亂之能作？」

父曰：「兒不見乎？彼嘗懸小兒頭於樹上，以餌鳶鴟。鳶鴟喙兒頭，彼鼓掌而大笑。嗟乎！謀滅人種者，可殺則殺之矣，稚壯何擇！」

熾面湧赤，頭髮皆倒豎，大呼曰：「誓殺此賊，誓殺此賊！」

父不懌，輟耕，携熾歸，戒之曰：「汝勿復爲是言。洩，吾族赤矣！」

熾曰：「父何無膽乃爾！吾若齒全白較吳人何劣？豈黑齒者，即不復爲人類耶？吳賊不仁至矣，完誓殲之！」

父自是命熾赴塾，勗讀書，思馴其質。然熾視文墨殊落落，每拋業率塾童爲戰仗戲。嘗謂群童曰：「吾他日必爲平吳將！」童諸健者皆曰：「能不爲吳人奴隸者，乃吾師也。」漸各辭塾去。

熾習武藝，群童爭効之。熾遂以武勇雄於衆。年既長，益豪俠力義。

時吳人法甚苛。

越民男子及十六歲，吳官必給發保擔狀一小紙，領紙人須納錢每片值二貫至六貫之差，有室家者倍之，即現今人頭稅牌之榜樣也。無是者，官以匪人論，下之獄。

熾有友註舊，少孤，貧甚，既及年，無擔保紙。官捕囚之，獄吏虐不可忍，瀕死。熾聞之，夜出數子弟破獄，脫友出，逃之山中。

吳賊下令索熾急，曰：「敢匿者，族誅。」然是時，我民皆厭苦吳賊，義熾所爲，樂爲之藏匿，吳賊竟不能得熾所在。

熾久於山中，與綠林諸豪大相善。豪群魁熾，熾討賊之志大動。

【校勘記】

❶ VHV二七一六本作「崗國雄風山有劍」。

第二節　傲鞋入獄

豪有翁堅者，身材短小，目灼灼如曙星，富膽略，飽詩書，諸豪所舉動悉備指畫。熾與謀舉事，堅曰：「圖大事者以人心爲資本，以民氣爲機械。民氣未可知，且待勿躁。」

越數年，吳賊猖獗逾極。我國民爲勢力所壓，草菅狗彘之賤，未有若此時之我國民者。義安承宣使一日使人懸一對鞋於市門，示曰：「承宣使，吳皇之代表也。使御鞋，承宣使之代表也。吳皇所命爲代表之鞋之下，南人有不向之行三跪九叩禮者，即下獄，以逆匪論罪」。既數月，越人出於市門者，日以百計，乃下獄僅三人，曰英精、英力、英奮。堅太息謂熾曰：「義安民氣未可用也。」嗟乎！是時義安尚太半爲蠻獠邑。民智蠢蠢，望強權如聖天，比之今日則麋鹿耳。堅與熾之頹然失望宜哉。

吳承宣使既下三人者於獄，命獄吏曰：「予之懸此鞋，予以試安南人之忠順。彼敢於傲吾鞋，欺吾也。嚴治！嚴治！」三人遂被苦工囚，累月不得釋。

堅聞三人者，極壯之，謂熾曰：「叩跪於鞋下者，碌碌盈衢；吾民可哀，亦可羞。翹翹三子，不謀所以全之，自由種子絕矣。」

會承宣使壽時，全城官民行大慶禮。凡差役得給假以表慶忱，獄門僅一監守者。堅僞爲探犯，向監卒通慇懃，盛餽酒肴，親酌奉獻。卒不虞其詐，牛飲爛醉。日剛暮，堅斬門入，竊三人以去。監卒醒，索精、力、奮，則鴻鵠冲霄久矣。

我國五百年前，映相術未現，人心古樸，偵探無奇策。若在今日，恐狐倀耳目，無地可避，爲三子者不亦難乎？

第三節 豪傑盟心

精、力、奮既出獄與堅、熾會，堅、熾膽愈雄，約定諸豪，大會於葛岸山寨，籌舉義。

八月既望，夜將半午，一輪懸空，白庭如晝，群豪畢集。林鳥收隊，峒猿凱旋，人影樹影，錯舞於涼風之下。椎牛壓酒，鼻飲手食，相與示肝膽。熾起而言曰：「綠林叱啞，乃吾輩暫時棲身計。方今異族憑陵，生靈塗炭，大丈夫最終之目的，其在革命。贊成者舉一指。」在席同聲曰：「諾！」各舉一指。

堅起曰：「敬拜諸君，請定盟！」衆皆曰：「諾！」，皆起立。

堅指天誓曰：「凡預（與）斯會有甘爲吳賊臣僕者，天誅之，絕其後嗣；有阿附吳國賊而陷害良善之安南人者，天誅之，絕其後嗣；我輩自今以始，永遠爲最親最密之兄弟，一德一心，期滅吳賊，至死不變；有渝此盟，天神誅之，絕其後嗣。」衆皆大聲呼曰：「諾！」皆覆誦誓辭。

席間年最長者曰翁擴，揖衆曰：「盟既定，請造册簽名。」

堅曰：「勿！凡革命黨，宜寫之於心。若以簡書，洩恐不利於同志。且吾儕姓名，視吾國爲存沒。越南國在，尚何名之簽？吾儕稱呼，各心記之，是不可磨滅之册，安用筆墨！」

衆皆曰：「甚是。」各授以手指其腹，互呼名則互應曰：「諾！」共四十九人。各復坐。

熾請於衆曰：「吾儕皆爲有國人，尚待異日。今日權以此山寨爲臨時自由國。今日所布，即爲國法。」衆曰：「諾！」

堅曰：「我兄弟自今以始，一體平等，但論功過無貴無賤。」衆曰：「諾！」

堅曰：「我兄弟各人所負之職任，由衆公委。有溺職喪任者，衆兄弟得而誅之。」衆曰：「諾！」

熾時意氣殊愉快，攘臂謂衆曰：「吾儕今夕會乃無一盞燈，幸天上月光，尚歸附吾儕。吾儕向來固有之利權，爲吳賊所不能剝奪者，僅有此乎？勉哉，吾兄弟！今以後益益努力，必向吳賊之掌中收回吾國人之利權，如此圓滿之月光！」衆皆大呼曰：「努力！努力！努力！」

衆飲半酣，月漸西指，遙遙聞樵笳牧笛之響，逐秋風而來。熾請於衆曰：「吾輩所商事尚多，即今夕未能竟，樵牧至矣。請明晚再會於此。」衆曰：「諾！」遂握手爲別，皆曰：「明晚。」

第四節　英雄露膽

既晚，倦鳥歸巢，斜枝拂徑，天際大燈光，復照耀於寨前之席地。頃則各會友陸續而至。迨夜將半，點齊會員，惟奮尚未在。

衆竚之久，有一點餘鐘，寨外索索有聲。衆座前突現二人影，前爲一偉少年，挈一十八、九歲許之美女子，蹌踉而入。衆愕然視之，奮也。

擴怒，罵曰：「諸兄弟等汝幾渴，汝乃挾一桑中之喜以來耶？汝須知吾曹今夕此會何等重大事！」

奮未及答，堅儳（讒）之曰：「諸公且安。彼不肯拜跪於吳人鞋下，以蒙入獄之苦者，當不以色敗乃公事！且請問此女郎爲何人？」

衆皆怒甚。笑者，罵者，揶揄者，沸騰於座，驚動林鳥，飛聲、啼聲、雜人聲喧不可辨。惟堅、熾獨否，引女郎請坐。堅謂女郎曰：「君勿怪兄弟等唐突。吾輩今夕爲極重大之談席，不容一生客聞，況乃女客。雖然，奮兄眞鐵漢者。奮兄所信，吾兄弟將信之。今請略言女郎之歷史與其來意，以釋群疑。兄弟至所願聞也。」

女郎憤然作色曰：「予念此一世，無可與群者。聞諸君皆英雄，予謂眼力必不弱，故冒然來。今若此，予請死於此地。彼滔滔者，皆吳狗奴隸耳，吾復誰與生？」遂以頭觸石。

熾急起救之，頂巔已涔涔出血矣，幸尚無恙。時衆皆回嗅息怒，座中至肅穆。女郎更寂然無一聲。衆皆促奮言。奮曰：「吾言之，公等未必信。渠心事，令渠自道之。以弟所見，『英雄』

二字，恐非男子所事有。諸公勿以如豆之眼看人耳。」

堅與熾同起，向女郎道謝，請答辭。女郎曰：「予初見奮兄。此時之奮兄，亦猶今日之公等。輕諾必寡信，多易必多難。公等所圖事，不輕許人知，予亦甚佩公等。顧予之歷史與其心事，但予一人自知。即言之，亦於何信？仍請質之奮兄。」

衆於是爭詰奮。奮曰：「予今引此女郎來，自謂吾兄弟中多一健將。初，予出獄之數日，堅、熾二兄寄予於莫田村獵戶。予時爲逋人，不敢多出，往往閉戶獨居。一日，有女丐叩予門。予視其人，眸炯眉尖，面上勃勃露英氣。然細察之，淚容乃可掬，惟慘淡愁苦之中，仍不掩其活潑之態，予暗奇之，不敢以凡丐待。招之入，引几延坐。女挺然坐，無瑟縮態。予時神思窘甚。予實不諱諸公，予生平腦中所貯，惟英雄與美人耳。今見此如玉如花之貌，而含如霜如日之神，烏能使予不悚惕？予徐問女郎：『汝將何所求？』

渠曰：『予所求者殊奢，一時恐難告君。』

予曰：『金錢耶？』

曰：『否。』

『粟米耶？』

曰：『否。』

『衣服耶？』。

曰：『否。』

予笑曰：『汝以丐來，凡予所問，皆丐所需者，汝皆曰否。予將何以應汝？』

女坐久如木人。予惟注目以俟朱唇之啓。顧女容凛凛不可近，予心益急，然不敢復問。又久之，女突然曰：『予實告君，予所求者，乃君家中所無者。』

予曰：『何物？』

曰：『吳承宣使之頭耳！』

予驚甚，怪哉！怪哉！此等聲口，何爲出於彼女流哉？宇宙間怪物何所不有。予計惟有從事於研究，低聲曰：『汝言幾嚇殺我。此室幸無人，垣有耳者吾與若皆族誅矣。』

女曰：『予視死如戲，故爲是言。君奈何以死懼我？』

予時不能答，思此中必有極可口之美味，姑俟細嚼。乃掃一別榻，請女憩，具晚餐享之。徐請女曰：『汝何由知予，且知予爲何如人？』

女曰：『儂何能識君？吳賊所懸於市門之鞋，實介紹君於予。予爲義安城酒店主翁三之女。承宣使屢飮於予家，見予輒艷予，使予父獻與彼爲侍婢。彼謂吳人勢力加於南人，何物不可如意！彼之刀與槍，無上之神聖耳。雖然，談何容易。予父固商人，乃極曉種族大義。以最良善坊民之女，豈肯爲吳賊作婢妾？承宣使旣屢求之，予父終不肯。遂以漏酒罪誣予父，捕之入獄。謂必獻女者赦，否則殺。予急於救父，將許之。父知予心，遂縊於獄，以絕予念。嗚呼！予父欲其女爲自由民，不惜以其身殉。苦哉，予父！予自是生趣大絕，急欲自盡。念父仇未報，死亦徒朽。予必以一刀餉吳賊，予死乃瞑。顧煢煢一弱女，何能以武裝對彼？日夜思索，未知所爲謀。而彼吳賊野心乃未饜，嘗使人迫我，曰：「必媵彼。」予遂棄家毀裝，飾爲行丐，周遊城四鄉，藉索一同仇者，予仇或可雪。寥寥滿城飛鷹、走狗外，更無一人。風塵碌碌，予亦何從色相。去年拜鞋令下，予竊喜有線路矣。嗟乎！吳人辱我南人至此已甚，我南人之賤，至此亦已甚。主人與牛馬之地位，尚復何言？使安南而無偉男子乎，此獨立之山河逝矣，不復返矣。脫有之，不於此時露頭角，竟尚何待，居無何，則聞有傲鞋之罪人三，君其一。予繼此，乃專爲君等之偵探人，日夜禱天，念獄神有靈，必不埋我自由種。君等既入獄，予亦塗首泥身，穿鶉結衣服，盤桓於獄門之左右，時向獄門卒丐一文錢。品旣賤，顏面又汚垢，誰復致意者。君等在獄一日，予亦一日爲獄旁丐兒，深欲觀君等之結果。念君等在，予身固君等之身矣。大慶日之夜，有短小精悍之丈夫與獄卒飮，乘醉而奪君。予亦何嘗不尾君後，深祝君此行必奏凱。顧君方圖脫險，事不可使人知，予雅不欲驚君，行距君頗遠。迨入是村，輒失君跡，然意其必在是村。予何以知之？蓋前短小精悍之丈夫，予時見往復於其處，予料龍潛蠖屈，近在目前。予遂專以此村爲丐鄉，果於前數日，得窺君於此獵戶之門。毛遂脫錐之思，蓄積已久。即欲叩戶，但嫌形穢，須少拂拭，乃敢自呈。今日君獨居，予特以丐女本相試君眼光。予實告君，予所求於君，除吳狗頭外，更無他物。君見諾否？』

予躊躇未及答。予腦海中，現一種可信可疑之狀。有舌不能摹，有筆不能畫。念其人果確交臂失之，予乃一腐物；否不然者，或奸猾鬼怪之物，乃足以弄吾，吾亦一至愚之賤丈夫。然予審其人決非俗物，惟重予一諾。不敢遽下，必先調查此人所言之慘劇，是否不差，爲予對此問題之第一著。予默，計定乃答曰：『女郎所言，予深佩服。然必予諾者，且使予熟思之。大丈夫與人一諾，即頭顱、性命，皆不可惜，何敢等閒開口！今請君留此，予當有披肝剖膽之日，以拜君誼。』

女郎曰：『善！』

予於後一日，別女郎，以遠山出獵告，而潛回省城，密查酒店父女之近狀。人告予曰：『可憐此一家，父縊於獄，女失踪，家爲邱墟，禍發僅前五、六月耳。』

予曰：『誰爲此？』

人曰：『禍此家者，承宣使，然彼女實禍之媒。女若肯爲吳官婢者，不惟無禍，且將有意外之福。三翁已矣，可惜此姑娘美而慧。今竟不知所之。承宣使尚未忘物色也。此姑娘眞無幸福哉。』

予問女何名，人罵予曰：『周省城誰不知有姑志其人者，汝何夢夢！』

予曰：『予生平足跡，鮮及省城。彼妹大名入吾耳中，此爲第一次。』

予既得確狀，再溫女所言，予前此懷疑之心，遂被敬愛之心所戰勝。念娟娟者磊落奇傑乃耳，古人所傳徵女王、趙嫗之事，決非史家製造。

予匆忙歸寓，脫漏六十矣。女即迎入。予曰：『久相處，乃未知汝名，盍告我？』

女郎曰：『予有狂癖，善罵人，人嘗呼予爲姑顚、姑志。姑志乃眞予字耳。』

予大喜，扶女郎上坐，予向之行二拜禮，請爲義姊，謂予姊曰：『我同胞，我人民，誰非仇吳賊者？我國人自由之權利，彼蹂躪之，如車輪下之碎泥；我祖先所遺我輩以燦爛之鮮花，嘗我輩以團厚之佳果，彼手摧彼喙嚼精花英液，攘爲彼有；徒使我輩供載糞掘泥之車牛。天地間之可仇，孰甚於是？姊言家仇，猶爲狹義，時可雪者，一雪則俱雪。予姊勿憂，能恪守天所賦者，天必助之。時將至矣。』

此爲前晚事。予視夜已不淺，急赴會約。予曰：『姊且休，予有事即出也。』予披衣去，回顧予姊曰：『鍵門息燈，予大約旦乃返寓。』

曁旦晨，予歸寓。初抵門，門不關。熒熒燈光，向予面遙射。旣入室，見予姊踞榻兀坐，悄然無所聲。予詫問曰：『起何太早？』

姊曰：『予未嘗眠，乃不知有起。』

予求其故。姊曰：『君等有此大計畫，乃獨外予，予豈非人？愛國保種之業，爲男子所特獨有之特別品耶？』

予頗錯愕，對曰：『無之！』

姊曰：『君乃欺人甚！予視君近來神色，知君必有他心。前晚匆匆出門，予料必有大約會。君出，予潛尾之。山寨中斫地拍天之談，無不歷歷在予耳。是時予伏聽於寨外，似爲君等備斥堠者，予不欲造次誤諸君，噤不敢聲。會將散，予先君返寓，君之形與予之影相離能幾何？君其覺否？吾心中一部日記，尚可披與君讀。』

予聞至此，不能不傾吐肺腑。凡吾黨所圖，已告之悉。顧今晚再會，予初欲獨來，遲❶遲其行，以待予姊之歸寢。予姊堅請予偕。予姊曰：『君等苟皆英雄者，必不擯予。若以巾幗物屏予，予即謝君等。予自行予志，誓不誤君等事。』

奮語至此，精，力起立，撫掌大叫曰：「請加盟！請加盟！吾儕結交，有神魂，無色相。苟贊成討賊者，即爲吾至敬至愛之兄弟。請會友一致！」

衆齊聲曰：「一致！一致！一致！」起握女郎手，請加盟，各謝前罪。

志答謝曰：「同人先號咷而後笑。非有前之懷疑，後來之深信僞也。」於是，會友乃得共五十人。各復坐，竟前夕所未議者。

【校勘記】

❶ 遲字原作「迡」。

第五節　舊邦新命

堅曰：「吾儕無論如何，總以光復祖國爲惟一目的。最先入手爲運動時期；次則爲進行時期；又其次則爲建設時期。後之一時期，乃在光復成功以後，自有繼我者辦之。吾輩惟盡力於上二時期之經畫。請兄弟指教！」

精曰：「吾輩心德貴同，責任貴專。夫事有謀乃有餉，有餉乃有戰。誰爲謀主者？請公舉。」衆皆曰：「堅。」

「誰爲戰主者？請公舉。」衆皆曰：「熾。」

「然則餉誰司之？」衆皆曰：「擴。」

擴曰：「此事至重，吾黨運命全繫之。吾一人不敢當，請以堅兼主之，奮爲輔。吾力所及，吾惟諸公是聽。」衆皆曰：「善。」

堅曰：「衆兄弟以謀主委吾，愛吾至甚。但吾智有不逮，兄弟隨時教之，毋分畛域。須知：吾曹五十人如一人耳！」衆皆曰：「甚善！」

熾曰：「吾無他能。吾赳赳一武夫，湯火、矢石必躬先之，吾即以此報兄弟，使吾往，吾往矣。」衆皆曰：「甚善！」

堅曰：「今日所最先辦理者二事：一曰聚集之地點；一曰起事之經費。」

擴曰：「吾有山寨數十間，山田數千畝。吾先人世雄其間，吳賊鷹狗耳目所不及，即捐爲吾黨臨時立脚地。所藏粟米尚可充得數萬貫錢，即以一半爲起事資，一半可支一年餉。徐圖擴充，則惟諸兄弟之力。」衆皆鼓掌曰：「甚善！甚善！」

堅曰：「吾儕但知義務，盡其對吾國、吾種之天職，無所謂名位。雖然，結一團體，不可無總代表人。擴公世爲土豪，又爲皇裔，衆望所歸，請推擴公爲寨主。遇有交涉及其他命令，寨主當之。」衆皆曰：「諾！大贊成！」

堅曰：「繼此，當辦者曰軍與械。沿藍江兩岸諸漁村，苦吳官漁船稅重，多不樂從。及沿山諸獵戶，多勇士悍夫。今若得膽識善辨者，周歷各處，審擇此中健兒，陰招入寨。歸寨訓練數年之後，可以成軍。誰任此者？」衆皆曰：「精！」

精曰：「諾！」

堅曰：「今則籌械事初萌芽，田獵所有刀槍，頗能支應。顧吾黨力求進步，非器械齊備，未可與吳賊試。某村冶工爲吾省最，東城鐵礦產鐵最良。今得一人密往良幢，招冶工。彼不願者，可擄之去。得十餘人，則鑄材足矣。鐵有乏者，可往東城買之。後另有計，誰任此者？」衆未對。

熾曰：「吾任之，請力與偕。」

力曰：「諾！」

堅曰：「吾曹所辦事尚多。時未至，未可宣布。明日請畢集於擴公寨，行開寨禮。禮畢，各分途辦理前事。」衆皆曰：「諾！」遂散會。

清漳縣界之極西夾哀牢，俯瞰藍江，倚列帳峯爲壁，濃林翠密，中藏山田數百頃，四時澗水散爲滿渠。臨其上者，有寨大小凡百餘間，中爲擴公寨也。地初爲牢人一村落。擴先世顯於陳。陳亡，率所部數十人南徙入驩，爲吳兵所迫，竄至此，驅牢人而有之。綠林諸豪，時倚爲逋逃藪。擴素忠厚長者，遠近蠻漢咸樂與之交。時以粟米易林產，所得林產復載以如市，歲入不貲，寨中儲蓄頗豐裕。擴時念國恥，蓄大志，好漢至輒善遇之。豪咸稱之，曰「翁奇」。堅、熾初密約會議，首詣翁。翁大悅，赴約。今舉翁爲寨主，此一片乾淨土，遂爲小獨立國矣，名之曰「重光寨。」

第六節　大試小題

八月晦夜。距干祿縣城可十里許，地爲藍江之下游，有村曰雲良，發一盜案。盜徒僅二人：一爲頎碩之壯男子，一爲短少年。所盜之家，爲冶工長翁雲。

夜未半，家人纔遊睡鄉，盜明火入，光熊熊照里許。頎碩者當先，手持一尖刀，破門索冶工長。家人驚呼，鄰里咸集。「㧻！㧻！㧻！」之聲振十里許。然盜徒警甚，手中刀如天花亂舞，人不敢近。頃則挾冶工長以出。既至門，叱一聲曰：「避！」響如震雷。赴救者皆辟易顚仆。旋又馳往副工長翁牧家。時適自雲返，遇盜於其門，弗及避。盜叱之曰：「汝爲誰？」牧驚曰：「牧！牧！」聲甚低。

盜遽挾之去。回謂鄉人曰：「謹謝汝。予今借此二人，他日當以自由奉酬。汝鄉人皆不解所謂。」

既乃遍檢二家。雲家頗豐，牧亦粗給。然財物一絲無所損，箱篋扃鑰皆依然。衆甚錯愕。又十餘日，則全村冶工失踪者數十人矣。

請諸君猜之，盜者爲誰，非熾與力耶？初二人既受任，輕衣短刀，裹旬日糧，雇一小舟，沿江而下。抵制岸，日暮矣，維舟岸旁。斜陽入山，繁星出水，漁燈遙射。

忽現人影，熾疑爲盜者，出伺之，則一男子徘徊於距舟數丈之外，口中喃喃，語不可辨，但聞時雜嗚咽聲。聲漸微，人影遽沒，眼線所及處，突起浪聲，白波翻立，隨起隨滅。熾知其人必自沉者，急躍入水游就之，果摸得一男子，引之出。時未及一分鐘，人已奄奄僅一息。微呼吸，久之乃蘇，開兩眼乍見熾，即罵曰：「毒哉何人，使予失此快事！何仇於汝，乃苦我？」

熾曰：「予何苦汝？脫無予者，汝共魚矣。予何苦汝！」

男子曰：「汝安知予苦。請投我於水，否則……。」遂不復言。

熾挾之歸舟，問所以死。良久乃曰：「此爲差役船耶？」

曰：「否！安有差役船乃泊此寂寞之岸！」

男子曰：「非差役者，予乃敢言。」

曰：「差役見予輩，乃彼極不幸之事。」

曰：「然。」

則言之：「苦哉予也！㖠官未蒞斯土，吾父力田，頗不貧。吾有母雖老，猶能執炊爨，時爲人縫衣得工錢。吾妻亦農家女。吾耕至午，吾妻必具飯與野菜饁吾於田。吾食之美，吾妻復以草煙餽吾，漉煙筒勸吾吸。穀熟，吾全家皆往穫，揉之成粟，足以食五、六人，歲不患匱也。吾得一子、一女，今已六歲若八歲。向者吾耕還，彼向吾索田蟹，得即歡笑，入灶炙之，以肥者食吾，吾樂極矣。

前五年，㖠將引兵至潮口，與官兵戰。官敗，㖠兵入村，全村被焚燬。男人無老幼，㖠人見之皆曰：『賊！賊！』斬或刺。時吾二子方二、三歲，吾父命吾與吾妻各抱其一急遁去。吾促父皆遁，父曰：『吾年且七十九，誰復刄我？』吾國官兵實未嘗殺無罪之老人，異國官兵乃老者亦不恤？

吾既投吾妻與二子於山中，急返家。家燬，吾父被刺死。吾母痛吾父，日因之盲。吾家遂大落。數年來，㖠官稅重。吾所有田，盡賣於富家。然尙有一牛，但租耕足不餓。蓋所得粟，以半歸租主，一半尚能爲饘粥資。使無他種需錢，吾亦不困，君知之乎？旣有俁官，人民必領擔保紙，無紙者囚。前三日，吾村村長奉縣官令，督收擔保紙費銀。及於吾，照俁官法令，吾年外三十，且有家室，擔保紙之領買錢當倍於初成丁者，非十貫以上不得紙。吾索家中事物，無所可得錢，非賣牛則爲無擔保紙之罪民矣。然此耕牛實吾母、妻及二子所倚以存活者。無紙僅吾一身囚，無牛乃吾一家餓。餓吾家，吾不忍。囚吾身，吾不願。逃之他鄉，無擔保紙之罪民，又誰收者？吾籌熟矣；生而苦，不如死之樂。室無壯男子，則歲免擔保紙領費之供。吾牛健在，吾妻固能力耕，遲數年，則吾子亦爲小田父，此一家之性命，吾以一死維持之，計甚得也。君豈能爲吾索他途，乃不許吾死？」

熾曰：「愚哉汝也！大丈夫不死，死必有所顯，汝非儼然鬚眉耶？汝今尋死，是能不畏死者，可從吾去！」

男子曰：「去將何之？」

熾曰：「但視予所向，不必問。此間距冶工村遠近，汝知否？」

曰：「知！吾鄰村。」

曰：「村冶匠現在幾人？」

曰：「可四十餘人。村例，須以一半入工廠充役，得在家者僅二十餘人。然多遠適異鄉以所業餬口。惟正工長與副工長則否。彼二人技精望優，管理衆匠，能左右村人。村後輩皆師彼。」

熾曰：「得矣，勿復言。今予有須（需）於汝，汝能否？」。

曰：「所能者，無不如命。」

曰：「汝去取枯竹或葦，束爲燭條，持以先，任吾嚮導。但汝何姓名？」

曰：「予不識字，無姓名，以子名呼之曰俱。然向者吾嘗沉死，今得生即名俱沉，聊作紀念可？」。

熾曰：「是！是！沉。汝今知吾何往否？」

曰：「何能知？」

曰：「予將行盜！」

沉驚曰：「君等盜耶？盜將何取？錢耶？銀耶？牛馬耶？」

曰：「此皆非予目的物。予將盜人。」

沉曰：「怪哉，予未見盜人者！」。

熾曰：「汝今得見所未見，亦一快事。往矣！」

曰：「何往？」。

曰：「向冶匠村前發。」

沉時頗疑懼，但亦鼓膽，視二人所爲，即點燭前。既行至村口，沉曰：「進此一路，皆冶匠所居。君等不聞乎斧聲，椎聲，及橐籥聲？」

熾曰：「汝知匠正副長宅否？」。

曰：「知！」

熾曰：「且覓樹陰坐，夜尚淺，冶未停工，行事恐有意外，姑遲之。」

夜將半，全村鼓鑄聲俱滅。天色陰暝，路線微可辨。

熾曰：「可矣！」

命沉執燭，前至門。熾出刀於手，止沉曰：「汝勿入！」以燭授力。俄頃間，兩冶長皆獲，沿舊路去。旣抵岸，歸舟。舟中燈未滅。雲、牧怖甚，戰慄不可狀。熾挾之坐，急引酒勸飮，謂之曰：「汝二人勿憂，吾輩非禍汝者。」

雲，牧曰：「好漢，若要錢，民等略能粗供，幸勿殺我。」

熾曰：「且飮數杯，天寒夜冷，足助膽氣，徐聽吾言。舟子可急進舟！」

舟人曰：「諾！」舟行矣。

熾曰：「吾輩今需一百萬貫錢，汝二人須人給五十萬，能否？」

二人神色大喪，面慘白似死者。熾大笑，左右執兩人手慰之曰：「吾戲耳！吾須(需)此者，直向義安城吳賊頭索，安困公等！我國民膏脂血汗所得之物，我一文用之，實足割我腸。」

二人聞此言，知熾等非凡盜，乃大喜，叩謝請教。於是開懷共酌。酒旣畢，熾謂沉曰：「汝爲野人，能識俚歌者，可助酒興！」

時沉已帶醉，膽大雄，撫船板歌曰：

誰能以石擲之于天

以笥傾海才是良人

又歌曰：

何足絲繩抛滿天

何來資貨識人騙

又歌曰：

久行，知路遠

長住，識人心

又歌曰：

風雨交加起自天

山高海濶繫於人

南北東西共一堂

熾歡甚，曰：「雲、牧，今可與汝言。汝非精冶業者耶？汝全村冶工非皆汝徒弟者耶？徒勞筋骸役耳目，以爲吳賊供殺人之資料，還以殺吾族類，汝豈忍者！彼吳賊之刀槍，旣皆塗以吾人之血。吳狗馬所饜飫以肥飽，皆吾人之肉。吾同胞不自相救援，復以刄授賊，汝問汝之良心，豈能安之？」

雲曰：「公所言，天啓予，天啓予。嗟乎！吾儕小民，蚩蚩何知，視權力爲左右。彼率熊虎數十萬之衆，踞堅城重鎭，以臨吾民，驅吾民如雞豚，吾民能如彼何？吾民今誠痛心疾首於彼，顧智鈍莫知所爲。嗚呼，世界實強權家之私產耳！公何以教我？」

熾曰：「強權果何畏者？人苟勇於自救，天將救之。吾人誠奮志勵力以與強權決鬪，無不勝者。吾國民之衆百倍於吳賊。汝今振汝之兩手，爲吾國先，吾國民必皆出其手以與汝相提攜，何事不濟？吾徒謀舉，所乏在械。吾欲請汝管造械局，故以盜來。使吳賊聞之，不罪及汝家。汝不聞乎？吳官律，一人從匪者，家族誅。今予實盜汝去，汝家人鳴於官，官無以罪汝家也。樂從否？」

雲曰：「向未知公等所圖耳。吾村工人皆村野，性直好勇，視賊如蛇蠍。苟有可効命處，吾招之畢來，豈獨我！」

熾曰：「得君等同心，天相我也。」

時舟已抵清漳縣。力曰：「舟逆行遲，不如捨舟。吾五人陸走較佳。」乃沿碧潮岸前進。

【校勘記】

❶ 原作「姤埃歛砄肱丕，單笏薩溦買得坤碽。」乃喃字，今譯作漢文。

❷ 原作「絿羌麻蠅泣丕，貼羌麻底朱得仍咹。」乃喃字，今譯作漢文。

❸ 原作「趍數買別塘䟼，於數買別揌得固仁。」乃喃字，今譯作漢文。

❹ 原作「固霜固逾固丕，固嫩固溦固得固些，東西南北殳茄」乃喃字，今譯作漢文。

第七節　劍光出匣

距清漳縣城數里許，有一大墟，曰魯市，即後來所稱爲平吳市者。時吳官苛租重稅，掊歛百端，以市稅爲最。督收市稅者乃縣官也。官方踞高几，羅衆差役於前，命酒獨酌。座旁一錢箱，大可方五、六尺，以數兵護之。

力謂熾曰：「是狗肉可取而啖也？」

熾曰：「否！彼誠可誅，然或壓於勢力。且殺彼，禍延鄉村。此無辜之市民，吾誠不欲有所波累，姑忍之！」

行又數十武，一大樹下，繫一壯男子，年可二十餘，面黧黑如鐵，足困以繩，手反縛於背後。守以二隸兵，衣有號，衣書「吳」字。熾等見之，知必得罪於官家者，遣沉來問其故。沉問隸兵。隸曰：「吾奉官命守彼，彼得何罪，可問犯。」

沉問之犯者，犯曰：「吾明日且死。嗟呼！吾之命，乃足以償一馬！前一日，吾負一擔粟，自山村出以如市。冀賣得錢，爲吾婚費。行至此，適巡檢官來，維馬於樹下，官入縣堂，馬兵索吾粟以飼馬。吾不與，兵索之堅，曰：『是巡檢官之馬也，汝山人乃不肯以粟餉官馬，汝敢往見官否？』

吾曰：『敢！』卸擔於樹旁，入見官。

馬兵控予於官曰：『彼乃愛其粟，而不恤官馬之饑者。』

官怒叱予曰：『汝安南人之肉，且宜以飽吾馬，何有於粟？』

予憤氣勃勃，禁不敢發。既返視粟，馬食其太半矣。嗚呼！此纍纍之粟，爲吾一生室家之幸福所藉以托始者，粟兌得錢，則吾可有妻，將來必育子；吾父母得媳，且將抱孫，吾所希望至無窮也。今盡以飽巡檢官之馬，吾能勿悲乎？吾既憤官權之狼籍，而悲吾人幸福之不可期，前途種種都歸失望。吾且不復計禍福，吾力素勇，吾以一臂握馬鬣，而以足踢馬胸，馬大嘶，吾急連踢之，馬竟斃。此時吾怒火沸騰，吾但知報吾婚事之仇，巡檢官、縣官，及市人、役兵，吾皆無所見。

俄頃，官出，縣兵大集，吾遂被縛。吾踢馬時，馬兵遽走報官，否則吾將奉以一拳。可惜！可惜！今巡檢官令曰：三日內能償馬者，否則以吾命償之。明日爲三日矣。諸君念吾貧民，何處得馬者？雖然，以吾命之賤，償巡檢官馬之貴，價値不薄，吾安之！」

沉去，以犯者所述告熾，且問熾曰：「巡檢官爲吳人耶？」

曰：「然！許大官豈有安南人可爲者？脫安南人既爲巡檢，亦復如是。彼以狐倀作生活，豈有人性！吾輩今惟急救此壯士！」

力曰：「異國人賤視吾種甚矣。此無救者，吾國人種且不豚若馬已賤乎？必殺此賊。」

衆曰：「彼在縣堂，有刀槍，有衞兵，殺末易也。」

熾曰：「此二隸兵可與謀否？姑試之。」

雲曰：「吾往探之。」即至隸兵處，問曰：「君等家居近此否？」

曰：「吾等皆山村人，以貧故應縣募，充隸兵。吾村距縣且一總之遠。」

曰：「官必不知汝家里？」

曰：「不知！凡應募人皆不問村居。冒籍人可充也。予等冒稱爲武烈總人。」

雲曰：「君等亦樂於隸乎？」

曰：「奚樂之有！吾終日所見皆慘無人理之事，傷心棘目，無地可避。君不見此犯人之罪案乎？以犯所述，吾殊不欲聞。遲至明日午後，彼且將以性命償一馬。吾無父母兄弟，無家居，無衣食計，偷生此間。苟有他途，官奴生涯，吾即與之訣別。」

雲曰：「吾有友能為君覓他途，君願見否？」

曰：「願甚！」

雲走告熾。熾買煙葉一捲贈隸兵，謂曰：「此犯人大可哀，君等忍死之乎？此人之生命，實在君等掌中。君等曷不援一手？」

隸曰：「吾實守彼，吾放之逃甚易事，顧此巡檢威力至大，彼不難以急令下鄉里，偵騎四出，逃安之乎？犯終不免一死，吾等亦不能生，奈何？」

熾曰：「並殺此賊，無患矣。」

隸驚曰：「此甚難，吾不敢！吾不敢！」

熾曰：「吾能殺之，惟此被繫者，請托君二人。」

隸曰：「巡檢所至府縣，供張甚盛，所需索必奢，每夜飲達旦，睡至午時乃起。吾今夜即偕此犯逃，君等必以早晡殺此賊。此賊毒惡，吾人痛入骨。有能殺之，無與為仇者。吾民力弱弗敢動耳！」

熾曰：「吾輩於此間為生客，欲得此間一熟人，計可萬全。君等能覓之否？」

隸沉思曰：「有！有！市中老人曰翁眞，年五十許，喜飲酒，不事產業，家有田畜，盡以捐之酒鄉。寡言語，開口時甚少，惟酒醉乃高歌，聲甚雄，鬚鬢蓬蓬，衣履不整，每赴市飲酒，兒童群追之，聽翁歌也。翁雖頻入市，但見官吏及差役，輒掩面號哭疾走。官吏以其醉人，不之怪。此翁所居，距市僅數丈許，君等往訪之，或可共事。」

熾曰：「我等即去。君善脫此人，殺賊事吾當之，不擾君等。但逃後必佇吾於盤石洞，吾能使君等安樂。」即於懷中出錢數貫，曰：「有所需，此可少給。」

隸曰：「諾！請如命。」

是晚熾、力俱往訪翁眞。初叩門，翁不納。熾曰：「吾黨皆酒徒，知翁善飲，特來作酒友，何爲拒之？」

翁遙謂曰：「果酒徒，即請入。否，將受辱於醉客，勿多言。」

開門入，翁臥不起，呼家人以燭來。翁見熾、力，遽笑，起曰：「吾視汝眞酒友，何今日乃來耶？」

曰：「謝翁，何知吾輩善飲？」

曰：「客面赤、鬚黃、睛深黑，是能飲者。凡人面淡白，得酒輒紅，是女性男兒，吾絕不與此輩飲。客以酒來乎？否則以家釀餉客。」

曰：「知酒翁所有，特爲翁覓一賀酒物絕佳，翁其許否？」

曰：「且言之，吾所佳者，當酬客以絕巨之價値！」

曰：「少坐，請陳。」

翁曰：「吾數日來得奇憤，非酒不歡，且不與人言笑。吾妻，以酒來！」

頃之，翁婦捧酒出。翁曰：「吾家惟此老偶，更無他人。客有所需，命彼可也。」

熾曰：「得酒足矣！毋擾仙眷。」

翁婦退。熾曰：「翁所謂奇憤，果何事？」

翁不言，舉觥連下，亦不請客。熾、力各連飲數杯。翁曰：「予所憤，予不欲言。諸君猜得著者，可痛飲，助予張膽也。」

熾曰：「翁所憤或即予等所憤耳？室有屬耳否？」

翁曰：「無之。吾生今五十，未嘗得一飲友。吾往往獨醉，醉輒歌，歌倦輒罵人，人無近者。吾家在市，更比山林爲幽也。」

熾曰：「以人命償一馬，此世界曾有之事乎？今始有之，吾人民將儘爲俁賊之馬耳，憤乎不憤？」

翁曰：「田乃俁田，地乃俁地，吾人民之粟米，非吾人民所宜有，彼乃靳而不以饗官馬。豈獨粟米？美妻、愛子，俁官皆得而蹂躪之。是瑣瑣者，何靳焉！愚哉此人，乃敢以粟故戕官馬。償命固當，客何憤之爲？」

熾曰：「請翁勿欺吾等。吾等必欲平此憤，翁當能助之！」

翁曰：「吾非欺君等，吾極傷心之言耳。顧君等何所圖？」

熾曰：「將救此無辜之同胞，必殺此巡檢。然吾乃異鄉人，面目生硬，謀之頗難，請翁爲畫策。」

翁曰：「吾思之數日，恨無可與謀者，今得諸君，此賊休矣。俁賊驕而貪，視我輩如無物。今可具禮物，卑言詞，僞爲犯人鄉民子弟，詣官謝罪，且乞誅犯人以償官馬者，逢迎彼意，彼必樂見我。彼雖防備嚴，然豐禮物以至，未嘗一拒。我家有豚頗肥，吾妻畜之已一年，明晨可烹之，副以酒數瓶，鷄二、三嘴，叩縣門，白來意，求見巡檢官，官必招之入。予爲鄉老，汝兩少年爲鄉子弟，捧禮物導予至庭。予行拜叩禮。嗟呼！予膝未嘗屈於人，今爲此同胞一屈予膝，亦大不辱。予五拜完，起立，則請進酒。汝等以酒進，距賊乃五步耳。汝有刀否？一人捉賊，一人助之。巡檢入汝手，衆衞兵不敢動，直驅鼠耳。縣民皆甚疾吳官，倉皇間，必無左袒者。吾曹挾賊以出距縣市遠，償以一刀，吾曹奏凱矣。」

熾、力大喜，叩謝翁曰：「此賀酒物若得之，當爲翁生平第一次快事！」

翁曰：「此等賀酒物，苟無盡藏乃大快。」

熾曰：「吾友在外尚有三人，皆壯健能叉敵，欲借獵槍三枝，人持一，僞爲獵人者，遠立於縣門外，以防追騎。」

計較周密，翁曰：「即借來。吾族人皆獵戶也。」

謀既熟。明日晡晨，巡檢睡適起，翁備禮物，二人袖短刀以先，翁尾之，著長衣蒲服而進，如前所言者行之。巡檢果中計，遂被擒。衞兵大譟：「有賊！有賊！」

三人號於衆曰：「吾等只誅一巡檢，不問別人，衆若動者，吾刀不能恕汝！」

衞兵皆南人，素惡吳賊。事起倉卒，部伍忙亂，中有數壯士，乘釁大呼：「吳賊可殺！救吳賊者並殺之！」

吳官隨員指麾衞兵，無應者。吳官知衆心變，懾不敢動，任眞等挾巡檢以去。引至吳賊馬死所，熾以刀指賊腹笑謂之曰：「即以汝償汝馬命！汝須知安南人之價値賤，恐不足以償汝馬。」

頃則持獵槍者之人亦至，謂熾曰：「吾等竟獵得兩壯士來也。敬賀諸公福。」

熾曰：「壯士爲誰？」雲等引二人至曰：「公擒巡檢時，吾已在縣門前立，見有兩人雜於亂兵中大呼：『吳賊可殺！並殺附吳賊者。』公等出縣門時，二人噪不絕聲。予尾偵之，且勸入黨，遲必有禍。」

二人者曰：「吾見公等殺此賊，吾意得甚，吾狂不計後患。今思之，若復回伍，吾頭必飽狗食。吾與諸君俱去耳。」

熾曰：「二壯士有家室否？」

二人曰：「大丈夫見好事殺身爲之，家室何計者！」

曰：「甚善！兄弟！兄弟。」遂偕望盤石洞進發。

至則二隸兵與殺馬者在是。七人爲道戰捷狀。於是會友又多六人。各通名，二隸兵曰：「英福」、「英勝」。脫難者曰「英達」。二壯士曰「註剛」、「註果」。

日夕矣，福、勝已豫殺山鷄，蒸牢黍，購米酒數瓶爲歡迎席。熾等起謝翁眞曰：「此戰成功，皆翁力也。請暢飲！」

翁曰：「愚老所望於諸公者，爲江山洗羞，爲蒼生造福。此小小一役，何足爲功！」衆皆拜謝。

酒旣半，眞曰：「人無遠慮，必有近憂。此間距縣城不甚遠。事定後，彼或以大兵追我，恐無幸矣。」

熾曰：「吾輩走山路慣，即疾驅，彼何能及？」

眞曰：「彼若以象、馬追我，吾以步馳何能先之？」

衆曰：「爲之奈何？」

眞曰：「虛者實之，實者虛之，兵法也，吾輩入山時以白日，日暮抵此，沿途人無不知。賊向山村索我，無可疑者。幸山村錯落不相接。吾今入過此村，宜以燭行，賊來問村人，村人必以我所往對，賊見沿途有燭灰必信之。吾輩却滅燭啣枚，折返野村，取江路而進。彼賊能料吾之入，不能料吾之出。搜索山中，必至明日，不見吾踪影，乃轉而他，吾行已遠矣。吾但先彼一時辰，可平穩無事，所謂以退爲進者也。」

衆皆曰：「然。」遂人持大燭一把，疾驅過一村，抛槍滅燭，易裝暗行，折路落平野。夜馳出芝泥，沿江而上。至同油江口，復取山路歸寨。抵寨時，爲十月朔矣。

熾引各人謁寨主及諸兄弟，請各人加盟。熾、力敍此行事狀，薦翁眞爲參謀，以副翁堅。衆皆贊成，設宴勞行者，商造械事。堅曰：「近來使人往各鄉村，收買銅鐵，及古時刀、劍，起爐鑄造，頗足供一月所需。過此時，將不繼，非遣人往東城鐵廠，多買數萬斤，恐冶爐虛設。誰辦此事？」

雲曰：「弟蒙諸公垂愛，願効微勞。冶爐初起，鑄造力微，牧兄能當之。吾但以密信招徒弟十餘人來助牧兄辦事，綽有餘裕。往東城辦鐵，願委數人偕弟往。弟嘗年往鐵廠一遭，諳熟鐵質與物價。辦鐵事，弟請任之。」

堅曰：「得雲兄如此任勞，至所欽佩，顧此事宜熟慮者數件：非得公家文憑，買鐵太多，將惹出變故，一也；收買多鐵，運載艱難，所過關津，易生阻礙，一也。此事若求萬全，請勞眞、熾二翁同往，臨時應變，不能豫謀，二翁肯否？」

眞、熾皆曰：「爲義務，盡義務，有何不肯！」

擴曰：「熾兄遠行，坐未煖席，復此匆匆，大覺缺掌！」

熾曰：「吾素不耐閒，一刻無事，且發病，勞勞者，幸福之媒介，何樂如之？」

議定矣。擴公檢寨內現錢僅數千貫，嫌其少也，未成行。會精、志自外來，以錢五千貫呈，共得一萬貫餘。雲、眞、熾遂出發。

第八節　鐵漢登壇

先是八月十六日，議席。衆皆歡懌，志獨慘慘不樂。席既散，奮謂志曰：「視姊在席殊鬱悒，何也？」

志曰：「吾起念爲父仇乃從公等遊。仇一日未復，心不能一刻安。虛度時光，於黨事竟無所效。負手歡場，令人悶殺。」

奮遂以志所語白於堅。堅曰：「吾事現當運動時期，集款招人，百諸關切。豈奇卓靈慧如志者，獨閒散耶？肉桂、熊膽、鹿茸、犀角各物，共數大包已豫備在此。今即賚往全省各轄，以商客爲名，表面上是兌賣林產，裡面上是潛招黨羽。隨時隨地，苦口熱心，播革命思想於男女之腦中，種苗既投，待時而發。此任至鉅，志可助精共辦之。蓋陰謀糾合之行爲，得一女英雄周旋其間，事半功倍。君等切勿以輕淺誤大事，則吾黨受賜不淺矣。」

精、志遂專爲運動員。

熾等歸寨時，精、志亦至。敍此行所得，精曰：「清漳、英山、南唐間，吾等足跡幾遍。吾所至，羅貨物於前，任人採擇，吾乘便縱談。於諧謔之中，參以痛切之語，或泛論愛國、愛種之理想，或極陳吳吏、吳兵之惡跡。聞者多爲動容。志君詞鋒，尤足使人興起。大抵吾民心理，於吳賊之行爲，無不痛入骨髓，惟懼勢畏禍，實爲吾民通病。吾等所探試及千百人，熱血義氣眞吾黨者，乃僅得十三人。吾等此行至爲失望。然將來或有時機，登高一呼，不患無應聲之山谷耳。十三人現已偕吾黨來，即請加盟。」衆皆善。擴公同諸兄弟出寨門迎之。

來十三人者，男黨員十一人，女黨員二人。十人後來皆以戰事殉國，姓名失傳。今尚記得一人曰翁武。

武爲漁家子，生有奇力，長於水國，善游泳，能潛水行數十里。當時無海軍學，若有之，翁爲優等之海軍，人無疑也。家潮口，業賣渡，操舟若飛，所得錢輒飲酒，飲輒請人共之。恃力自雄，人所不敢爲者以命翁，翁前往，不計償也。

會官兵與吳賊戰於義烈山，官兵敗走，賊追之，及於潮口渡，翁以船渡官兵。悉吳兵至，翁迎而渡之，至江中心，怒沉其船，吳兵十餘人溺焉。翁沒水逃，岸上觀者笑聲如雷。翁既出水，亦狂笑，謂衆人曰：「吾今日演一戲劇，乃大快」。

衆群贈以酒，給行資，促奔避他縣。乃潛走至義峒，爲人家牧牛。牛奔，以兩手拽其角，牛馴伏不敢動。主人奇其勇，收爲養子，勸之習武藝。藝精，命之禦盜。義峒乃荒僻山村，向素多盜。然憚翁，奉爲師，非得翁許諾者，不敢行掠。義峒村遂絕盜跡。盜嘗相戒曰：「東、西、南、北，縱橫任之，切勿犯翁境。」

人遂以翁武呼之。

精、志至南塘，聞翁名，訪翁。翁方手一杖驅牛數十頭，且行且歌。歌曰：

此樂誰知樂，
十犢一竹棍。
飽食唯滿足，
早往暮趕還。

武藝請休說，
賊盜聞驚魂。
江山何足顧，
家國任亡存。」❶

聲振山谷。精、志、迎而揖之曰：「你好。」❷

翁曰：「君等以買牛來耶？可問我主人，予乃牧者！」

曰：「非也！予等將買牧者。」

翁怒曰：「汝等欺吾，汝須知予拳至利害！予所爲牧者乃予樂之，誰敢向予買？予逃難，予遇主人，主人待予厚，予聊以牧事報主恩。且牧牛亦甚樂，予自安之，客可去！」

精曰：「壯士勿躁。予所買者，將以古今所絕無之昂價酬君，君盍聽之！」

武舉杖曰：「奇哉，客言！即言之，合吾意者甚善，否將以此杖奉禮汝。」

志儳（讒）而言曰：「天生此一副銅筋鐵骨，乃不能爲國家獻身、爲同胞出力，區區與村童野叟爭氣，何自待太薄耶？」

武頗色動，笑曰：「汝言殊怪，予莽人也。所謂國家，所謂同胞，果何解？予向來殊未聞。」

精曰：「此解說頗長，恐勞君久立。請以石爲榻，君可坐，吾將畢陳之。」

武曰：「否，不必。吾兩脚乃兩座山，終歲立且不病。君等可言之。」

精曰：「人生之初與禽獸混處。虎、狼、蛇、蠍得而噬螫之，吾人於是爲自衞計。人與人聯以爲群，相與謀制禦禽獸之法，時則有村落。既有村落，合數十人或數百人之智力以共衞其群。於是虎不能施其爪，兕不能投其角，蠍蛇不能煽其毒，而人得以生，人類與物類戰勝之時代也。

「人類既衆，村落漸夥。人各有其夫婦，各自有其兄弟，各自有其父子，而家族於是起。家族起矣，以利害之情互相衝突，而競爭生。甲家族與乙家族，彼家族與此家族，角立而分峙。利害之界日呈，競爭之家日現，優勝劣敗，適者生存，於是各家族皆不得不謀所以鞏固其原有之地位、與擴充其未來之勢力，而有一家族與一家族或數家族之戰鬪。戰鬪之形成，各家族乃盡出其智力以相角。強而優者能取其他之家族而征服之；被征服者之家族。久之久之，漸爲一大家族所吞併。此之一大家族實能括有數十或數百村落之土地人衆，而範圍於其勢力之下，是謂一國。

一國者積多數民族以成耳。標表其名則曰國，稽核其實則一至大之家族，國家之義乃繼是而起。蓋若全地球只此一至大之家族，則吾人但注全力於家族以內之爭，而勝敗存滅之形，乃僅爲少數個人所左右。此少數人而勝，則幸福屬於此。彼少數人而勝，則幸福屬於彼。國家之義，將無由以生。否不然，茫茫宇宙，蕩蕩五大州，生殖歌聚於其間者何限！此方有一至大家族，彼方有一至大家族，此州有無數至大家族，彼州有無數至大家族，因利害之情互相接觸，無不欲鞏固其原有之地位，擴充其未來之勢力，而有此至大家族與彼至大家族之競爭。於是乎成爲國與國戰。

向者，家與家戰則智力之奮鬪，視個人之優劣爲勝敗。至於國與國戰，則智力之奮鬪，不能僅責於少數人，而必視全體之優劣以爲勝敗。全體云者，最大多數個人之組合也。彼一國鼓其全體以與此一國戰，而此一國乃僅以少數人與之爭，則此一國必敗，敗必亡，亡必滅種。民智日開，競爭之術日進，而「國家」二字，全世界乃奉爲天經地義、不可磨滅之道德。國家之云者，化一國以爲一家。此一國之人皆爲一國之主體，對於其他客國而爲競爭，舉全國之人無一人而不負衞國之責任，是謂全體。我以全體與他敵，他亦以全體與我敵。他全體而優則他勝，我全體而優則我勝。全體何以優？合千萬人之智以爲智，成一大智團；合千萬人之力以爲力，成一大力團。質而言之，則千萬人一心，所謂優也。然此千萬人何以能使之一心乎？必其人人皆知吾國存亡，與吾身有至大關繫。吾身可死，吾國不可亡。身死而國存，則吾身所有之產業，吾身所育之子孫，吾身所親愛之族姓，吾身所留遺之名譽，尚永遠不滅，且更有無窮之希望懸於將來。設使國亡而身存，則吾國已爲他族所蹂躪，吾國人無一人而不困於牛馬奴隸之役，吾身亦牛馬奴隸之一分；吾所有之產業，他族得而呑蝕之；吾所育之子孫，他族得而僇辱之；吾身所親愛之族姓，漸歸於消滅；其所留遺之名譽，僅有「亡國奴」三字；而將來之希望，更無可言。人苟明乎此者，決無不殫盡心力，以保我國家，視國即身，而吾身可委以殉國。舉千萬人同此心者，以之禦外侮，何敵不摧！以之攻仇讐，何讐不殄！國家之義所以戰勝家族義，而爲吾人所萬不能辭之天職。

夫即明於「國即家，家即國」之說，而同胞之義乃同時闡發。人既並生並育於此一國之中，此一國實爲一至大公共之母懷，而吾儕千萬人皆爲此母懷所產育之分子，是謂同胞。凡人多因族姓而有畛域。畛域既分，乃有人我。人我既別，乃有親疎。除自身及自身血系而外，謂之異胞，此乃民智蒙昧之證。若民智發達之國，則不謂然。彼以爲族姓之區別，不過人造之名詞，而非天賦之原素。凡此一種類之人混然一族，不能岐爲異族。何以云然？人生之初，冲和二氣之所氤氳，大地精華之所構結，時乃有人人之祖，其始二、三人或數十人。漸育漸繁，以至於有部落。由一、二部落，漸育漸繁，以至於有多數部落。由多數部落，漸育漸繁，漸發生種種之事業。所居聚之區域亦日漸拓闢，以至於有一國。此一國之人，實皆此一種人類之祖之苗裔。我安南人即皆雄王之苗裔也。對於世界人，當然自成一族。對於我國人，尚何族姓之可別乎？同國所產即爲同胞，乃天賦之原素，非人造所得而離異。明乎同胞之義，然後國家之義益圓滿而日進於強。蓋知同國爲同胞，則知國人所享之福幸，實爲吾同胞之福幸。吾同胞所享之福幸，實爲吾自身之福幸。吾自身之福幸，必至於同胞榮樂，而眞福幸乃可言。吾爲同胞謀幸福，即犧牲吾身，有所不恤。非不愛身，愛身之至者也。蓋幸福被於同胞，其爲吾身之快樂尊榮至矣。是以愛自身甚者，必愛同胞。愛同胞篤者，必愛國家。愛國家眞者，必犧牲其一身自私自利之事，而以竭力于衞國。同胞之義，實國家之元氣也。」

精言至此，方欲畢其說，武遽拍精肩，大呼曰：「善哉汝！善哉汝！吾今乃始脫胎而生於人間，吾從前直禽獸耳。吾以爲此身之外，無所謂家，無所謂國，無所謂同胞。吾從前直禽獸耳。向者吾以汝特爲買牛來者，吾罪矣。汝將爲贖一國來乎？汝今欲吾何所爲？」

精曰：「吾所請於翁，前言盡矣。天禍我國，吳人爲封豕，長蛇以薦食我。我同胞苦痛，翁知之。吾徒兩三同志已秘密結義，欲救吾國人之難，收復吾國。羽翼尚薄，甚必厚集壯士，與共圖之，公其樂助否？」

翁曰：「吳，吾仇也。君等能若此，苟借吾頭，吾當割以贈汝。牛數十頭爲主人物，可奉還之，從君等遊矣。」

既抵寨，精以事宣於衆。衆皆崇拜武，請舉武爲參將，以副幟。後來摧鋒陷陣，出力獨多武也。

【校勘記】

❶ 原本作喃字：「恈尼埃別麻恈，近孤特艾椎梞簪，歛諺最吏樹衞，咹歛搏碾臥覔暢茷，習情武藝襲來，罘皮濫㧞瞳啼驚魂別之典渃典山嫩，渃茄泂潥秩群墨埃」。

❷ 原本作喃字：「嘲翁」。

第九節　寃禽塡海

女黨員一爲蓮姑，一爲妃趙。

妃趙，初，省城人也，幼孤貧，鬻於伶家，教之歌舞，充女伶，聲色冠一時。吳賊下省城，日夜宴飲，羅致歌妓，無大無小畢嘗之。屢逼趙歡，趙不肯，但奉歌長命，勉強奏所能，以悅吳賊。賊戀其聲藝，弗忍戕。

賊每群飲爛醉，輒列妓於前隨意汚衊，無所不至。其聲色劣且年稍大者，賊不屑也，即以嫁豢犬。犬甚馴，解主人意，搖尾嗅妓，索與歡；妓拒者犬噬之死。（聞現今南圻下等妓女亦有嘗此苦者。）賊環視群笑以爲樂。妓畏賊威，任狗汚耳。

趙私念曰：「人道已至此，尚忍視之，非人也，吾誓離此火坑。」自是登場奏藝，所得私賞錢必儲之，一文不使。衆伶咸鄙之，趙不與較。

一日，乘歌長他出，衆伶睡熟，夜黑晦，席捲所有以逃。抵浪田椰市，租一屋，雇一小女童，開小酒店，親當爐壓酒歡客。客雄飲者，非趙酒店不入也。富豪少年多艷其色，問鼎者日數輩，趙概謝絕。人問其故，則曰：「予恨不能死。生非樂也，何嫁爲？」

至是，年近三十矣，姿態尚未衰，顧對客益落落。精與志經椰市，就店索飲。精飲且談，頗雜以諧謔。趙叱之曰：「生此世界，乃不虞死期之至，泄泄奚爲者？汝男曹乃爾，矧俺女流？」精起去。日暮矣，志請趙借宿。趙曰：「予店向未嘗有宿客。此爲新例，頗難如命。」志曰：「予亦女同胞。茫茫天壤，乃不能容一女志士，去將安往？」

趙怪其言乃不俗，即爲下榻。既晚餐，志叩趙之歷史。趙曰：「予以予之身世對人言，此爲第一次。」語至此乃沉吟久不發。

志曰：「予今借宿於君，非直以此感君惠，將他有所請於君。悠悠四海，得一知己甚難，請君以君之歷史見示。嗟乎！吾輩女流不齒於人類久矣。」

趙知志非尋常行客者，乃噓唏太息而言曰：「予念及予前歷史，與十年所見聞，殊使予不欲一刻活。予若生爲男子者，予當……當……當……。」語復止。

志曰：「男子亦何者勝吾輩？徒見尾吳賊，作狐倀，害同胞，攘利祿，皆鬚眉堂堂偉丈夫。吾女流乃做不倒（到）此！」

趙耳熱面赧，慷慨言曰：「吾諸姊妹所嘗之慘酷奇辱。比吾身嘗且十百倍。吾今言之有餘痛，遊斧之魚，投籠之鳥，乃觸目皆是。他族人之鄙賤我，殘虐我，亦復奚怪！君乎！余今以予所親見者告君，君其誌之。弱國之人，殊不若強國之狗之榮貴也！」於是舉如前所述者語志，且謂志曰：「吾諸女伴之辱，即吾之辱。此仇吾不能報，吾尚靦然遊人間，吾誠可哀！顧君亦當與吾同掬此淚。」

志於是亦舉其歷史告趙，密謂之曰：「君爲其女伴，予爲其父。誓不得仇肉而食之，毋寧死。」

趙曰：「予輩俱一女流，何能爲？」

志曰：「吾曹幸得爲人，此耳目頭顱，與男子何讓？英雄事業，豈獨男子能之？昔者，我國郡縣於漢，漢官殘賊我人衆，蟠踞我城池，累數百載。徵側以山西一女子，起兵報夫仇，殺漢太守蘇定，收復七十餘城，自王其國。徵女王至今誦之，此非女子乎？人但患無志；苟有志氣，恐女子未必視男子劣也。」

趙曰：「審君所言，似已胸有成竹，前途浩蕩，君爲我示所趨。」

志乃告以黨謀，謂此行實爲招結黨人者。

趙曰：「以如天之福，得見吳賊最後之惡結果，吾死瞑目矣。吾明日即從君去，此間酒店，吾將去之。」

志曰：「不可！吾黨於各地方，圖遍設機關，爲下碁閑着。此間交通頗爲便利，得一地點爲吾黨不時集合所，至爲適宜。君今暫偕我詣山寨，謁諸會友，仍復歸店重張旗鼓。此酒店若大發達，將來黨事進行，獲益不淺，君徐圖之。」

趙曰：「善！」囑女傭謹視店，親隨志進寨。

趙既加盟，志以所謀告於寨友，請趙仍回店，且謂之曰：「店內資本尚薄，吾曹當力補之，早晚以黨友來與君同理店事也。」

第十節　色石補天

予今敍及蓮姑。

蓮，妙齡女子也，北圻河內人，家世為陳朝望族。賊下東京，蓮祖及父與賊戰死之。父所部將逃之驩州，蓮母子隨之遁。未幾，部將再起兵與賊戰，不克，殉焉。蓮母繼沒。蓮削髮入鴻嶺香蹟寺為女僧。蓮幼時勤讀書，通文字，解釋典。國亡家喪，寄跡空門，檀樾生涯，聊可度日。然念祖父殉國事，輒背人拭眼。淚盈於眶，居鬱鬱不可活，則披袈裟，背經囊，巡勸募各鄉邑，冀有所遇。

一日，投一村人家，稱普勸助修寺者，適精、志亦入。三人相見，各道行徑。精曰：「今日得女大士，請為說法。」

蓮曰：「佛法廣大，無岸無涯，蕩蕩茫茫，欲從何處說起？」

精曰：「吾等塵障太深，靈性窒塞，何處說起，則烏乎知？」

蓮曰：「佛旨深玄，不可思擬。謂『無』有『有』，謂『有』有『無』，謂『無』無『無』，謂『有』無『有』，任君欲說，隨口說來，思想自由，乃眞佛理。」

精曰：「聞佛家宗旨，絕重慈悲，一切好生，無所謂殺。彼曾殺人者，佛門必拒之乎？」

蓮曰：「不然。佛家眞理，包含萬有。殺所殺者，以殺為生；生非生者，以生為殺。有時殺『殺』，殺即是生；有時生『生』，生轉為殺。能透此中三昧者，不生『生』，不殺『殺』，殺生，殺生，殺生。四面八方，頭頭是道。慈悲極旨，不專言生。故能殺人不眨眼者，方能立地成佛。」

精聞蓮言，合掌叩禮，遂起去。

距村人家數十步，路旁有茅舍僅蔽風雨，爲行人息鞭所。精、志止是，以候女僧之出。頃則，見蓮得得來，笑謂二人曰：「知君等必去此未遠。」

精曰：「我等專候大士。」

蓮曰：「君等非買貨人。席間所談，君等領會否？」

曰：「領矣！我等見君眉宇間，呈一種慘淡凛烈之氣。想別有懷抱者，瓶鉢遊僧，安得有此！吾輩當披肝膽耳。」

蓮曰：「寒寺不遠，可即來此傾談。」

遂同至香蹟寺。半間雲白，一榻山青，林鳥傾鍾，溪魚延偈。逐羶嗅臭之輩，實絕跡是間，而此三人者乃得互披肝膽。

越數日，香蹟寺中所有金銀寶器忽皆不翼而飛，而芙蓉顏面，鐵石肝腸之少年女僧，反占重光寨中英雄一席矣。

第十一節　逢場作戲

蓮、趙等歸寨後之一日，雲、熾等整裝起程，望東城進發。行至中途，熾謂眞曰：「東城距此不遠，鐵山已在目矣。顧吾輩無官家文憑，如買許多數鐵，廠主必爲難，或生轇轕。君等豈不聞乎？吳官法：凡買鐵過百斤以上者，非得官憑，即收沒入公。今必先解此難題。」

眞曰：「且至東城縣蒞旁覓一客館，暫候數日，或有佳消息。」時已臘月下旬矣。熾然之，遂詣旅館投宿。

先是吳賊據省城，凡近省諸府縣皆易以吳官。承宣使門下，皆握州縣符。淫匪賭豪，群傲然坐公堂，逞威勢。吾人民之塗炭，恐地獄猶無其苦。

正月元日，縣堂賀新年，停辦公事，聚衆飲賭，杯盤狼籍，盧雉吆喝，公堂居然大賭場，縣令即爲席主。

眞謂熾曰：「吾計行矣！今夜差役兵皆賭興方酣，防守疎略。君可與雲僞爲賭客，闖入縣門，趨賭席，逼縣令坐，乘間刼取一公章，甚易事也。公文紙吾已寫下，君可袖之去。如此……如此……文憑上手矣。」

雲、熾皆曰：「善！」

晚十點鐘，二人腰藏利短刀，入縣堂就賭席，出銀錢賭數十下皆負。衆視賭豪，爭爲讓席。二人認縣令面眞。又數點餘鐘，滿場賭人興高采烈。二人潛離席以伺縣令之間。久之，縣令起更衣，二人緊隨之。將及厠室，二人左右握其耳，急謂之曰：「有事請縣官切勿聲，聲則死。」即示以所懷刄，刄光在燈影下閃爍如電。令懼甚，不敢聲，但微舉手。手顫，唇噏噏似中風狀。二人拽之入私室，附耳語曰：「吾輩無所求，惟此張紙，得縣官押一公章足矣。」令視紙爲縣堂札，派委員購鐵充公需者，即和買文憑也。沉吟未及答，二人催之急，令即出印押紙尾，並以小章鉗各緊要處，惟二人所命。押畢，二人曰：「謝縣官，但尚煩大尹一事，則護送出門是也！」令無可奈何，輒隨之二人挾縣官以出，且行且諸笑語至縣門，揮之反。二人飄然去矣。

雲謂熾曰：「何不殺此賊？」曰：「賊狗何足辱吾刀。且吾事貴平穩，若殺彼，聲影較大，惹出事端，於吾此行反生阻力。姑全彼一命，彼終不敢洩也。洩則彼亦有罪，不能保此飯碗，吾何懼焉。」雲曰：「甚是！」

既抵旅館，出公章示眞。眞大喜，笑曰：「二公辦事，大可解人頤！」越日抵鐵山，以札示廠主。廠主引二人遍閱鐵倉，任所揀擇，如價酬以錢。鐵皆良，價亦廉，共得數萬斤，和買文憑之力也。遂命廠主爲雇役夫數十人，裝五十餘抬，捆載以去。

既去縣界，距水峒不遠，眞曰：「吾所持札爲東城縣官所發。今入英山界，脫有盤結（詰）者，恐無以對。今可買茶葉數十包，每鐵筐皆包以青茶葉，爲茶商以行，遣回前雇夫，換以新者，方爲穩妥。」

雲乃以清泉、義動各村買茶葉，雇擔夫，穿山路，赴沙南渡，租大船一艘，裝作茶船沿江而上，旬日復抵寨矣。

第十二節　富强基礎

時寨中冶匠，得雲、牧所招冶徒數十餘人，皆良冶者。鐵既購足，大起冶爐，鼓鑄兵器。志、精等所招黨夥，亦共得數百人。一面斬山墾闢，且牧且耕，爲儲蓄計；一面訓練武藝，豫備成兵，爲進取計。眞謂堅曰：「葵州、襄陽二處皆土官，無吳人爲之守，宜先取此爲立脚地。此寨只可爲耕牧之區，非藏兵之所，請即圖之！」

堅曰：「吾意亦如此。天下事不進則退。能攻人者乃能守。區區此寨，終非善策。顧今兵餉未裕，未可遽動。蓋一動之後，若能乘勢前進，固無可憂；萬一失敗，此巢穴亦且爲賊有，故不敢不籌善策。」

眞曰：「然則如何？」

堅曰：「一年之後，此間所鍊（練）子弟必可以戰，兵械鑄造，亦足備供。但現今人既日多，餉亦日廣，宜急圖餉計，使一年之內不至擾及吾民。仁義之名既聞，人心必樂響應。吾此時一出，不惟葵、襄諸府縣可破竹而下矣。」

眞曰：「吾以義起事，千萬不可擄掠人民。目下籌蓄之謀，耕牧而外，宜輔以商業。椰市酒店，坯樸已成，請輔以資本，兼開餐館，再增一商店。此處爲水陸商賈輻輳之所，宜分遣人往各鄉村蒐集山貨，悉以赴店。水面更收集沙、竹、木材，招人兌賣，或載往下游諸府縣，賣與市民；再收買下游穀米、鹽鹹、食物，載回店所，招山溪蠻峒民與之交易，入息亦甚不菲。管理得人，權衡子母，與耕收並進，餉不患不給也。」

堅曰：「甚善！此事請以精、蓮任之。趙既在店，力可爲之輔。四君協心智以共趨此途，入款必厚。」

蓮曰：「趙於商事，頗有經驗，予願學焉，不敢辭。」精、力亦應諾。

纔數月間，椰市酒店旁，又巍然一大商店發起矣。店中所列象牙、犀角、熊膽、鹿茸、麋鹿角、犀象皮、葵裹桂、土豪參，種種林產，無一不備。店臨大江，江岸滿排柴、竹、木、藤、鐵林、黃草，專爲載往下游之用。餐酒招待，俱趙、蓮與三、四女傭任之。

趙善言詞，工酬應。蓮精計算，勤指揮。店內布置，又極整潔，凡客赴市，無過店門而不入者，月入息乃甚豐。至於往來上下游諸交易事，力任之，輔以沉與福、勝，得利亦數倍，每月必以息歸寨，寨復以所購集林產換之。

購集林產則幸功爲最多，剛、果與有力焉。此三人者，生長於山林，地產性質與其採取之術，所素嫻也。用各得人，人各稱職，又皆絕無一毫自私自利之心，商業蒸蒸日上。

寨中耕牧事，擴公以身爲衆人先。諸黨友有家眷者，皆搬至寨。男供外事，女助內事，誅茅成田，布畜彌洞，農業亦非常發達。

初，武既歸寨，請於寨友曰：「此間耕牛恐人多不能給。吾舊主素好義，且奉天主教，甚疾㚄人所爲。請勸之歸誠，必能助之以耕牛數十頭。且此村皆吾主部下，吾主若爲勸募，當以耕牛數百頭歸寨。」衆寨友許之。

武往勸其舊主。主果大悅，爲捐牛數十頭並勸募其鄉人。全鄉教民，無不樂捐助者。寨中乃有牛千餘頭矣。

武與熾皆驍勇絕倫。每有暇，輒率健兒數十人，往河靜，廣平諸府縣截㚄官，掠財貨，所至必捷。

以是，未及一年，寨中儲蓄乃十倍於昔。供養子弟，招接賓朋，既無所匱。遇諸鄉村民有災難者，又以所羨餘賑給之。四鄰之民咸稱之曰「福德寨」。擴公仁義之名於是振遠近。

第十三節 王伯權輿

既數年矣，寨中諸健兒，皆嫻熟武藝，投石超距，咸躍躍欲試。堅曰：「可矣」。與眞籌進取計。

眞曰：「此間取路葵、襄甚便。二州皆土官牢兵，素憚漢人。今分寨中兵爲兩隊，隊不必多，但精勁五十人。熾、武各率一隊，啣枚疾趨，出其不意襲之，可頃刻下也。但葵、襄既下，所急籌者，在善後之策，容再圖之。」

堅偉其議，即日密點健兒、刀槍精銳，雇大漁船數十艘，藏兵於內，裝商船，分路以進。既近州城，精兵一躍上岸，熾、武當先。時日薄暮，我兵鼓噪而入，大呼：「降者免死！」蠻土軍不辨漢兵多寡，皆請降。葵、襄二城捷音同時至，義聲大振。

堅曰：「今乘破竹之勢，吾輩虛實，賊未詳知，即悉發寨中健兒，可得三百人，奮、力各率一隊，襲梁山、清漳二縣，必可克也。遲則省城兵來，恐不及矣。」

奮、力皆願往。越數日，梁、漳二縣亦下。

眞曰：「賊且以大兵至矣。四縣府所得銀錢、兵械，可急搬歸寨。一面圖攻守計，一面撫諭人民。人民若歸附我，賊兵雖多，不足懼也。」

堅曰：「眞言甚是。」即行文各府縣鄉村，以「討賊救民」之意，曉諭地方紳豪，刻期應義。

是時，地方人民苦吳苛政，聞義兵起，各處紳豪皆糾集鄉兵赴軍營効順。賊所駐守諸府縣，皆募本地土兵。土兵聞四府縣既收復，亦各自殺吳官吏，以城邑歸義兵。南塘、興元、東城、安城旬日間盡爲義兵所有。黨人聲勢大振。

賊乃集重兵於義安，爲固守計，而馳驛盡至龍城求請援兵。堅等聞信大集黨友及地方紳豪籌善後策。衆議紛紜。有請進攻義安城者；有請分守各府縣，致賊來而與之戰者。眞獨無所言。擴公亦莫能決。問眞，眞曰：「義安城，賊重兵所在，未可驟攻。扼守各府縣爲是。」擴公從其言，舉各紳豪有力者，授以職任，令各統鄉兵分取各府縣，軍餉勸所在人民供給之。衆紳豪受命，各就任。

時晚，眞引堅入謁擴公，屏左右言曰：「今日所議策非也，我兵皆烏合之衆，精練可戰不過數百人，輔以舊士兵僅數千人耳。北京賊兵旬日間必至。彼兵合而精，我兵分而鈍。所得各府縣，彼將以大兵臨之，勢必瓦解。若以全數我兵襲攻省城，未必可下。以數千新集之衆當數千萬勁悍之師，軍械、軍需又不敵遠甚。攻即可克，必不能守。一不能守，前功盡廢，甚可惜也。義安爲北圻咽喉，賊必以全力爭之。我一初舉事，兵弱餉虛，械又患乏。舍瑕攻堅，非策之得。爲今之計，莫若乘北兵未來之頃，行文各府縣，虛張聲勢，督餉招兵，爲預備收復省城之計畫，使賊專注意於守城；而密以所部精勁兵，沿江疾馳，南略廣平、順化、昇華一帶。此間城池，以地方險遠，水土不良，吳人憚於跋涉，但委土官治之。我兵一臨，彼必應順，間有違抗，亦易蕩平。不出數月，一帶山河歸我掌握。然後養威蓄銳，相機乘時，進則足以收清、義，窺東京；退則畫橫山關以南，據險固守，總兵積餉，招撫難民，收集亡叛，密聯北圻豪傑，潛厚勢力，見可而進，進必萬全。漢之巴蜀，周之岐西，不過是也。」

擴與堅甚善其議，擴曰：「誰任此者？」堅曰：「請以熾爲南軍總司令，武副之，眞爲謀主。此三人必能辦此大事。前所收復各府縣，不過藉爲我軍先聲。東京賊兵來，守之決不易。得不足喜，失不足悲，此間惟以收拾人心爲第一要著。府縣可守則守，不可守則棄之。地方紳豪，任其投降，或勸之南徙，以俟時機。切勿貪功擾民，徒壞義軍聲價。所有事者，則重光寨根本地耳。本寨遠離省城，山溪險隘，費多功少，賊人必視爲石田。縱使賊來，攻之亦易。賊少敗挫，必不復來。我以數百人專注力於耕牧，人少則餉易給，地闢則利日增。我無所擾於民，民日歸德於我，陽雖附賊，陰實向吾。他日南路功成，大軍一出橫山關，我驅全義、靜人民以應之，易如反掌。以退爲進，以弱爲強，用而示以不用，能而示以不能，動惟厥時，不惟義安，北圻可取也。」

商畫既定，於是擴留守寨，堅輔之。沉、幸、福、勝分理寨中事。牧與冶工數人留寨司田器事。餘皆隨熾等進發。蓮、趙、志亦願從軍。眞曰：「得三女將甚善！」

越明日，遍行文於各地方。遠近人民，皆以爲義兵不日進攻省城矣。又旬日，東京賊統帥，果以吳兵十餘萬助平義安，柳昇爲總司令。

前時，義兵所收復諸府縣，數月間仍復爲賊有。賊亦屢遣兵窺重光寨。寨四圍皆叢林溪徑，賊人馬不諳地形。堅設奇伏弩以禦之，數戰皆捷。賊遂分兵屯駐各府縣，收隊歸省城。一片深林畫爲讓地矣。此爲熾等南行以後之事。

熾、眞將啓程之一日，有自願爲軍嚮導者曰管能。能，牢族人，世爲郎。義兵克襄陽府，能効用。能勇力有膽，善射犀象，得牙角皮革，載往中州各地賣之，歲以爲常。能於牢語、土語、中州語皆熟曉。又時往諸省山分，覓象犀射之，跳石攀枝，健捷如猿鹿。故諸省山路，皆胸有圖軸。南行之議決，求嚮導者，能遂請應選。能雖牢人，然甚慕華風，常至省城賣貨物，被吳官吏所侮辱，心卹之。至是歸附義軍，意殊踴躍。

熾、眞等出發，能挾弩矢以前，顧盼甚自得。嘗謂人曰：「吾甚願吳賊如犀象然。犀象之斃於吾弩矢者多矣，吾弩矢決不避吳賊」。

是時寨團分爲二隊：一曰「留守隊」，堅統之，牧、福、勝、沉、幸爲幹事員。凡黨人所有戚屬皆隸於是；一曰「南進隊」，熾統之，武爲副，眞爲參謀長。奮、力、雲、蓮、趙、剛、果爲參事員，志、精爲行軍偵探使，能爲嚮導官。點齊大寨兵士，揀精勁者共得一千人，人齎二月行糧，以正月元日起隊前發。

發前一旬，先遣精、志裝作行商，先從官路，度橫山關，探察廣平、順化、昇華諸地方情狀，約於二月上旬，會齊於巴屯市。

熾、眞等率大隊沿山路，從哀牢界落廣平山分，爲「暗渡陳倉」之計。全軍一千人，組成十隊，隊十排，排十人，人各腰刀背囊，雨衣草鞋，爲斬林人以進。陸續由山路開行，每隊以間日一發，沿途牢村人民，皆不知其爲軍隊也。

是時，義安各處府縣人民日夜遙（謠）傳義軍預備攻省城。熾、眞等之南行，賊人乃不料及。

第十四節　絃歌殺伐

熾等既入廣平地界，駐兵於巴屯。適志、精探事完竣，來與熾會。精謂熾曰：「吳人經理南圻，但以羈縻地視之，官皆用土人，吳人僅一承宣使兼管廣平、順化、昇華諸道。我若撫誘土人，土人歸誠，橫山關以南必可席捲而有，賊承宣使不降則走耳。我今所最緊急者，於此數月內籌足大宗餉款，不至騷擾地方，使人心悅服，歸附義軍，大事成矣。」

眞曰：「就地因糧，用兵所必需者。欲無徵索之擾，計將安出？隨征餉款，僅足支後一月耳。」

精屛人言曰：「我得一佳消息，大宗金錢，天將以奉贈我，即善取之。」

熾曰：「何所聞？」

精曰：「予前初至順化，探得南圻歲徵田土賦稅及地產貢品，每年一次，解往東京。例以三月發解，大約中旬即驛抵廣平。核約金銀貨品，當五十萬上下。吾若迎途截取，以供五、六月之需，尚有餘裕。」

熾喜甚，謂眞曰：「即以兵刼取之，是甚易事耳。」

眞曰：「不可，彼即解遞銀錢，必先派人沿途探聽。若知地方有匪徒出入，彼必以重兵護送，或改向水程，吾欲截取，談何容易。吾意辦此事，只五、六人足矣。」

熾等俱茫然。眞附熾耳語曰：「如此……如此……但能秘密，賊乃爲我供餉也。」

熾大喜，於是下令全軍返旆入山，散軍樵蘇，雜處於諸牢村寨，席地手食，與牢民交歡。牢民不知其爲軍隊也者。又時遠派斥堠，禁不得令大軍消息，走洩於下游。衆皆不知其意，爭來問之。

熾但曰：「我軍山行，緣崖度澗，疲勞已多，暫息一月乃可賈勇。」衆俱默然奉將令而已。

季春之月，天氣溫和，商旅行客，絡繹於路，人從北來者，賣絲、賣笠、賣煙葉、賣北貨，度橫山關日以千百計。距山關十里許有地曰「存市」，臨存江，頗稱大墟，爲南圻往來所必經之路徑。行客由南而北必經橫山關。關爲絕高峻坂自麓至巓，又由巓至麓，約八十餘里程。途旁深林，多猛獸之虞，人不敢以夜度關。北出者必暮宿於存墟，養足一夕，明晨乃度關，久已成爲慣例。

月朔後數日，有婦女三人，艷裝麗服，從北城而來。一爲業賣歌者，年可四十，然豐姿嫋娜，尚不亞二十餘歲女郎。二爲妙年女子，以外人猜之，必在花信間無可疑者。既至存市，則以重金租一大屋，起一酒飯館，裝飾整潔，頗足悅人。館內經理者爲壯年男子二，似諸女人之兄弟或夫婿，外人頗不能辨。館名但曰：姑北館。館酒餐無定價，隨客之豪賤以爲奢廉。客有以車馬至，館女主僕鶯聲燕舌，款曲逢迎，酒侑以歌，歌間以酒，杯香琴韻，樂趣環生。豪客來者，無不起「欲行不行各盡觴」之興。居旬餘，艷聲大噪，南北行人，無不以一叩姑北館門爲快者。

三月既望，客有從順化來，輿馬焜煌，衣服燦爛，隨以抬箱數十事，護兵五十餘人。既近存墟，墟人走相告曰：「護解官來！護解官來！」拜賀者、迎接者、伺候者，幾有奔走不遑之勢。

官至矣，詔墟人覓停駐所。僉皆曰：「姑北館善」。

官命輿以來。既至門，則館主已立於門側，行歡迎禮。官視之，乃爲女館主，朱唇半啓，執面微赧，似不勝其怯懼者。官囅然曰：「視爾裝飾似北人者？」

對曰：「妾乃自北城來！」

官曰：「好！好！予北城人也，不見北城佳麗久矣。蠻姑占婢，殊悶殺人。」語既，即揮館主先，令導官入。

館主徘徊，謝：「不敢！不敢！」官以手引之。坐少頃，二男子捧酒肴而前，行拜賀禮，貌甚恭謹，皆操北音。

官大歡悅，連下數大杯，謂館主曰：「予本北城兵官，承宣使愛僕也。承宣使以予來順化，任爲護成提督。今因解租稅貢品上東京。承宣使委予爲護解使。館主亦北城人，予甚願結爲異鄉友。館主愛予者，予幹公事完時，將以館主同之官。館主樂否？」

館主對曰：「妾乃北城桃娘，以度曲爲生活。近來北圻租稅太重，每歌兒年納藝稅錢數百貫，生意殊艱。妾聞南圻尙無此種稅，特來此賣藝度活。蒲柳殘質，何敢奢望垂青。倘蒙見憐，得爲官家充下陳，福幸何極。」

官時微醉，大笑曰：「桃娘耶！桃娘耶！久與桃娘作別，舊樂重溫，君可爲我慰旅況，好甚，好甚！」

館主曰：「唯！唯！」再叩頭，請入內搜藝具。頃之，羅衣絹巾，腰月琴，手白扇，自帷幕中盈盈而出。柳腰一彎，鶯喉百轉，眉迎目送，且舞且歌。官時酒興更烈拍掌欲碎，謂館主曰：「得聽仙樂，爲數年來第一奇逢。恨此間無少年桃兒侍酒，若更有之，賞興至爲圓滿。」

館主曰：「妾有女弟子二，頗嘗陪客侑酒，但嫌色藝不佳，不敢遽邀光寵如不嫌棄即呼之出，何如？」

官大叫：「何不早出？」

館主即傳曰：「圓娘！好娘，貴人召汝！」

俄則二女姍姍而來，輕盈衣裳，向官前作拜禮。官逼睨之，二女皆年花二十上下，眉彎半月，眼轉秋波，笑口微開，憨容可掬。官謂之曰：「汝主人能爲大官奏藝，汝奈何不肯奉大官一杯耶？」

二女齊聲曰：「萬福！萬福！」

官親斟兩杯，二女各領其一。玉手婆娑，瓊巵蕩漾，桃腮微壓官面，注酒於唇。官樂極，承酒怒咽，笑磔磔如發狂。

館主起請曰：「夜色漸深，外堂頗嫌風冷，請入內室，爲長夜歡！」

官曰：「善！善！」喚跟隨護兵，以小匣付官，官授館主曰：「此物不可離吾身，煩館主捧以隨我！」

館主「唯唯」，導客入內堂。館主命二男子曰：「可撤舊筵，另開新筵供官人長夜之飲。」少頃，二男子整筵以進。館主揮之去，曰：「筵已齊飭，汝男輩勿可復來。俺女人承官家歡，毋擾清興。」

官大喜曰：「女主人眞解人意！」

於時，再譜清歌，重傾佳釀。四人連袂而坐，肩齊肱接，且喝且斟。燈光下視之，朱顏鐵面，莫辨雌雄。謔語莊談，無非花月。室中之興方酣，而戶外之劇演矣。

初，官抵館，搬箱抬於館內，以護兵持刀槍環立館四圍。官令曰：「汝等須分班更守，愼視公貨，敢忽者，我大官則取汝頭。」衆皆應諾，巡行防衞不敢坐。

既則官命酒徵歌，夜將半矣。衆軍士皆竊相語曰：「道遠走疲，倘得一杯沾唇，可助脚力。顧吾儕小卒，何福力敢比大官！」

及夜深，月輪高掛，照耀如畫。館中歌聲，時覺斷續。衆兵竊窺外堂，則官人與歌者勸酒者俱不得見。衆兵交頭附耳，細語喃喃，不可聞。忽見二男子來，語曰：「諸君走途困倦，何夜深尚不眠？」

衆曰：「予輩爲月一貫錢數石米，得此鞅掌，是分宜耳。明日官許以數點鐘晝眠。」

二男子謂曰：「諸公思酒乎？吾語館主以酒來。」

衆皆曰：「得一杯酒，快極。但吾輩安得許多錢！」

二男子曰：「館主蒙官人恩寵甚優，分賞諸公人一杯，何錢之計？」

衆皆曰：「幸！幸！」。

遂以酒至，衆爭奪而飲之。一分鐘，衆紛紛倒地，如天花亂墜，霎時間，館四旁鼾睡聲，與館內歌笑聲、戲謔聲，混不可辨。

大官方與三美歡宴，左握手，右拍肩，寧知外間有此迷魂陣。突見二男子破門入，直逼官座，露刄而進。官驚欲起避，則此三女人皆攘袂露臂，緊握官喉，呈一種凶猛不可犯之色，謂官曰：「今乃我輩眞陪汝酒，向者詐也！」

官知中計，急呼：「護兵！護兵！護兵！來！來！死！死！」連呼十餘聲，喉乾矣，無應者。

官時醉甚，掙脫不可得，微動唇曰：「汝等欲何爲？」

曰：「凡公貨悉以贈我。」

曰：「任汝取之！」

曰：「我等無公文，被人阻留何？」

官曰：「即以公文付汝。」

曰：「我去後，汝將發覺於地方官，且累公等。」

曰：「如此奈何？」

二男子曰：「今請以輿載大官，隨我輩去。至可放汝之處，不汝害也。我輩福汝至矣，再不依者，視我輩刀。」

三女人亦皆曰：「大官人必依之，拒恐無幸。」

官不得已，首肯者再三。

二男子乃大呼曰：「兄弟來！」則有數十健兒，皆護兵裝束，蜂擁而入。抬者抬，箱者箱，輿者輿，席捲館中所有，戴月而走。時夜過午，鄰舍墟人皆遊睡鄉。明晨起視，則姑北館主僕與護解官俱杳如黃鶴。所餘空館僅有醉眠護兵五十人，狼籍於館前後耳。

墟人皆驚愕不能解。然恐禍延地方，惟相戒勿洩。護兵眠至日逾午，漸漸醒起，知失護解官，紛紛逃回原籍。此事至一月餘，始大披露。

館主，趙也。二女爲蓮、志。二男子則精、奮也。飲護兵之酒，蒙樂酒也。最後數十健兒，則僞爲斬柴夫預備等候於館門左右。統率之者爲剛與果。畫此策者，誰乎？眞也。

精、奮等擁虜至山口。天色已旦，距官路可數十里，由此進入，皆叢林鳥道，僅樵獵時一往還，人跡殊少。精等停輿於此，命夥友遞解貨物先行。奮與蓮、趙押詣軍次呈納。精、志謂提曰：「予等迎汝至此，可無需汝，今請放汝回！」

提前因泥醉，一路在輿上困眠。今已大醒，念公文、公貨俱已全失，空手歸城，太無面目。護兵五十人，亦不知下落，將來吳官以軍法擬罪，首領決難保全。瞻顧前後，不覺淚涔涔然下，問精、志曰「君等今實告我，君等乃爲盜耶？」

精、志曰：「汝今欲歸去乎？」

提曰：「公家以重任托我，我溺職至此，歸亦復何能生？君等必殺我，我固樂之。或以我從君等遊，亦所願耳。」

精曰：「今誠告汝，我等非盜，乃爲國家除大盜者。」

提曰：「君言殊可怪，攔途截貨乃云非盜？」

精曰：「汝所遞解者將以奉之吳人，汝不知乎？吾國民膏脂血汗能幾何，徒以飽異族官吏之腹。予輩誠欲爲國民吐氣，圖舉大事，不忍多取於吾民，借秦粟以攻秦，攫金錢於官吏之手，實大仁大智所爲，何得言盜？」

提驚曰：「然則義安重光寨義軍殆君等耶？予頗聞之，未知其已度關也。」

精曰：「我軍實未嘗度關。我等乃偵探隊。」

提曰：「君等肯容納我乎？我誠願從君等去耳！」

精固遣之，官不肯去，曰：「予今對於吳官法律，必爲一死罪囚。從君等或可生，君等幸憐我？」

精曰：「汝乃賊兵官，今收納汝，非得統將命令不可。我即介紹汝於總司令，佳否，視汝運命。」

第十五節　枯腐神奇

四月朔後，奮、蓮、趙以所擄貨品共二十餘抬，合計得五十餘萬貫，詣次呈納。熾等大喜，設宴犒軍，訂期攻掠各府縣。精、志適以俘虜進，蓋前護解官也。衆請誅之。眞曰：「不可！」解其縛，引之坐，曰：「汝今肯効順否？」

提曰：「倘蒙不殺，願効犬馬力。」

熾曰：「此人爲吳賊心腹，暫時歸順，恐非本心，留之於軍，反生他變。」

眞曰：「不妨！彼途窮歸我，何爲拒之。將來必有用彼之處。凡兵能以不殺爲威，威之至者也。若防彼反側，自有處置。」即進提入內，謂之曰：「汝妻子現居何處？」曰：「現居北城。我赴順化爲吳官，本欲携眷俱南。衆以烏州惡地，非中州人所宜，故不來。」

眞曰：「本軍義安大寨，土良氣和，久成都聚，民樂趨之。汝今隨軍，妻子恐爲吳賊所害，反使我輩負不仁之名。今派人以汝妻子歸大寨，同享安樂，何如？」

提曰：「得此甚佳。我與妻孥作別，亦既數年。苟得一見，死且瞑目。」

眞曰：「然則汝可寫下信函，有汝圖章在此。予等派人帶往北城，以汝妻子來也。」提喜如命。

頃則召志與趙入。眞曰：「予等最終之目的，乃在北圻。予久欲派人一往探聽各種敵情，但以南圻阻絕，已歷多年，人地生疎，諸多不便。今得順化護城提督書信圖章，帶此以行，必無阻礙。北圻人衆物富，民智開化，於吾國爲最優。將來收復成功，必藉北圻同胞爲左袒。二君膽雄辯富，眼力又高，請爲同胞一往。至於撈取虜家人，特借題運筆，亦以堅彼効命之心，非專在此也，然此亦必不可少。彼妻子歸吾寨，彼身不得不惟吾驅策。俗物襟懷，身與妻子外，無他愛也。吾方有用彼處，二君幸任其勞。」

志、趙皆欣然願往，請去回期限。眞曰：「此行關係至大，去回遲速，非坐談所能決。請二君便宜。」志、趙遂行。

重光寨之影響波瀾，乃遍布於全國矣。志、趙旣北行，熾等乃會齊諸參將，議進略廣平各州縣。眞曰：「賊護城提督在此，可召之謀。南圻賊情，我所知必不能若彼之悉。研悉賊情，然後相機而行，或免失財。」即喚提入座。

眞揖而迎之，謂曰：「君在順化，得吳賊重任，賊情必熟。我今欲進兵略地，君當有以告我。」提曰：「吳人精兵重將，全集於北圻。南圻一帶彼直視爲附益之物件。順化城尙有吳兵數百人，爲承宣使衞兵。廣平、昇華諸大城且無吳兵。其他州縣官兵，皆以安南土人或占城遺族充之，但責歲納足糧錢，餘俱不置可否。此等土官甚駲怯，驅之如豚羊。其中有先世爲北人，由陳朝派遣而來者，其子孫雖受吳官名啣（銜），彼心中實無吳字，如鄧悉、鄧容父子，現爲昇華州官，予疑其終爲吳敵耳。」

眞曰：「得矣，君且退，徐有計議，煩君助一臂。」

提出，眞密謂熾曰：「不圖南圻一帶土地，乃在此降將掌中得之，殊大快事。」

熾曰：「何策之出？」

眞曰：「鄧悉父子，懷舊思奮，必無可疑。今我遣一辯士，密持簡書，先見此人，陳國種之義，使知我軍宗旨，彼必樂從。即勸彼整束所部，預備嚮應。待順化承宣使被擒，彼即起義旗，收復昇華各府縣，爲我聲應，諸府縣可唾手而得也。但我來人唐突，恐彼未免懷疑，可使提親寫信書，押以官章，盛陳我軍聲勢，以實吾言，則彼必樂與我人接洽矣。」

熾曰：「承宣使被擒？何言之易也。」

眞曰：「即以奇計取之，何難之有？」

熾曰：「將以兵襲攻順化城耶？」

曰：「攻順化城，須一千人乃可下。路馳四、五日乃能至。聲跡露，彼防備已周，襲攻何可？」

曰：「將以何策？」

眞曰：「稅錢貢品途間截刼，吾輩此事，頗甚神密，旬日之內，順城官府，必未詳知實情。今使虜提督馳一緊急公文，禀呈順化承宣使，乞捕盜贖罪，追回原貨，官必允準。飭今迅速捕盜，解京研訊。我卻如此如此，承宣使可捉也。擒賊必擒主。主入吾手，衆自潰矣。」

熾曰：「此謀甚奇，速爲之。」

是夜，召提入內，要提親寫公文一道，馳驛赴順化，禀承宣使文云：「奴某某月日遞解公貨至廣平，近橫山關，停駐存墟，擬至明日起解出關，不意夜間有強盜一夥，約五十餘人斬守門護兵，搶掠公貨。盜來勢凶猛，衆護兵不能當，五十人幾全死於盜刄，公貨盡爲所掠，幸托大人洪福，奴以單身與盜苦戰，殺盜數人，生獲盜徒數馘。惟盜魁與其全夥尚未就俘。今請一面嚴訊盜徒，引指餘盜；一面密飭地方人民，協同捕拿，不日必可全夥就擒，即請解送大庭，候承訊辦，追回原贓，庶贖奴罪於萬一。極知罪重，死無可逃。誓捐微軀，專俟刀斧。謹此持報，不勝惶恐。待命之至。云云。」

提寫文押印完，即派人詣廣平關發驛馳禀。事距刼貨時僅二日也。

第十六節　張羅待虎

提文驛發後三日，得接順化密飭火速遵辦。眞謂熾曰：「十日內吾計可行也。」於是遣人向各鄉村，招木匠十餘人，趕日夜工，造解犯櫃共三十抬。

例凡地方官吏解盜賊重犯，必以堅固木櫃，納犯於其中，以防逃逸，如防豚狗。然此爲吳賊最野蠻之法律，我國晚近尚遵用之，眞可歎也。櫃爲立方式，周圍固以鐵釘，上面開一圓口，大可容掌，爲給與犯人飲食之孔。櫃前有門，扃以鐵鎖，鎖子由監犯官掌之，名之曰「押犯櫃」。每櫃一犯，每犯抬以兩役夫。三十抬共九十人矣。

櫃既成，眞謂熾曰：「公等能忍數日之苦，承宣使之肉，必爲吾輩食矣。」

熾曰：得吳承宣使之肉而食者，死且甚樂。數日之苦，毋乃至甘。」

眞曰：「此押犯櫃皆飭以假機，釘皆僞爲鐵者，木質而漆塗之耳。櫃中人可自啓，機少觸即破。今公等冒充犯人。抬犯夫皆揀擇膽勇兄弟充之，以虜提親自押解，承宣使必親訊犯。公等破櫃而出，利刄乘之，俄頃之間，五步之內，彼有翼不能逃也。」

熾曰：「策甚妙，恐俘提心變，弄假成眞，奈何？」

眞曰：「吾已計及此。吾前命志、趙往北城取彼妻子，彼已親見其行。然尚恐未足堅彼心，必有計以縛彼。今晚公等知之。」

是夕，大宴會衆兄弟，惟精、蓮、志、趙不在。志、趙因往北圻，精、蓮因赴昇華說鄧氏父子，故也。坐既齊，大衆開懷暢飲。眞舉杯請曰：「我等離大寨以來，跋涉風霜，亦既數月，兄弟未嘗一刻飲。今夕宴敍，聊於忙中博一閒。衆兄弟善武藝者，請競技爲樂。」

提蓋前以武士起家者，聞眞言，念吾附夥，不免爲衆所輕，乘此一自表見，聊博群譽。即起請曰：「小弟幼習武藝，頗有名於北圻，諸公倘不以俘虜見棄，請奏薄技，助酒興。」

眞曰：「前爲仇虜，今則兄弟一家之人，何分彼此？公果樂競技者，當舉兄弟一人爲對。」即拍武肩曰：「武兄盍奉提督公命？」

武曰：「諾！」擲杯錚然，向階下立。提亦降階，面武對立。提請曰：「棍、拳、刀、牌，當奏何技？」

武曰：「席間行樂，何以械爲？吾二人空拳比試可矣。」

頃則席上發號令一聲，二人皆舞手飛脚，奮臂伸腰，蛇捲鷹搏，獅蹲虎跳，各盡其妙。提拳法亦不弱，但武氣力大雄，手眼又十分靈快。頃刻則武已連被數刺。再後，武作凌空虛擊之勢，引提趁入腰間，倒脚一踢，提已玉山頽矣。大衆喝采，聲振林谷。

眞恐提羞慙，急下扶提起，曰：「提公乃醉！」

武亦拱手稱謝，笑曰：「僥倖獲罪，請勿見怪。」

熾曰：「吾輩方圖心競，安用力爭。但請痛飲，技只此足矣。」

提曰：「公等眞神人，宜其視吳賊如無物也。」

衆復就席，眞請曰：「今夕筵，聊爲諸公洗塵。明日當分途辦事，不能大家團坐也。夜深矣，請各歸寢。」

席既散，眞、熾、武及最密數人，同入別室，商取順化策。

第十七節　赴海斬鯨

越翌日，眞請虜提來。武等亦俱至，行遞解犯人之計。熾與諸雄壯有膽者三十人，冒爲盜犯，雲、力、奮皆與焉。選步下少年勇健靈捷者六十人充抬夫。剛、果爲役夫長。押解者爲護城提督，武副之。

又後日，列櫃於庭，屏諸閒人，引熾等詳審假機、假釘、種種事。既則驅櫃出發。眞親送之至官路，暫歇一停。眞附武耳，語曰：「吾以君副提，借君監督彼耳。昨夕使君與彼競武，欲彼知君手段，必不敢生心。君途間與彼懇切慇懃，步步小心。至擒承宣使之後，乃可放手。且切勿醉酒，恐或誤事。」

武曰：「吾自知之，一切小心。至於飲酒，更不待戒。今尚非吾人放浪之時也。」

既則各人腰利刀，入櫃坐。眞遍揖之曰：「君等爲國家、爲同胞，擔如此苦事，天地神明，當監（鑑）吾兄弟之志。公等行矣。弟當速驅大軍出山，爲公等應援。」

眞送至一里許，復囑提曰：「此行利順，當爲第一奇功。吾兄弟榮光，皆公賜也，公勉之。」武及衆人皆歡喜道別。櫃起行矣。武謂提曰：「今可先行文告示各府縣，令沿途接引押犯官兵，使無人疑其僞者。不藏之藏，藏之至矣。」提然之。

先詣驛站，發驛馳報各地方，所經地方人民皆知順化提督官親自押犯。聞提至，迎送惟謹。犯人、役夫之冒假乃無一人知之。一路平穩。三日三夜有餘，程已至順化。

天色既晚，武等在城外歇宿。先以稟文呈承宣使，請示定奪。吳使聞盜犯解到，喜甚，飭明日晡時，押犯至使署，候吳使查訊。

時距提驛報稟文剛旬餘矣。櫃中人得明晨訊犯之信，各各目語眉指。抖擻精神，預備來日演一奇劇。

明日早晨，提、武已豫抬犯至使署門伺候，日近午矣，鑼鼓喧鬧，廝隸奔驟，儔隊百人，前呵後擁，輿一大貴人上堂，承宣使也。堂中最高朱榻，是爲使座。座旁左右距離十步許，武士排刀鵠立數十人。庭下距使座丈許地，列犯櫃爲東西二行，行十五櫃，抬櫃人退立於署門兩旁。

提先入門，武隨之，跪於庭，行叩禮，陳捕犯事。使親詣勘犯，下階纔五、六尺許，櫃中各犯人突鳴一聲，三十櫃同時衝破。犯躍刃現，舞刀如飛，捉聲、捕聲、打聲、「殺、殺、殺」聲，雲起濤湧，官賊不可辨。頃則承宣使頭已爲熾拽之出門外。抬夫六十人亦乘衆儔兵倉皇之際，疾奪刀槍，大喊怒戰，逢吳人便殺。

熾等見事大得手，大呼：「凡非吳人者快避走！」

衆紛紛覓路逃。又大呼「能投降者，概免死！」諸未斃吳兵，知大勢已孤，各拜乞免死。

午後，使署遂爲熾等所據。適飛報自城外來，眞等大軍已會齊城下。蓋熾等起行後，眞亦取山路，日夜兼程，疾奔順城。抵城時僅遲熾等一日耳。大軍既至，城內外俱爲我軍佔領。

熾、眞等既相會，籌安撫事宜。眞即遍揭告文，宣布救國討賊之意，勸人民各安業毋恐。一面分兵扼守各險要；一面馳報鄧悉。悉、容聞信，大起州兵收撫沿近各府縣。順化、昇華二處地方，旬日間盡奉重光軍命令。熾下令申飭各地方。凡諸土官、土兵悉仍其舊。但所有吳人苛租重法悉行除去。遠近人心咸大悅服。

又旬日，鄧悉亦以兵會。兵威大振，諸牢、占酋長皆遣人投誠。義軍威聲日漸膨脹。廣平諸府縣，相繼以城邑降。橫山關以南一帶，乃無吳賊蹤跡矣。

第十八節　安排雷雨

順城安撫事既大定，設宴犒軍，大會衆兄弟，商擬攻守之策。眞謂熾等曰：「順化失守，吳賊不久必以兵南攻。吾輩當爲先發制人之策，切不可使彼逾横山關一步，策之上也。彼兵度關，則南圻咽喉爲彼所有。彼兵深入，退則盡殲，彼必竭死力以攻我。以我新造之師，當彼必死之衆，勝敗誠未可知。今請統大兵刻日北指，扼横山關爲守禦計。進則可窺義安，退則足以自固。北兵遠來，士倦餉疲，若一再被挫，必委南圻爲我領地。彼視南圻固不甚重也。順化城鎭守之任，請煩鄧公。鄧公久於南方，地勢人情素所諳熟，又負豪傑之望，爲衆所歸，此一帶城池，保無他變。」衆皆曰：「善！」遂舉鄧悉爲順化留守大使，以精輔之。

熾等率大軍望横山關進發。武爲先鋒將，眞爲參謀長，蓮爲行軍女書記。蓋軍中善文書者惟眞與蓮，其他但略通文字耳。

五月望日，大軍已抵横山關，即安營於關內。當關處，叠石長壘。左右每距里許，築兩大營，爲左右翼，武、奮掌之。關內正大營，熾掌之，力爲輔。距關外十里許，起一小壘，築望遠樓，爲斥堠隊駐所，即山頭村也，能與雲掌之。隨軍械餉所需，由鄧鎭使擔保接濟。鄧本陳朝望族，先父左遷爲南中官，遂世官其地。至悉爲昇華土知州。悉父子以原北人，家世業儒，皆工漢文，博學問，喜兵法，善讀孫吳書。既投重光軍，出力最鉅。行軍械餉周應不匱，悉父子力也。

横山關軍營布置既定，適志、趙自北圻回，詣營報告探狀，並言提家眷已引至重光寨，付托擴公保全。且引提長子與提相見。

提有子二；一曰舅泰；一曰舅豐。豐年幼，與其母留寨中。泰年十八矣，有勇力，頗識武藝，善騎馬，不願留寨，請隨父從軍。提見子狂喜。提時爲武營參將，即以泰歸武營充衞士。

志、趙曰：「北圻人心，厭苦吳政甚矣。顧賊勢過大，駐東京兵常有三十餘萬，益以士兵可得六十萬。時未至，未可圖也。聞寧平、清化之間有黎利者，陰結壯士，墾山屯田，納叛招亡，志似不小。然未有所舉動，吳人亦不知之。將來北圻有大舉動，必此人爲首。北圻民智闢通，較南圻優甚。但趨勢逐利，相習成風，媚賊害胞，恬不知怪。某月日，賊統帥會城人民爲龍舟競渡之戲。珥河右岸，起大樓棚，統帥坐其上，集全城桃娘，歌舞於其下。環兩岸觀聽者，人山人海。統帥與僚佐宴飲觀戲。帥歡醉甚，乃於衆前白其臀以示衆，令曰：『凡安南人民有向帥臀以嘴親一親者，賞給九品銜，免賣保紙狀。』俄頃之間，得九品銜者數達於百。民氣如此，吳賊之憑凌，蹂踐宜矣。吾等方欲遲留旬日，尋黎利所在，察其眞相。因有緊急公報，故即南還，恨未得與此人一面。」

眞曰：「殆賊兵入南耶？」

曰：「然！初順化失守，東京已聞之。但彼以爲土人煽亂，未知吾黨眞相。適義安賊使馳驛書來，張皇黨勢頗盛，乞速派兵赴勦。大約旬內，賊兵必來。予等至義安城，賊已勵兵秣馬，專待東京兵來一路齊進。賊首將名曰柳昇。予等得信，急歸報告，遲恐軍機有誤也。」

眞曰：「予等早已料及。他日尚未可知。此番賊來，當使賊知我利害。今日且各歸營，明日請某某諸公會商辨賊之策。」

第十九節　指顧山河

越日，武、奮齊集熾營。眞曰：「賊來鋒銳，宜乘其初至急攻之。但賊衆我寡，須用奇兵乃可勝。今已點齊兵士，原有精兵共得一千，新附士兵共得四千，可分爲五隊。中營爲正兵，又分爲二隊。一中隊一千人爲先鋒軍，雲公主之，可離營出關十里下寨，但以羸弱者當之，多旗鼓以亂賊耳目可耳。一大隊二千人爲後援軍，須揀精壯者，熾公主之。武、奮二公各率精兵二中隊，隊五百人，專爲奇兵，豫伏於中營前左右。此處兩旁皆叢林，可掩賊目，最宜於伏兵。提、力二公各率一中隊，隊五百人，分伏關外兩旁，見賊初下關即揮兵突出，夾擊賊左右，以截賊歸路。此時賊居下而我據高，易勝也。軍中諸新附牢兵，可得五百人，俱善弩矢，宜分配左右營，每營數百人。伏兵發時，弩矢當先，迎賊遙射，槍刀接之。關外二中隊夾擊其後。中營正兵大隊，猛攻其前。雲公軍助之。賊所生存決無幾矣。」

衆曰：「先鋒軍奈何用弱者？」

眞曰：「賊擁大衆而前，其鋒正銳。吾示羸弱以驕之。賊怒且驕，不虞吾詐乃易中計。此一隊軍，本爲引敵之兵，要以能敗爲善，且戰且走，引敵上關，奔路人疲，上關力乏。乘其乏而攻之，乃可克也。關左右皆深林，我兵突迎，賊不能料其多寡，衆心易亂，勝之不難。我蓄力以待賊，主客勞逸其勢懸殊。賊兵雖多，不足懼也。」

計畫既定，復召雲語曰：「公所率隊非求勝敵。然勝敵之張本，全在此軍。見賊兵至即急擊之，不必整陣，亦不可速退，似怯非怯，似強非強，要能引賊度關，是爲第一快事。」復語武、奮、提、力曰：「諸公出戰時間，最緊要在賊兵度關之一刻。失此一刻，甚可惜也。賊且行且戰，自麓至巔，力必已乏。今又在半度之地，我以二隊從上擊之，復以三隊從下擊之，彼腹背受敵，必可破也。賊兵衆多，一潰必不可收拾。吾成功決矣。」

眞又令剛、果二人，人率土民三十人，多備旗鼓向關外左右十餘里埋伏，囑之曰：「賊兵一敗，汝等不必出戰，但於林中揮旗擂鼓，助喊鬪聲，專爲搶奪餉械之地步可耳。」

諸將皆大喜，於是人各歸營，點檢軍伍，整飭器械，部署完好，以俟賊來。衆營人人皆有殄滅此而後朝食之氣。眞又派志、趙爲先鋒女偵探，假裝北商婦人，前往河清，奇英候賊消息，以能、泰與之俱。能、泰皆捷健善走，得報必能疾馳赴營，故也。

眞又於次日募集鄰近土民諸青年男女，編爲一隊，眞自率之。豫備戰勝時隨軍收拾餉械，以及殮埋死屍之用。

越數日，能、泰回報曰：「賊兵三萬人馬已至河清，今夕宿營，明晨即出發」。熾等踴躍歡喜，依前計畫，布置周密，專待廝殺。後一日下午二句鐘，賊至山頭，雲遽出兵與賊挑戰。賊見我兵寡弱，頗易之，不待安營，揮兵驅雲。雲怒戰一小時。賊見我兵不肯退，憤揮大兵疾驅。雲且戰且走，走復回戰。賊益怒，追之。至關，賊見關無守兵，蜂擁而上。雲既上關，復力與賊戰。賊猛攻之，雲敗走下關。

賊度關既半矣，關左右提、力二隊軍突出，鼓譟怒奔，勇氣百倍。賊分一半回攻之，紛紛食弩矢。熾大隊正兵迫攻賊前。奮、武二隊兵又突從叢林中出，弩矢刀槍攢集於虜左右。賊乃大驚，爭奪路走。

是時天色薄暮，賊不辨我兵多寡，又聞四面擂鼓聲，萬山轟震，神奪魄褫，棄甲拋戈，相踐壓以死，遺屍狼籍，途爲之赤。賊軍餉械滿谷滿坑，滇隊所拾乃得無算。我軍乘勝長驅，直至距河清數十里地，然後收隊。諸將收隊歸營。凱歌喧騰，草木震動。點我軍所損傷僅百餘人，厚葬諸殉戰者。自熾以下，皆親送葬。人各拾石一丸，置於公墳上。墳屹然一小山，建石碑墳上，命曰「靖國山」。至今，崇林豐草間，尚有英雄遺跡也。

第二十節 驅策鬼神

又明晨，大會正營，賞犒兵士。衆皆贊服眞之善謀。眞曰：「此非眞謀之能。賴我衆兄弟同心，故能以少擊衆，幸而成功。將來前途正長，兵家勝負，不可豫定。望我兄弟，益一德一心，共濟大業，祖國光復，乃愜心期。僅此一勝，勿以爲喜。」

衆皆曰：「諾！」

會精自順城來，引解餉官進謁。熾等延之入。視其人身長玉立，尖眉彎眼，炯炯有光，乃鄧悉子容也。眞等皆離席起，握手請坐。容曰：「予父恐營中餉不接，特遣予以餉來，且詢軍狀。既至廣平，始聞捷信，敬代予父拜賀大功。」

眞等曰：「此爲我軍與賊開始大戰之第一捷。賴我父兄勤勞，與尊伯公襄辦軍餉之力，僥倖得勝。顧前途可憂，從此始耳。」

容曰：「一勝之後，賊必大來尋仇。諸公高見，當有所以對待。」

眞曰：「予等正爲此焦慮，未有長策。君何以教之？」

容曰：「且請密議，當効愚慮。」

至晚，衆將各歸本營。眞留容問計，容曰：「大軍離順城後，予父檢城內俘囚，共得一百五十餘人，勸慰收撫，令其効用。內吳人一百人，北圻募兵經吳人訓練，裝服與吳人同。又五十餘人，皆前吳使衞兵者，彼等深感不殺之恩，請赴前敵。予父以吳兵新歸，未敢深信。公如有用彼之處，即調來營，予父命質之公等。」

眞曰：「得此甚佳，即調之來。明日勞兄南返，以此意語伯公，並勞伯公撫鎭一面！」

容曰：「弟返即調此兵來，當以何時至也？」

眞曰：「愈速愈好！」

越晨，容辭去。

又一星期，容已率降兵一百五十餘人，同抵營次。熾、眞大喜，密謂容曰：「此兵之用處，君必知之。」

容曰：「頗有見地，不知合否？賊今再來，衆必雄盛。鑒於前次之敗，必先安營固壘，然後致我而戰，或進攻我營，勝則長驅，敗必堅壘爲持久計。我今與賊戰，必須燬彼營壘，勝算乃得。今即請用此兵，詐爲降隊，準備內攻。可乎？」

眞撫掌大笑。所坐几幾爲之倒，曰：「少年英雄，乃先得我心矣。」

眞遣奮、力點視降兵，居之別營，厚給飲食，用好言撫慰之。

既晚，眞親自詣視，謂俘曰：「君等鄉里親戚，皆在吳官勢力之下。今即放君等歸吳營何如？」

降兵等曰：「厚蒙賜活之恩，未有以報，不願歸也。」

遍問之，所答同。眞曰：「公等如此誠心，我等甚所敬愛。今吳官早晚必以大兵來攻我，我等寡不敵衆，勢必不支，欲早投降，爲自存計。但我軍前曾戰挫吳軍，恐無人介紹，吳將必不容我降。即煩諸君投義安營，道達吾意。若事諧者，吾可全夥來降，諸君肯否？」

俘皆曰：「此事必能盡力。諸公生安我等，我等亦甚願安樂。」

眞曰：「極感諸君，遲數日可行也。」

眞既歸本營，召奮、力來，謂曰：「吾今欲行詐降計，遣人先入義安城，預備內應。君意何如？」

奮曰：「如行此計者，吾二人即任之。但恐賊不肯信，公有何策？」

眞附耳語曰：「如此……如此……彼必墮吾術矣。」二人會意而退。

明日，眞大集諸將於熾正營，容及俘兵官長俱與會。眞起言曰：「吳人自入我國，所至城邑，如石擊卵，投之即碎。昨者僥倖，我獲一勝。彼必羞憤，將傾全北圻之兵以來雪前恥。我不知難，必至葬身無地。以愚弟所見，不如暫時呈遞降書，爲緩兵之計，徐俟後圖。」

衆皆曰：「謀主言是也。此時再戰，勢必不敵。」

奮、力二人齊離席，起曰：「諸公皆婦女子氣。大丈夫見敵，惟有戰耳。能勝固好，雖敗亦榮，吾口中決不能說出『降』字。」

衆未及答，志、趙亦起罵曰：「君乃薄視婦女子。即予等亦不願言降。」

眞大怒，起曰：「自起義至茲，予所計畫，未有誤者。今予籌慮既熟，戰不可戰，萬不得已，乃出於降。奮、力恃功驕傲，竟於大會中辱予，予復何面目與諸君共事？予去也，任諸君爲之」乃憤憤下階。

將出門，衆將皆起拽眞衣，請眞息怒，再籌善策。眞曰：「非奮、力袒肉謝罪，予決不復任事」。

衆皆勸奮、力承認失言之罪。奮、力突起，露臂怒目瞋眞，罵曰：「起義以來，歷無數艱勞，僅有今日。汝但掉三寸舌，乃欲蔑我等。我一語反對，即要謝罪。我在軍言戰，我職志也，何罪而謝？」

眞謂熾曰：「軍官如此無禮，請謝總司令，乞入山作樵牧，免異日梟頭於東京，至爲福幸。」

熾亦怒甚，罵奮、力曰：「汝等侮辱軍師，有何法紀？有何秩序？」即呼衞兵拽二人縛於營前樹下，令曰：「肯認罪者，否將打汝死於棍下，以謝軍師。」

奮、力皆曰：「汝有權可以棍我，我且死不認罪。」熾怒益厲，命棍人各二十下。

衆見眞、熾盛怒，無求免者。志、趙獨起曰：「乞念舊勞，准免棍責。」

熾不答。棍罷，逐二人出，且斥之曰：「汝若再如是者，必斬汝。」

是席遂不歡，衆將各散，日近午矣。

奮、力歸營，衆俘皆來問慰。奮、力忿氣硬喉，但長吁不能言，久之乃曰：「吾今無面目見人，誓必自死。」

衆俘曰：「請勿躁。前晚軍師已要我遞降書。我等諾之。有志報此辱者，從我去可也。今日在會事，予等甚爲二公不平。」

奮、力沉吟一刻許，乃與俘等密言曰：「予今投降，實得罪國民，非予本心。顧此二者，殊不足共事，況辱予至此。予今他無所恤，但洩吾憤，吾能刺刃於彼腹，吾死且瞑。此間皆彼心腹，予不能動手。君等能以予降吳，辱予之讐人，予誓必馘首以獻。」

衆俘曰：「彼果許予等歸吳營者，予必以二公進請。今晚看機，宜速行耳。」

二人皆曰：「感謝！感謝！但投降後，要力求大國上將必誅此二老，予乃快慰。」

俘曰：「此不待言。」

晚八點鐘，熾、眞召諸俘長來，語曰：「汝等共百餘人，今即以十餘人先爲予詣驪城投遞降書。降可信者，吾隨後偕汝等衆人，續以全兵歸命也。」

俘等皆曰：「必有佳報！」

眞曰：「明日汝等可啓程，諸事有鄧容君料理，無須問我。」旣出降書，付俘長，再囑之曰：「君等稔熟容。容與君偕，有佳音者，容回接我來也。」

衆俘皆曰：「唯！唯！」

容君精漢文，解吳語，與吳官酬答，必無誤，此事必妥。眞揖俘等，送之出營。

俘歸營，請奮、力至，示以眞、熾降書，問二人曰：「公等行計決否？」

曰：「決矣。但今晚夜深可去。遲明日，此二者知之，必拘我，彼與我今爲仇敵矣。」

俘曰：「速去爲佳，但須得容君同意乃可。」

語未竟，忽容從外來，詰奮、力曰：「二君所密謀，我將覺於總司令。」

奮、力泣曰：「君乎！乃竟陷予於死地耶？」

容曰：「予戲耳！日間事予亦甚抱不平。君等去者，予當承認。」

是夜，奮、力收拾所部卒得百餘人，詣俘長曰：「予今以予所部偕君等去。渠皆予心腹手足，予去渠不能留。今一齊北上，諸君肯贊成否？」

俘等皆曰：「甚好！今宜速行，遲恐洩也。」

奮、力曰：「吾即去也！」

會志、趙來，亦曰：「吾救二君，竟不得，吾何顏居此。與諸君俱去耳。」

即夜輕裝便服，腰刀背糧，共二百餘人密密離營，望義安城進發。

至石河，俘等先馳驛，密報義安城承宣使。吳使得俘信，喜曰：「此賊歸降，吾無患矣。」

旣至決江南岸，俘與隨兵十餘人帶容先入城，拜謁吳使，呈熾、眞降書，且報南軍中種種眞狀，乞爲收納。吳使得書謂俘曰：「汝等幹此大功，將來必有重賞。」

俘請屏左右，密進曰：「奴等辱被賊俘，日夜思脫牢籠，苦未得計。昨因賊求代呈書，乘此機會，復歸主營，至爲欣幸。再有一最佳之消息並遞以來，想主帥所樂聞也。」

吳使命畢其詞。俘曰：「賊營中有二將曰奮、力，素有功勞。昨因直言，爲賊主將所辱罰。彼憤憤欲死，奴等勸之投降，爲報復計。彼等嘗對奴等言，主帥若不見棄，彼等能以全南圻土地歸獻上國。請主帥召問之何如？」

吳使詰其情，俘乃舉前我營會議時，奮、力如何抗議，眞、熾如何責辱，爲彼所親見聞者，一一歷敍。使喜甚，召之來。俘曰：「彼二人已率所部百餘人，專在江南岸待命，可即引進城否？」

使曰：「且先引此二人來！」

奮、力既進城入拜吳使，俘爲引導，容爲舌人。吳使叱曰：「汝等初言主戰，今竟先降，僞也！」

力曰：「我爲南軍，對吳軍言戰，乃其本分。吾等首領恨非其人，自聖自神，凌侮將士，汚辱我等甚於俘囚。衆叛親離，滅在旦夕。我既被辱，復與同滅。遭辱不報，是謂不勇。與愚同滅，是謂不智。不智不勇，是非丈夫。展轉思之，翻然變計。歸降上國，冀有藉手一以報我之憤，一以補前愚之過。天日在上，言出至誠。若疑其僞，請自死於使前。吾被老賊棍罰之後，旣欲自死。可恨彼數人誤我。」語至此，指俘而言曰：「汝誤我！汝誤我！」遂以頭觸階磚。

吳使急止之，命俘擁二人起。俘附耳語之曰：「使且回心，容好相待。」

二人再起立，使笑曰：「今知汝二人之心矣，但熾等請降，汝二人謂眞否？」

二人對曰：「現在則非僞，結局則非眞。此二賊甚狡黠。彼今以挫敗官兵之釁，知北圻大兵一至，勢必不支，急而請降，緩乃變計。今爲大人之策，因其請，陽許之，賜書撫慰，令彼以全夥來歸，邀截於中途，盡殲其黨，永無後患。但不可令彼入城，彼衆尚有數千，若一入城，是引賊入腹，急難圖矣。若但許一、二人來，彼必懷疑，不敢北向，是驅之再反也。彼二賊若誅，横山關以南無敢抗者，一反掌間，復爲上國所有。計之萬全，無出此者，請察奴等之愚。」

吳使拍案大笑曰：「汝言甚是，待功成後，進汝於東京統帥，賞汝以大官。」復顧容，問奮、力曰：「此人可否與汝同心？」

奮、力曰：「此爲吾至親密可信者。」

使復問容，容曰：「奴乃昇華土知州鄧悉之子。順化失守，奴父爲賊所拘。奴幸藉此一行，得見天日。知賊運命將終，吾父子有出谷遷喬之日也。」

吳使曰：「汝回語賊，使彼必以全夥來。馳驛先報，予當以人接彼於決江南岸。汝善爲辭，勿露惡意，是汝第一功。」

容對曰：「決不辱命。」

吳使大悅。於是引奮、力等所部人俱進城，編爲歸化軍。即日發書，遣容南回報眞、熾。

第二十一節　乘風破浪

　　眞、熾於奮、力北行後之一日，幽降兵於空營，以兵士監視之，但厚給飲食，禁不使聞外事。越數日，集諸心腹將佐，商議進取之策。眞曰：「吾計既行，即進攻義安城，可以全勝。宜一面派人至寨主處報告軍情，要堅公密諭地方豪傑預備響應，以壯聲援；一面派員往順化解大餉來，爲進軍之需。我等於旬日，部伍各營事趁急整齊，等北行回音，即起發。」

　　衆曰：「北圻聞我兵勝信，彼必起大兵報仇。義安何以必克？」

　　眞笑曰：「北兵必未來，我兵取義安城後，彼或來耳！」

　　衆曰：「公何以決其然？」

　　眞曰：「奮、力此行，足以緩北圻之兵矣！待後自知。」

　　於是，派能、泰潛取山路，謁擴公，告軍情，且以眞所謀對。擴公大喜，派人密往各府縣，陰約豪傑，預備響應大軍。又搜括寨內銀錢，解到軍前助餉。

　　越旬日，能、泰回營覆命。會順化鄧悉亦遣精押餉來，且以順化新兵五百人會。熾、眞乃定日發兵。點各營兵共得八千人，分爲三隊：一大隊武主之，精爲副，爲先鋒兵；一大隊熾主之，眞爲副，爲後援兵；一中隊爲奇兵，雲主之，能爲副，先期出發，遶道出義安後路，以截北來敵兵，兼襲攻省城北面。分布既定，眞語雲曰：「公所率隊，宜取山路潛行，啣枚疾走，先向義安後路埋伏。賊兵離城仍可勿動，專俟北兵。若來，迎而攻之，不必取勝，但爲疑兵可耳。若北兵不來者，專等省城火起，急以兵入城，兵可克也。」

雲隊既發，適容自北回，呈吳使諭書。眞大喜，先遣容持手書，賫禮物，赴義安城呈吳使，備述熾等奉命率黨來歸之意。書詞甚卑，且乞付示日期，得旨乃發。

先是，柳昇戰敗，震動北圻，東京吳兵已準備赴援。吳使忽得奮、力歸順，熾等請降之信，自謂大功垂成。恐一旦北圻重兵將來，功不由己，遽馳驛書赴東京，言此間自能滅賊，南圻收復即在旦夕，乞勿勞重兵。東京兵遂不發。容得此信，疾歸報眞。眞、熾即下令出發，距雲隊起行已爲後八日矣。

義軍自起事以來，旗幟鮮明，鼓金震盪，正正堂堂之舉，此爲第一日。是日天色晴明，南風猛起，熾等宴犒軍士既畢，駐營所有餉械盡解充行需，示破斧沉舟之意。俘兵一百餘人，專令備運送隨輜重之後，隨軍後出發，以我兵一小隊押之。未及三日，先鋒隊武軍已抵決江南岸。武令弩矢兵一千人伏江邊蘆葦中，以待賊兵之至。熾大隊分左右兩翼，嚴陣於鴻嶺東西，準備廝殺。

次日晡時，吳賊得諜報來，兵僅二千餘人。吳使大喜，料我軍預備歸降，必無鬪志，突攻之可大獲勝。遂起城中兵五萬餘人，下午一時，擁衆離城臨決江北岸。

將渡江，武揮弩矢隊押江扼射。吳兵半渡紛紛落水，迫得退回。既乃復渡，仍不得渡。如是者五、六次，均爲弩矢所驅。

日已啣西矣，遂亦嚴陣於江北，與我軍對壘。

時城中空虛，僅散官閒吏，與承宣使親兵，分守城門，專望捷音之至。天色薄暮，戰報未回。奮、力料賊兵必正與我兵相持，機會甚可乘矣。

是時，志、趙已潛入城內民家，專等放火。夜一更半，晚炊纔熄，忽城北門火起。火乘南風，熊熊烈烈。軍官赴救，火勢未衰。俄東南門火亦起，使營左右焚焰逼天。救火人方東馳西驟間，

「殺賊！殺賊！」聲，忽大起於城內外。

吳使急覓奮、力等，則是奮、力所部已皆混入軍營，奪槍飛鬪，東呼西噪，逢敵便斬。頃則使署中有人大呼：「賊快來！賊快來！」承宣使急上馬，率親兵三百餘人向北門走，將奪路回東京也。行未十里許，一道軍迎面而來，大噪曰：「來者果爲承宣使，快下馬降！」吳使驚惶，揮親兵死拒。但來軍勢甚凶猛，虎吼而奔。賊兵三百餘人，霎時間僅十頭在耳，吳使遂被俘。此道軍主將乃雲也。

雲挾吳使，整隊進城。頃則奮、力、志、趙皆會，分兵救火，鎮守各城門，飭城內人民安堵無恐。

天已明矣，江北賊兵突聞省城陷，巢穴已失，軍無鬪心，轍靡幟亂，部伍失次。江南熾兵見之，急分兩翼，從上下流橫舟迅渡夾擊之，賊軍大潰。武軍亦擁全隊渡江殺賊。義烈山上下，賊屍縱橫不可算。柳昇僅以殘餘軍隊八百人，且戰且走，奪徑路回東京。我軍整隊入城，義安省城復爲我有矣。

第二十二節　環乾轉坤

義安城收復後，堅亦以地方豪傑兵收復各府縣，儘驅吳官；馳檄遠近宣布威德，凡吳苛租毒法悉除之。衆情大悅，歡呼「萬歲」之聲滿天地。

又次日，熾、眞遣精、志赴大寨，携牛酒犒寨卒，迎寨主擴公進城。擴公既入城，衆將及地方豪傑皆在會。雲以賤俘吳承宣使獻，請示定奪。擴公命以付志。志領俘出，斬吳使於父墳之前，以頭祭父。自是人始知姑志之下落，距失踪時蓋幾十年矣。滿城老幼相顧歡誦謂：「生女當如姑志之。」

越明日，開祝賀大宴，眞請於衆曰：「前途進取，大局方新，不可不宣布大義於全國。南圻一帶，幸已收復，今又攻下義安城，軍威既張，必須北伐。我賊勢不兩立，偏安半壁，非我等兄弟始謀。請諸公共陳大計。」

衆曰：「我軍北伐，堂堂之陣，正正之旗，非山寨萌芽時比。請以弔民伐罪名義，宣布於全國，即奉擴公爲盟主，以繼陳後，藉爲號令海內之資。然後選將整兵，刻期北伐，則祖國可復，而大業成矣。」

眞曰：「擴公爲陳朝後裔，吾黨起義又爲唱（倡）始之人，今奉爲主盟，名正言順，此議甚合。即日行之。」

衆皆曰：「善！」於是仍重光寨名，尊擴公爲重光帝。

重光帝立，出師北圻屢敗賊大將張輔。清花❶內外，相繼收復，山河再活，在指顧間。然而功喪垂成，一敗塗地。

今人經逋姑渡，灑淚先朝，繫無窮之哀感焉。此中原故，有舊史在，讀者能推而知之，無容饒舌。獨惜今我國史於重光帝事，所載甚略。當時同義諸人，僅阮景眞即翁眞，阮熾即翁熾與鄧悉、鄧容二父子，其他皆湮沒無聞。噫！何故也？

蓋我國當時寧平以南，識漢字者絕少。稗官野史，皆以土字載之。其後漢文傳播，朝庭科舉，趨重於漢文，我國人遂弁髦土字而不錄。土字失傳，人湮事晦，吾國人愛國愛群之思想，日漸薄弱，淪胥至亡。由今回思，餘慟欲絕。予於二十年前，好與葵、襄土人結納，彼人不識漢文，但解土字。故侭遺老，樂向予談數百年前事。蓋從土字野史傳來者，予今述之，以告我國民。

嗟乎！我國民，我同胞，其勿謂古事爲不足談也。吳、越之不敵，婦孺能言之！吳之土地三十倍於我，吳之人民，數百倍於我，然吳人郡縣我國乃不能及二十年。以地理之毗連，軍情國勢之慣熟，而大小、衆寡、強弱之懸絕，又相天淵。然欲滅我種，呑我圻，埋沒我國號，尙不可得。我先人之有造於我後嗣，豈其微哉？

重光帝敗，黎太祖興，竟能掃平強吳，恢復故宇。讀史者皆能知黎太祖之偉烈豐功，爲吾國英雄冠。而凡失敗之英雄，無名之英雄，所以分道揚鑣，區林斬棘，以引出此巍巍赫赫之大英雄。吾國民乃無一人能道之，甚哉！吾國民之忘祖也。

重光帝既殉國難，後惟熾、堅二老返據舊寨，延一線之餘燼。及得黎太祖起兵之信，熾留堅守寨，身操賤服，北赴西都尋黎皇於藍山峒。熾引黎兵進攻義安，堅舉所部歸之。吳平黎興，我人帝我國。熾遂爲黎朝第一偉人而屯翁堅之名，至今尙在人口。

偉哉！社會鑄英雄，英雄造時勢，因因得果，果復產因。吾人讀史，於黎皇平吳復越之事，莫不踴躍歌誦。江山如故，城郭依然，主人誰歟？

吾國民！吾同胞！起！起！起！

【校勘記】

❶ 清花，即清化。

國立中央圖書館出版品預行編目資料

越南漢文小說叢刊．第二輯／陳慶浩、鄭阿財、陳義主編．初版．--臺北市：臺灣學生，民81
冊；　公分
ISBN 957-15-0461-0（一套：精裝）

868.357　　81005761

越南漢文小說叢刊 第二輯

歷史小說類 第三冊

⑨皇越龍興誌
⑩驩州記
⑪後陳逸史

主編者：陳慶浩　鄭阿財　陳義
出版者：法國遠東學院
本書局登記證字號：行政院新聞局局版臺業字第一一〇〇號
發行人：丁文治
發行所：臺灣學生書局
臺北市和平東路一段一九八號
郵政劃撥帳號〇〇〇二四六六八號
電話：三六三四一五六
FAX：三六三六三三四
香港總經銷：藝文圖書公司
地址：九龍偉業街99號連順大厦五字樓及七字樓　電話：七九五九五九五

中華民國八十一年十一月初版

86802-3

ISBN 957-15-0461-0（一套：精裝）
ISBN 957-15-0464-5（精裝）